(FR

Gedichte
Die Lehrlinge zu Sais

HERAUSGEGEBEN VON
JOHANNES MAHR

PHILIPP RECLAM JUN. STUTTGART

Umschlagabbildung: Novalis (Friedrich von Hardenberg).
Stich von Eduard Eichens (1845) nach einem Gemälde von
Franz Gareis

Universal-Bibliothek Nr. 7991

Bibliographisch ergänzte Ausgabe 1997
Gesamtherstellung: Reclam, Ditzingen. Printed in Germany 2001

ISBN 3-15-007991-8

www.reclam.de

Dichtungen aus der Schulzeit

1788–1791

An die Muse

Wem du bei der Geburt gelächelt,
Und Dichtergaben zugewinkt
Der, süße Göttin, der erringt
Nicht Lorbeern, wo das Schlachtfeld röchelt,
5 Und Blut in langen Strömen rinnt,
Der wird nicht im Triumphe ziehen
Den ihm ein schwarzer Sieg gewinnt,
Und nie von Stolz und Ehrsucht glühen
Wenn zwanzig Heere vor ihm fliehen
10 Dem Reiz des Siegerruhmes blind.
Auch Hofintrigen und Kabalen
Kennt seine heitre Seele nicht,
Und bleibt selbst bei Ministerwahlen
Gleichgültig, Ehre reizt ihn nicht,
15 Und selbst die höchsten Ehrenstellen
Vermögen nie was über ihn.
Auch strebt er nimmer über Wellen
Zu fernen Zonen hinzuziehn,
Um mit Gefahren seines Lebens
20 Zu holen Purpur oder Gold
Und Perlen und was Sina zollt;
Denn Eigennutz reizt ihn vergebens.
Doch hüpft er gern auf grüner Flur
Mit jungen frohen Schäferinnen
25 Und stimmt um Liebe zu gewinnen
Voll süßer Einfalt und Natur
Die kleine Silbersaitenleier
Zur sanften, holden Frühlingsfeier:
Und singt, wie Liebe ihm es lehrt

30 Auf heitern, ländlichen Gefilden
Von seinem Mädchen nur gehört
Ihr süßes Lob und kränzt die wilden
Entrollten Locken wonnevoll[.]
Sein ruhig Auge sanft und milde
35 Blickt keinen Haß und bittern Groll,
Lacht kummerlos und gleicht im Bilde
Dem Quell, der aus dem Felsen quoll;
Nicht Stürme wüten ihm im Busen
Kein Kummer scheucht ihm sanfte Ruh
40 Er sieht dem Schicksalswechsel zu
Voll Gleichmut und bleibt treu den Musen.
Und ruft ihn von der Oberwelt
Mit leisem Ruf Merkur herunter,
[. . .]

Gottlob! daß ich auf Erden bin
Und Leib und Seele habe;
Ich danke Gott in meinem Sinn
Für diese große Gabe.

5 Der Leib ist mir doch herzlich lieb
Trotz seiner Fehl und Mängel,
Ich nehme gern mit ihm vorlieb
Und neide keinen Engel.

Ich küsse gern mein braunes Weib
10 Und meine lieben Kinder,
Und das tut wahrlich doch mein Leib,
Und mir ist es gesünder,

Als wenn ich mit Philosophie
Die Seele mir verdürbe,
15 Denn ein klein wenig Not macht sie,
Die liebe Weisheit, mürbe.

An mein Schwert

Ich wuchs, da gab mein Vater mir
Ein Schwert von hartem Stahl,
Nun weihe ich ein Liedchen dir
O eines Jünglings schönste Zier
5 Nun mein zum erstenmal.

Sei stets des Hülfbedürftgen Schutz
Geführt vom starken Arm
Und biete jedem Feinde Trutz
Sei meinen Freunden stets zu Nutz,
10 Zerstreu der Räuber Schwarm.

Doch diene den Tyrannen nicht
Und blink fürs Vaterland
Und hau den, der für Sklaven ficht,
(Gewiß er ist ein schlechter Wicht),
15 Geführt von meiner Hand.

Elegie auf einen Kirchhof

Kirchhof, werter mir als Goldpaläste,
Werter einem jeden Menschenfreund,
Birgest manches Edlen Überreste
Aber auch wohl manchen Tugendfeind.

5 Trink die Tränen, welche meinen Lieben
Die hier ungestöret ruhn, geweint;
Stunden sagt, wo seid ihr denn geblieben,
Die ihr uns als Jünglinge vereint?

Sprosset auf zu dunklen Trauermyrten
10 Tränen, die die Liebe hier vergoß

Grünt, um meine welke Stirn zu gürten,
Meine Laute, der nur Schmerz entfloß.

Kirchhof, Freund der trüben Knabentage
Die mir schwanden tränenvoll dahin,
15 Hörtest du nicht oft auch meine Klage,
Wenn mich eine Freundin mußte fliehn?

Die Kahnfahrt

Knaben, rudert geschwind, haltet den raschen Takt;
Jener Insel dort zu, welche der Lenz bewohnt,
Wo die Grazien tanzen
Bei Apollos gefällgem Spiel.

5 Seht die Sonne – sie sinkt hinter dem Buchenwald
Immer milde hinab in die entferntste Luft,
Röter glänzen die Hügel,
Die des Abends Erröten grüßt.

Becherfreude beim Kuß rosiger Mädchenschar
10 Harret meiner daselbst; sehet sie winken schon.
Uns soll Hesperus leuchten
Bis zum neidischen Morgenstern.

Bei dem Falkenstein

einem alten Ritterschloß am Harze

Geist der Vorzeit, der mich mit süßen Bildern erfüllte,
Wenn ich Sagen las von hehren, silbernen Zeiten,
Wo voll höheren Sinn Thuiskons Enkel begeistert

Lauschten der Stimme des Vaterlandes, die herrlichem Tode
5 Sie entgegenriß von unsterblichen Lorbeern umschattet,
Höre den Jüngling, der dich mit flammender Wange und Stirne
Ruft, daß du mit Begeistrung, der hohen, entzückenden Göttin,
Auf den Flügeln des Wests von heiligen Schauern umringet
Her zu mir fleuchst, daß Eichen und himmelanstrebende Klippen
10 Beben, und wie der Unsterblichen Eine die Seele sich aufschwingt
Mit den Flügeln des Schwans, im Schwung wie ein Läufer des Eises,
Zu der Versammlung der Väter, der Greise mit schneeigem Haupthaar
Und mit langer Erfahrung getränkt, wie mit himmlischem Tranke,
Fröhlicher würd ich alsdann zurück zur Erde mich schwingen,
15 Wenn ich die Greise gesehen, die in diesen Trümmern gehauset.

Der Harz

Harz, du Muttergebürg, welchem die andre Schar
Wie der Eiche das Laub entsproßt
Adler zeugest du dir hoch auf der Felsenhöh'
Und dem Dichter Begeisterung.

5 Weit im deutschen Gefild sieht man der Felsen Haupt
Spät im Sommer vom Schnee noch schwer,
Tiefer Fichten bekränzt, düster vom Eichenwald,
Der vor Zeiten den Deutschen hehr.

Ströme rauschen herab dir in das finstre Tal,
10 Brechen zwischen den Lasten sich
Welche spielende Flut von dem Gebürge riß
Und des eilenden Sturmes Grimm.

Oft umringen dich auch Blitz und des Donners Hall,
Schrecken unten das tiefre Tal
15 Doch mit heiterer Stirn lachst du des Ungestüms,
Träufst nur fruchtbare Flut herab.

Eber brausen im Wald, Eber mit Mörderzahn,
Die der Spieß zu bestehn nur wagt,
Du auch hegest den Hirsch trotzend auf sein Geweih
20 Und noch mehrerer Tiere Heer.

Gütig lässest du zu, daß dir ein Eingeweid
Mit der emsigen Hand durchwühlt
Nach verderbendem Gold und nach dem Silbererz
Unersättlicher Menschendurst,

25 Aber schenkest uns auch Kupfer und tötend Blei
Eisen nützlich dem Mensch[en]geschlecht
Das den Acker durchfurcht, Sterblichen Speise gibt
Und dem gütigen Ofen Holz,

Wenn mit schneidender Axt Bäume der Hauer fällt,
30 Die dein nährender Schoß erhob.
Aber bauets nicht auch Häuser zum Schutz uns auf?
Schützts uns nicht für der Feinde Wut?

Lob dir, denn es besang dich, der Unsterblichkeit
Sänger Klopstock mit Harfenklang,
35 Daß es scholl im Gebürg und in dem Eichenwald
In dem felsichten Widerhall.

Deutsche Freiheit so wert, werter dem Biedermann
  Als des zinsenden Perus Gold
Stehe furchtbar und hehr und unerschütterlich
40 Wie dein donnerndes Felsenhaupt.

Der Eislauf

Blühender Jüngling, dem noch Kraft im Beine
Der nicht Kälte, als deutscher Jüngling scheuet
Komme mit zur blendenden Eisbahn, welche
  Glatt wie ein Spiegel[.]

5 Schnalle die Flügel an vom Stahle, welche
Hermes jetzt dir geliehn, durchschneide fröhlich
Hand in Hand die schimmernde Bahn und singe
  Muntere Lieder.

Aber, o Jüngling hüte dich für Löchern
10 Welche Nymphen sich brachen, nahe ihnen
Ja nicht schnell im Laufe, du findest sonst den
  Tod im Vergnügen.

Wenn sich die schwarze Nacht herunter senket
Und das blinkende Kleid der Himmel anzieht,
15 Leuchtet uns der freundliche Mond zu unserm
  Eiligen Laufe.

An den Tod

Wie den Seraph himmlische Lust erfüllet,
Kommt der Brüder einer, auch selger Engel,
Den des Himmels Freundschaft mit ihm verwebte
  Zu dem unsterblichen Bunde,

5 Wieder von der fernesten Welten einer
Wo er Glück und Segen die Fülle ausstreut
Heitre Ruhe mit friedlicher Palme über
Tausend Geschöpfe ergossen,

Und nun fällt in Engels Entzücken seinem
10 Freunde an die himmlische Brust und dann im
Kusse, unaussprechbare Freundschaftswonne
Einet die Seelen der Seraphs.

So werd ich mich freuen wenn du einst holder
Todesengel meine geengte Seele
15 Zu dem selgen Anschaun Jehovas durch die
Trennung vom Körper beflügelst.

Und sich dann die neidische Hülle abstreift
Gleich der Puppe welche den Schmetterling hält
Und zerplatzet kommet die Zeit der Reife,
20 Jener befreit dann entfliehet.

So wird sie auch fliehen die edle Seele
Aus dem Erdenstaube entlastet dort zu
Jenen höhern, bessern Gefilden reich an
Seliger Ruhe und Freiheit.

25 Wo ein ewger Frühling die Wangen kleidet
Und ich voll unsterblicher Kraft die Schöpfung
Sehe, staune, himmlische Freundschaft mich un-
sterblichen Geistern vereinet.

Allmächtiger Geist, Urquell aller Wesen,
Zeus, Oramazes, Brama, Jehova;
Vorm ersten Äon bist du schon gewesen
Und nach dem letzten bist du auch noch da.

5 Du rufst aus ödem Dunkel Licht und Helle,
Aus wildem Chaos ein Elysium,
Du winkst und sieh! ein Tempe wird zur Hölle
Und eine Sonne hüllet Nacht ringsum.

Aus deinem Mund fließt Leben und Gedeihen
10 In diesen Baum und in den Sirius
Und Nahrung streust du Myriaden Reihen
Geschöpfen aus und freudigen Genuß.
Ein Kind ruft seinen Vater an um Speise,
Ward es auch gleich schon tausend Tage satt,
15 Wenn ihm der Vater gleich den Trunk und Speise
Auch ungebeten stets gegeben hat.

Warum soll ich, ich Kind, dich Vater nimmer
Um Nahrung flehn, die du mir so schon gabst?
Für Seel und Leib, um hoher Wahrheit Schimmer
20 Mit dem du nur geweihte Männer labst?
Gib mir, Geist, Schöpfer, hohe Ruh der Seelen
In Freud und Glück beim bodenlosen Schmerz
Und Weisheit immer echtes Gold zu wählen
Und Fülle der Empfindung in das Herz.

25 Gib mir der Herzensgüte, die bei allen
Was zweien Brüder trifft, das Herz erregt;
Sanft seiner Freude Ausbruch nachzuhallen
Und mitzuweinen, wenn ihn Drangsal schlägt.
Die Edle stählt den Mann, der ihre Ehre
30 Gemordet, überall mit Schlangensinn;
Der sie bedrückt mit seines Hasses Schwere;
Von des Verderbens Schlund zurückzuziehn.

Die duldsam ihn lehrt Torheit immer
Zu tragen, die der Welt Tyrannin ist
35 Die ach so gerne nur bei schwachem Schimmer
Vor lautrer Weisheit Menschentand vergißt.

Die mir nicht heißt den Bruder zu verachten
Dem einen andern Glauben du verliehn,
Den redlichen Bramin mir mehr zu achten
40 Gebeut, als einen finstern Augustin[.]

Gib mir, daß ich mit sanfter Lieb umfange
Hienieden jede deine Kreatur.
Und stummer Dank Erquickter mir die Wange
Mehr kühlt als Lenzeswehen der Natur.
45 Zuletzt fleh ich dich noch um Trank und Speise
Für jeden Lebenstag notdürftig an;
Und daß ich oft nach schlaff einfältger Weise
Am Busen der Natur dir danken kann.

Die Quelle

Ein Sonett

Murmle stiller, Quellchen, durch den Hain,
Hold durchflochten von der Sonne Schimmer,
Singe deine süßen Lieder immer
Sanft umdämmert von den Frühlingsmai'n.

5 Philomele ruft Akkorde drein,
Leiser Liebe zärtliches Gewimmer,
Da wo sich das zarte Ästchen krümmer
Neiget zu der Welle Silberschein.

Käme Molly doch hieher gegangen,
10 Wo Natur im Hirtenkleide schwebt,
Allgewaltig mir im Busen webt,

Reizvoll würde sie die auch umfangen,
Und vergessen ließ ein einzger Kuß
Uns vergangnen Kummer und Verdruß.

An Agathon

Wenn Könige mit Gunst dich überhäufen,
Rund um dich Gold in hohen Haufen lacht,
Und zwanzig Schiffe dir durch alle Meere streifen,
Und für dein Wohl Fortuna treulich wacht,
5 So rühmet jedermann dein Glück; doch stets vergebens,
Denn hast du nicht dabei Philosophie des Lebens,
So hast du nichts.

Das süßeste Leben

Lieblich murmelt meines Lebensquelle
Zwischen Rosenbüschen schmeichelnd hin,
Wenn ich eines Fürsten Liebling bin,
Unbeneidet auf der hohen Stelle;

5 Und von meiner stolzen Marmorschwelle
Güte nicht, die Herzenszauberin
Und die Liebe, aller Siegerin
Flieht zu einer Hütte oder Zelle;

Süßer aber schleicht sie sich davon
10 Wenn ich unter traurenden Ruinen
Efeugleich geschmiegt an Karolinen

Wehmutlächelnd les im Oberon
Oder bei der milchgefüllten Schale
Bürgers Lieder sing im engen Tale.

An He[rrn August Wilhelm] Schlegel

[1.]

Auch ich bin in Arkadien geboren;
Auch mir hat ja ein heißes volles Herz,
Die Mutter an der Wiege zugeschworen
Und Maß und Zahl in Freude und in Schmerz.

5 Sie gab mir immer freundlich himmelwärts
Zu schaun, wenn selbst die Hoffnung sich verloren;
Und stählte mich mit Frohsinn und mit Scherz;
Auch ich bin in Arkadien geboren!

Komm, reiche mir die brüderliche Hand!
10 Zu Brüdern hat uns die Natur erkoren,
Und uns gebar ein mütterliches Land.

Ich habe Dir längst Liebe zugeschworen,
Gern folgsam meinem bessern Genius.
Gib mir die Hand, und einen Bruderkuß!

[2.]

Zarte Schwingungen umbeben leise
Meines Busens junges Saitenspiel,
Und ein höher schlagendes Gefühl
Atmet in mir in so fremder Weise.

5 Deine Lieder wehn aus fernem Kreise
Aus der Aftertöne Marktgewühl
Ach! so freundlich, heilig, lieb und kühl
Her zu meines Pfades stillem Gleise.

Mancher Stunde lieh ich Flügel schon,
10 Daß zu Dir, der jüngsten Muse Sohn,
Zu Dir, dem Holden, Lieben, sie mich brächte;

Daß ich mich an Deine Brust gelehnt,
Und an reineren Genuß gewöhnt,
An des Schicksals stillem Neide rächte.

3.

Oft schon hört ich, wenn im Dichterlande
Ich zu jeder stillen Laube ging,
Welche schirmend vor dem Sonnenbrande
Einen Dichterjüngling kühl umfing,

5 Deine Lieder, und ein goldner Ring
Knüpft im Traum, den mir die Hoffnung sandte
Und an dessen Lipp' ich schmachtend hing
Freundlich uns in sanfte Lebensbande.

Wäre dieser Traum der Ehrenhold
10 Einer schönen Feenzeit gewesen,
Da Du mich zu Deinem Freund erlesen;

Ewig wollt ich, meinem Schicksal hold,
Treue schwören allen guten Wesen
Und von jedem Geistesfehl genesen. –

4.

Auch ich bin in Arkadien geboren,
Auch mir hat mancher gute Genius
Am Mutterbusen Liebe zugeschworen,
Und manchen süßen, freundlichen Genuß.

5 Auch ich empfand in Ahndungen verloren
Das leise Wehn von manchem Geisterkuß,
Und fühlte oft im heiligen Erguß
Mich zu der Sonne reinem Dienst erkoren.

Verzeih wenn mich mein eignes Herz nicht trügt,
10 Und mich auf Flügeln stolzer Träume wiegt,
Daß ich so kühn in Eure Reihen trete;

Und fassest Du mich auch so rein und warm,
Wie ich Dich liebe, mit Dir Arm in Arm,
Um Ewigkeit für unser Bündnis bete. –

Armenmitleid

Sag an, mein Mund, warum gab dir zum Sange
Gott Dichtergeist und süßen Wohlklang zu,
Ja wahrlich auch, daß du im hohen Drange
Den Reichen riefst aus träger, stumpfer Ruh.

5 Denn kann nicht Sang vom Herzen himmlisch rühren,
Hat er nicht oft vom Lasterschlaf erweckt;
Kann er die Herzen nicht am Leitband führen,
Wenn er sie aus der Dumpfheit aufgeschreckt.

Wohlauf; hört mich ihr schwelgerischen Reichen,
10 Hört mich doch mehr noch euren innren Ruf,
Schaut um euch her, seht Arme hülflos schleichen,
Und fühlt, daß euch ein Vater nur erschuf.

An Friedrich II.

Noch spät zogst du dein Schwert zum Schützen
Der deutschen Freiheit gegen Habsburgs Dräun
Noch einmal ließest du es furchtbar blitzen
Doch stecktest du es bald als Sieger ein.

5 Du kröntest durch ein würdig Ende
Den Fürstenbund den tatenreichen Lauf,
Du einigtest so vieler Fürsten Hände
Und halfst so deutscher Freiheit völlig auf.

Und bald beseligt von der Freude
10 Dein ganzes Land durch dich beglückt zu sehn
Geliebt, geehrt und unbenagt vom Neide
Starbst du, man sah dich froh zum Ewgen gehn.

Und aller Edlen Augen blickten
Betränt dir nach voll Kummer und der Dank
15 Den alle dir so innig heiß nachschickten
War dir gewiß der beste Lobgesang.

Vielleicht als unser Engel schützest
Du nun dein weinendes verwaistes Land
Und greifet es ein stolzer Feind an blitzest
20 Du gegen ihn mit starker Seraphs-Hand.

Drum großer Friedrich o verzeihe
Sang ich ein Lied das dein [un]würdig ist
Und soll ich es mit Würde, o so leihe
Mir deinen Geist den keine Grenze schließt.

Cäsar Joseph

Gütig lächelte dir Zeus die Erfüllung zu
Deines Wunsches, er gab dir, o Germanien,
Einen Kaiser, so gut, wie dir die Mutter war,
  Die du weinend begraben hast.

5 Mutter nannte er sie, deine Theresia,
Die im lyrischen Schwung Smintheus Denis besang,

Als die Mutter des Lands und die Ernährerin
　Dürftger Musen und Grazien.

Ihn zu singen, den Held, welcher nie ungerecht
10 Zog sein mächtiges Schwert, wagt der Jünglinge
Einer, schüchternes Blicks, welcher der Liebe
　Allgewaltger Begeistrung traut.

Doch gelingt ihm das Lied, singt er mit Würde ihn
Von den Saiten herab, mischt er bescheiden sich
15 In die heilige Zahl unter die Lieblinge
　Hoher Muse und Grazie.

Soll ich singen wie er Licht, dir Germanien
Gab, die Fackel entbrannt, welche der Mönche List
Bald enthüllte und riß Schleier vom Antlitz der
20 　Furchtbarn päpstlichen Heiligkeit.

Die Jahrhunderte durch freie Germanen zwang
Mit dem Strahle des Banns, welchem der Aberglaub
Neue Kräfte verlieh und die gefürchtete
　Macht der listigen Klerisei.

Auf Josephs Tod

Wie Friedrich starb entflohn die Pierinnen
Der deutschen Flur, die Kriegeskünste flohn.
Bei Josephs Tod seh ich der Duldung Tränen rinnen
Und froher Hoffnung voll am umgestürzten Thron
5 Den Aberglauben stolz ein Freudenlied beginnen.

An Friedrich Wilhelm

König, wichtiger Name, dem
Menschenfreunde, dem Ohr denkender Weisen, und
Selbst dem nüchternen Könige,
Unverdorben vom Gift schmeichelnder Höflinge
5 Und den Ehrenbezeugungen
Seines hoffenden Volks, das mit Gelübden ihn
Und mit Weihrauch empfängt von Gott,
Der die Könige wählt, sie auf der Waagschal wog,
Die das Schicksal des Lands bestimmt.
10 Wenn die Wollust ihn lockt mit dem Sirenenton,
Ruhe die ihm versaget ist,
Und der schimmernde Ruhm, welcher mit einem Fuß
Auf die blutigen Leichen tritt
Die das Schlachtfeld besäen, auf die Verzweifelung
15 Banger Mütter und Sterbender,
Auf der Waisen Geschrei, welches den Vater heischt;
Mit dem anderen Fuße, auf
Lorbeerkränze, gerühmt noch in den spätesten
Fernen – doch nur von Törichten,
20 Und auf feilen Gesang; lange Unsterblichkeit
Mit der Enkel Gespött gewürzt.
Und auf nagende Reu welche den Schlummer scheucht
Und die Träume mit Schrecken füllt;
Ruft der Name die Pflicht wieder zurück ins Herz
25 Waffnet mit der Ägide ihn,
Daß er Palmen ergreift, nur für das wahre Glück
Seines Landes besorgt, das Schwert,
Das vom Vater ererbt, ewiger Ruhe weiht,
Und der Buhlerin Reiz verschmäht
30 Unterm Fußtritt entblühn Blumen und Saaten ihm,
Städte welchen der Indus zollt
Und Amerikas Flur, Afrika, Asien
Und der Seine Gefilde, und
Edler Britten Gefild, welches die Thems durchströmt

35 Reich an Freiheit und Ahnen Mut.
Mit dem singenden Chor fröhlicher Mädchen sind
Reigen blühender Jünglinge
Fest verschlungen, die Schar bringet ihm Kränze dar.
Werter ihm als die delphischen,
40 Die umschlingen die Stirn stolzer Eroberer,
Unbeneidet vom Göttlichen.
Solcher König bist du, Friedrichs Wetteiferer,
Und sein glücklicher Neffe, du.
Lebe lange noch uns, groß in der Herrscherkunst
45 Und beglücke dein Vaterland.

An einen friedlichen König

gereimt

Soll nicht die dichterische Leier tönen
Dem König der den Frieden liebt
An Kriegesschall nicht kann sein mildes Ohr gewöhnen
Und sich bei Mord betrübt,

5 Dem Wutausruf und Angst und bange Klagen
Und Ächzen aus der tiefen Brust
Nicht auf dem Blutfeld an der düstern Seele nagen,
Die sich der Schuld bewußt,

Der seine Reiche nicht zu mehren strebet
10 Seis auch durch Ungerechtigkeit
Und der am Bilde des Eroberers erbebet,
Aus Menschgefühl, nicht Neid,

Gewiß ein solcher König ist gesungen
Zu werden, von dem Barden wert,
15 Der stets mit Ruhme nach dem Lorbeerkranz gerungen
Und der mit Adlern fährt.

Ihn preis die spätste Nachwelt laut und immer
Leb er in aller Edlen Herz
Sein Name wohne da in weit erhabnern Schimmer
20 Als in dem festen Erz.

Er sorgte für das Glück von Millionen
Und ahmte Gott nach, der ihn weiht
Der sorgt fürs Glück von unsrer Welt, von Orionen,
Für Herrscher Seligkeit

Die Erlen

Wo hier aus den felsichten Grüften
Das silberne Bächelchen rinnt,
Umflattert von scherzenden Lüften
Des Maies die Reize gewinnt,

5 Um welche mein Mädchen es liebt
Das Mädchen so rosicht und froh
Und oft mir ihr Herzchen hier gibt,
Wenn städtisches Wimmeln sie floh;

Da wachsen auch Erlen, sie schatten
10 Uns beide in seliger Ruh,
Wenn wir von der Hitze ermatten
Und sehen uns Fröhlichen zu.

Aus ihren belaubeten Zweigen
Ertönet der Vögel Gesang
15 Wir sehen die Vögelchen steigen
Und flattern am Bache entlang.

O Erlen, o wachset und blühet
Mit unserer Liebe doch nur

Ich wette, in kurzer Zeit siehet
20 Man euch als die Höchsten der Flur.

Und kommet ein anderes Pärchen,
Das herzlich sich liebet wie wir
Ich und mein goldlockiges Klärchen,
So schatte ihm Ruhe auch hier.

Badelied

Auf Freunde herunter das heiße Gewand
Und tauchet in kühlende Flut
Die Glieder, die matt von der Sonne gebrannt,
Und holet von neuem euch Mut.

5 Die Hitze erschlaffet, macht träge uns nur,
Nicht munter und tätig und frisch,
Doch Leben gibt uns und der ganzen Natur
Die Quelle im kühlen Gebüsch.

Vielleicht daß sich hier auch ein Mädchen gekühlt
10 Mit rosichten Wangen und Mund,
Am niedlichen Leibe dies Wellchen gespielt,
Am Busen so weiß und so rund.

Und welches Entzücken! dies Wellchen bespült
Auch meine entkleidete Brust.
15 O! wahrlich, wer diesen Gedanken nur fühlt,
Hat süße entzückende Lust.

Das Bad

Hier badete Amor sich heute
Der Unvorsichtge entschlief
Da kamen die Nymphen voll Freude
Und tauchten die Fackel ihm tief
5 Ins Quellchen, da mischten sich Wellen
Und Liebe; sie täuschten sich sehr
Die Nymphen, sie tranken mit hellem
Gewässer die Liebe nur mehr.
O! Mädchen, die Liebe nicht scheuen,
10 Die trinken die liebliche Flut.
Die Liebe, die wird sie erfreuen
Mit sanfter entzückender Glut.
Ich hab *mich* hier oftmals gebadet
Mit meiner Laura allein,
15 Und nach dem Bade so ladet
Der Schlummer im Grase uns ein.

Ich weiß nicht was

Ballade

Jüngst als Lisettchen im Fenster saß
Da kam Herr Filidor
Und küßte sie
Umschlang ihr weiches weißes Knie
5 Und sagt ihr was ins Ohr
Ich weiß nicht was.

Dann gingen beide fort, er und sie
Und lagerten sich hier
Im hohen Gras
10 Und triebens frei in Scherz und Spaß
Er spielte viel mit ihr
Ich weiß nicht wie.

Zum Spiele hat er viel Genie
Er triebs gar mancherlei,
15 Bald so, bald so
Da wars das gute Mädel froh,
Doch seufzte sie dabei
Ich weiß nicht wie?

Das Ding behagt den Herren baß
20 Oft gings *da capo* an?
Doch hieß es drauf
Nach manchen, manchen Mondenlauf
Er hab ihr was getan;
Ich weiß nicht was.

An meine Freunde

Sind wir denn hier das Spiel des Glückes
Das sich bald hier bald dorthin neigt,
Und liegen auf der Waage des Geschickes,
Die vorhin sank, nun steigt?

5 Und sollen immer denn Tyrannen
Beherrschen unser Wohl und Leid
Erhöhen, wenn sie Redliche verbannen
Die Niederträchtigkeit!

Und stolze Priester uns gebieten
10 Was unsre Seele glauben soll,
Mit Feuer und Schwert verkündigen den Frieden
Des heiligen Wahnsinns voll!

Und Kriege ganze Nationen
Ins Unglück stürzen um den Ruhm
15 Daß Einem untertan mehr Regionen
Als Waffeneigentum?

Und soll uns dann in Fesseln zwingen
Die nachgeahmte Häßlichkeit
Um Weihrauch einem Mächtigen zu bringen
20 Nur groß durch Schändlichkeit?

Nein! Freunde kommt, laßt uns entfliehen
Den Fesseln, die Europa beut,
Zu Unverdorbnen nach Taiti ziehen
Zu ihrer Redlichkeit.

25 Und laßt uns da das Volk belehren
Wie Orpheus einstens tat;
Das Saitenspiel soll ihrer Wildheit wehren
Errichten einen Staat,

Wo nur Natur den Szepter führet,
30 Durch weise Künste unterstützt,
Und jeder in dem Stand, der ihm gebühret,
Dem Vaterlande nützt.

Und wo nicht blutige Trophäen
Auf offnem Platze aufgestellt,
35 Und nicht dem Gott zu dem wir innig flehen
Ein blutig Opfer fällt.

Geschichte der Poesie

Wie die Erde voller Schönheit blühte,
Sanftumschleiert von dem Rosenglanz
Ihrer Jugend und noch bräutlich glühte
Aus der Weihumarmung, die den Kranz
5 Ihrer unenthüllten Kindheit raubte,
Jeder Wintersturm die Holde mied,
O! da säuselte durch die belaubte
Myrte Zephir sanft das erste Lied.

Eva lauschte im Gebüsch daneben
10 Und empfand mit Jugendphantasie
Dieser Töne jugendliches Leben
Und die neugeborne Harmonie,
Süßen Trieb empfand auch Philomele
Leise nachzubilden diesen Klang;
15 Mühelos entströmet ihrer Kehle
Sanft der göttliche Gesang.

Himmlische Begeistrung floß hernieder
In der Huldin reingestimmte Brust,
Und ihr Mund ergoß in Freudenlieder
20 Und in Dankgesängen ihre Lust,
Tiere, Vögel, selbst die Palmenäste
Neigten staunender zu ihr sich hin,
Alles schwieg, es buhlten nur die Weste
Froh um ihre Schülerin.

25 Göttin Dichtkunst kam in Rosenblüte
Hoher Jugend eingehüllt herab
Aus dem Äther, schön wie Aphrodite,
Da ihr Ozean das Dasein gab.
Goldne Wölkchen trugen sie hernieder,
30 Sie umfloß der reinste Balsamduft,
Kleine Genien ertönten Lieder
In der tränenlosen Luft.

Klagen eines Jünglings

Nimmer schwanden undankbar die Freuden
Traumgleich mir in öde Fernen hin;
Jede färbte, lieblicher im Scheiden,
Mit Erinnrung meinen trunknen Sinn;

5 Mit Erinnrung, die, statt zu ermüden,
Neue, heilge Wonne mir entschloß,
Und mir süßen jugendlichen Frieden
Um die rebengrünen Schläfe goß.

Seit ich mehr aus schöner Wangen Röte
10 Mehr aus sanften, blauen Augen las,
Oft, wenn schon die scharfe Nachtluft wehte
Im beseeltern Traume mich vergaß;
Meinem Herzen nachbarlicher, wärmer,
Da den Schlag der Nachtigall empfand,
15 Und entfernt von meinem Klärchen ärmer
Mich als jeder dürftge Pilger fand:

Lachet, ewge Gottheit in dem Blicke,
Mich mein sonnenschönes Leben an,
Amor täuscht mich nicht mit List und Tücke,
20 Ganymeda nicht mit kurzem Wahn;
Jedes Lüftchen nähert sich mir milder,
Das dort Blüten wild herunter haucht;
Üppig drängen immer frische Bilder
Sich zu mir, in Rosenöl getaucht.

25 Zypris Tauben warten schon mit Kränzen
Und mit Traubenbechern meiner dort,
Und in leichtverschlungnen Freudentänzen
Reißet Amors Bruderschwarm mich fort.
Von der Grazien und Musen Lippen
30 Schmachtet mir entgegen mancher Kuß;
Götterwonne kann ich selig nippen,
Schwelgen da im freundlichsten Genuß.

Dennoch lodern öfters Purpurgluten
Mir um meine Wang und meine Stirn,
35 Wenn sich unter Stürmen, unter Fluten,
Wie des Abends leuchtendes Gestirn,

Mir, umstrahlt von echter Freiheit Kranze,
Eines edlen Dulders Seele zeigt,
Den der Himmel nicht in seinem Glanze
40 Nicht die Höll in ihren Nächten beugt.

Kraftlos fühl ich mich von dem Geschicke
Zum unmännlichern Genuß verdammt;
Vor Gefahren beb ich feig zurücke
Weil nicht Mut in meinem Busen flammt.
45 Weibisch hat das Schicksal mich erzogen,
Nicht sein Liebling, nur sein Sklav bin ich;
Amor hat mich schmeichlerisch umflogen
Statt der Sorge, die mir stets entwich.

Statt der ernstern, rühmlicheren Lanze
50 Wieget einen Hirtenstab mein Arm;
Nimmer wurde mir im Waffentanze
Aber oft im bunten Reigen warm:
Alle großen, strahlenden Gefahren
Hat mein Schicksal von mir abgewandt,
55 Und nur unter frohe Mädchenscharen
Statt in Feindes Haufen mich gesandt.

Parze, hast du jemals deine Spindel
Nach dem Flehn des Erdensohns gedreht,
Dem kein bald entwichner Zauberschwindel,
60 Um die flammendheißen Schläfe weht:
O! so nimm, was Tausende begehrten,
Was mir üppig deine Milde lieh,
Gib mir Sorgen, Elend und Beschwerden,
Und dafür dem Geiste Energie.

65 Ungeduldig soll die Flamme lodern
Meines Dankes dann von dem Altar;
Nichts mehr sollen meine Wünsche fordern,
Frei und gnügsam macht mich die Gefahr;

Doch versagest du mir diese Bitte
70 O! so kürze, wenn du streng nicht bist,
Mindestens geschwind nur meine Schritte
Nimm dies Leben, das nicht Leben ist.

Der Teufel

Ein loser Schalk, in dessen Beutel
Es just nicht allzu richtig stand,
Und der den Spruch, daß leider alles eitel
Auf unserm Runde ist, nur zu bestätigt fand,
5 Zog einst voll Spekulationen
In eine Stadt *en migniatur*,
Und schlug an jedes Tor und an die Rathaustür
Ein Avertissement mit vielen Worten schier,
Er werde heut in den Drei Kronen
10 Um fünf Uhr nachmittags den Teufel jedermann
Vom Ratsherrn bis zum Bettelmann
Für zwanzig Kreuzer präsentieren
Und ohne ihn bevor erst herzukommandieren.
Was Beine hatte, lief zum großen Wundermann,
15 Und überall war eine Weihnachtsfreude;
Der Bürgermeister schrieb mit Kreide
Den Tag an seiner Türe an,
Und jeder Ratsherr kam mit einem Galakleide
Und einer knotigen Perücke angetan,
20 Und will das Wunder sehn; auch mancher
Handwerksmann
Kam hübsch bedächtlich angeschlichen
Und gab die Kreuzer hin, die er den Tag gewann.
Ein Schneider nur ging nicht zum Wundersmann
Und sprach: »Ich seh umsonst den Teufel alle Tage
25 In meiner jungen Frau zu meiner größten Plage,
Und der ist toller fürwahr als der beim Wundersmann.«

Als endlich männiglichen
Der Held sich mit dem leeren Beutel zeigt
Und erst mit wichtger Miene schweigt
30 Und dann geheimnisvoll nur wenig Worte saget
Und seine Auditoren fraget,
Ob auch kein Atheist in der Versammlung sei,
Erstieg die Trunkenheit der blöden Phantasei
Den Gipfel, und der Schalk beginnt die Gaukelei.
35 Nach manchem *hocus-pocus* ziehet
Der Schalk den Beutel auf und jeglicher bemühet
Sich sehr den Leidigen zu sehn, doch jeder siehet
Nichts auf der Welt –; ein junger Taugenichts,
Der näher stand, ein *bel esprit*, voll Zweifel
40 Wie mancher Kandidat, beginnt: »Ich seh ja nichts.«
»Das eben«, rief der Schalk, »das eben ist der Teufel.«

Fabeln

1. Der alte Sperling

»Schämt Ihr Euch nicht«, rief ein alter Sperling seinen Jungen zu, die mit muntern Weibchen tändelten und
5 kosten, »fühlt Ihr nicht, daß dieses unanständig und erniedrigend ist; Ihr verschmäht die Weisheit, die unsre Seele zu den Unsterblichen hebt.« »Bleib du bei deiner Weisheit«, riefen ihm die losen Jungen zu, »und laß uns jetzt genießen; wenn wir so alt sind als du, so wollen wir
10 auch aus Unvermögen uns zur Weisheit begeben und über Liebe und Freuden philosophieren.«

2. Die Schnecken

Einst gingen zwei Jünglinge spazieren und fanden im Fahrweg einige Schnecken, die sie, besorgt, daß sie von
15 einem Fuhrwagen zerdrückt werden möchten, in den Busch dabei warfen. »Ihr Mutwilligen«, riefen die Schnecken, »warum stört ihr uns aus unsrer friedlichen Ruhe und werft uns so mutwillig hierher.«
Menschenbrüder, mit wem hadert ihr, wenn euch ein
20 kleines Ungemach geschieht? Mit einem Allweisen? O! ihr Kurzsichtigen!

3. Die Übel

Einst klagte ein Esel: »Ich Unglücklicher! ich habe keine Hörner«; ein Fuchs stand dabei: »Ja! ich bin noch un-
25 glücklicher, ich habe keine langen Beine.« »Schweigt«, rief der Maulwurf, »bin ich nicht gar blind.«
»Der ist sicher ein Tor«, sprach das weise Pferd, »der sich für den unglücklichsten hält.«

4. Die Buhlerin

Eine Buhlerin verließ ihr Liebhaber und sie stellte sich untröstlich! »Warum weinst du so sehr«, fragte eine Nachbarin. »Ach! Daß ich ihm noch den schönen blauen Mantel ließ.« 5

Merkts, Jünglinge.

5. Die Wiedervergeltung

Hastig verfolgte ein Habicht die zitternde Taube und folgte ihr sogar in den Taubenschlag. Da fing ihn der Herr desselben und wollte ihn töten. »Was tat ich dir?« 10 rief der Habicht. »Was tat dir die Taube?« war die Antwort.

6. Das verworfne Geschenk

Jupiter wandelte in einem Walde, und alle Bäume schüttelten ihm ihre Früchte vor die Füße und er segnete sie. 15 Da warf auch der Giftbaum seine schöne Frucht dem Jupiter hin. »Nein! ich mag dein Geschenk nicht«, sagte Jupiter, und segnete den Baum nicht.
Fürsten, belohnt nicht das Genie, das seine Gaben zur Verderbnis der Sitten verwendet! 20

7. Der Philosoph

Verzug schadet selten

»Lehre meinem Kanarienvogel«, sprach ein Tyrann zu einem Philosophen, »den Homer, daß er ihn auswendig hersagen kann, oder geh aus dem Lande; unternimmst 25 du es, und es gelingt nicht, so mußt du sterben.« – »Ich will es ihm lehren«, sprach der Weise, »aber ich muß zehn Jahre Zeit haben.« – »Warum warst du so töricht«, fragten ihn hernach seine Freunde, »und unternahmst etwas Unmögliches?« Lächelnd antwortete er: »In zehn Jahren bin ich oder der Tyrann oder der Vogel gestorben.«

[8.] Die Eule und der Sperling

»Unverschämter! Stiehlst du nicht Kirschen am hellen lichten Tage, vor den Augen aller? O! schreckliche Frechheit!« so rief eine Eule einem Sperling zu, der sich auf einem Kirschbaum gütlich tat. »Freilich ist es edler«, erwiderte der Sperling, »bei Nacht, wenn alle Tiere sorglos schlafen auf Mord und Raub auszugehn.«

[9.] Das Pferd

Ein Wolf sagte zu einem Pferde: »Warum bleibst du denn dem Menschen so treu, der dich doch sehr plagt, und suchst nicht lieber die Freiheit?« – »Wer würde mich wohl in der Wildnis gegen dich und deinesgleichen verteidigen«, antwortete das philosophische Pferd, »wer mich pflegen, wenn ich krank wäre, wo fände ich solches gutes, nahrhaftes Futter, wo einen warmen Stall? Ich lasse dir gern für das alles, das mir meine Sklaverei verschafft, deine Chimäre von Freiheit. Und selbst die Arbeit, die ich habe, ist sie Unglück?«

[10.] Der Bär

»Wohin, Gevatter Bär?« sprach ein Wolf zu einem wandernden Bären. – »Ich suche mir eine andere Wohnung«, antwortete er. – »Du hattest ja aber eine schöne, geräumige Höhle, warum verläßt du sie?« – »Der Löwe machte Ansprüche an dieselbe und ging an den Senat der Tiere.« – »Da brauchtest du dich nicht zu fürchten, du hattest ja eine gerechte Sache.« – »Gegen Könige ist jede Sache ungerecht, Gevatter Wolf.«

[11.] Der Fuchs

»Hast du die Satire gelesen, die der Löwe auf dich gemacht hat«, fragte der Wolf den Fuchs, »antworte ihm, wie sichs gebührt.« »Gelesen hab ich sie, aber deinem Rate folg ich nicht«, sagte der Fuchs, »denn der Löwe könnte mir auf eine fürstliche Art antworten.«

[12.] Der Tiger und der Fuchs

»Tiger«, sprach der Löwe zu seinem Favoriten, »ich kann den Fuchs nicht mehr ausstehn, er spöttelt unaufhörlich, schafft mir ihn mit guter Manier vom Halse.« Freudig lief der Tiger zum Fuchse: »Nichtswürdiger; du hast die Königin beleidigt.« »Wann eher?« sagte der Fuchs, »ich weiß nichts davon.« »So hast du doch ehgestern den König verleumdet.« »Das ist eine ebenso schändliche Lüge, als das erste«, schrie der Fuchs. »O! himmelschreiendes Verbrechen! Du beschuldigst mich der Lügen! Das muß ich rächen!« Und hiemit fraß er ihn auf.

[13.] Die Ephemeris

Eine alte Ephemeris rief aus: »Ich habe nun 22 Stunden gelernt; meine Weisheit, meine Kenntnisse sind die

größesten die ein endlich Wesen erlangen kann.« »Arme Törin!« sprach ein Mensch, der sie hörte, »ein unerfahrner Knabe besitzt zehnmal mehr Kenntnisse und Einsicht.«
5 Räsoniert ein Sterblicher nicht oft ebenso weise, wie die Ephemeris.

[14.] Die Milbe

»Nichts ist gewisser«, sprach eine Milbe zu der andern, »als daß unser Käse der Mittelpunkt des erhabnen Welt-
10 systems ist und daß wir die besondern Lieblinge des Allmächtigen sind, weil er uns die vollkommenste Wohnung erschuf.« »Törin«, sprach ein Mensch, indem er sie mit ihrem Käse verschlang. »Du denkst, wie viele meiner Brüder denken, du auf deinem Käse, sie auf den Ih-
15 rigen.«

Giasar und Azora

In den reizenden Gefilden am Fuße des Kaukasus lebte in den seligen Zeiten der Feerei und der Wunder ein alter Druid mit einem bildschönen Jüngling den man für
20 seinen Sohn hielt, über dessen Ursprung und Geschichte ein tiefes Geheimnis lag. Rundherum hatte sich der Alte durch seine weit ausgebreitete Erfahrung ehrwürdig und beliebt gemacht, denn man konnte in allen Zufällen des menschlichen Lebens nur getrost ihn um Rat fragen, und
25 sein Rat war gewiß immer der heilsamste. Seine geräumige aber nichts weniger als prachtvolle Wohnung wimmelte immer von Leuten, die sich bei ihm Rats erholten und er stand in einem solchen Ansehn unter ihnen, daß sich seinem Ausspruche jeder willig unterwarf und Xer-
30 xes hat gewiß nie so unumschränkt geherrscht als unser

Druide, ob sich gleich nie jemand über ihn beschweren konnte. Giasar, so hieß der schöne Jüngling, der bei ihm wohnte und von ihm in allen Wissenschaften unterrichtet wurde, war durch seine Herzensgüte, seine Bescheidenheit, seine Offenheit ebenso beliebt bei den glücklichen Bewohnern dieser elysischen Gegend, als die Schönheit seiner Gestalt und seines Gesichts Bewunderung und Entzücken erweckte. Man konnte ihn in der Tat nicht ansehn ohne ihn innigst liebzugewinnen und unter den unschuldigen Schönheiten seiner Gegend waren wenige, die sich nicht um seinen Besitz beneidet hätten, obgleich ihr Neid nie in bittern Groll ausartete. Alle suchten ihn zu fesseln, jede mit höhern Gefälligkeiten ihn zu fangen und an ländlichen Festen war er oft die Ursache kleiner Zwistigkeiten, welche mit ihm zuerst tanzen sollte oder an seiner Seite sitzen und sich von ihm erzählen lassen; denn er wußte tausend kleine Geschichten die ihm der alte Druide erzählt, und die er mit unendlicher Grazie seinen Gespielinnen wiedererzählte und denen er durch das Feuer, womit er erzählte, und durch kleine Ausschmückungen neue Reize geben konnte. Der alte Druide war der menschenfreundlichste Erzieher seines Giasars; er erlaubte ihm unschuldige Vergnügungen sehr gern und veranstaltete öfters selbst kleine Feste, wozu er die artige Jugend aus der Gegend einlud; und anstatt sie durch seinen Frost zu stören, wie andre Greise getan haben würden, denen das Alter den frohen Sinn der Jugend genommen hatte, gab er ihnen vielmehr durch seine Gegenwart tausend Vergnügungen und Annehmlichkeiten mehr, als sie ohne ihn würden gehabt haben. Er war unerschöpflich in Spielen, Erzählungen und andern jugendlichen Unterhaltungen und es schien als hätte die Natur einen jugendlichen Geist in einen ältlichen Körper gesendet. Jünglinge und Mädchen liebten den guten Alten, der unvermerkt durch seine Contes und Unterhaltungen mehr die Seele der Jugend ausbildete, mehr Moralität und feine Empfindungen ihnen mitteilte als eine jahrelange Unterweisung bei besoldeten Lehrern nicht würde getan haben. Aber, hör ich mich von zärtlichen Jünglingen fragen, mit alle dem sagen Sie uns doch, verliebte sich Giasar denn nicht in eine der liebenswürdigen Schönen; Sie haben uns doch gesagt, er habe ein zärtliches, weiches Herz gehabt! Nein bis jetzt noch nicht; aber wie es zuging weiß ich nicht, liebe Jünglinge; sollten vielleicht mit aller ihrer Liebenswürdigkeit dennoch die Mädchen, die um ihn herum wohnten, nicht imstande gewesen sein, einen so herrlichen Jüngling als Giasar war zu fesseln; sollte er nicht ein Ideal von weiblicher Vollkommenheit in seiner feurigen Phantasie gehabt haben, das er in keiner von diesen Schönen wiederfand? Ich gebe Ihnen hier diese Vermutungen nur für Vermutungen, und sollten sie Ihnen nicht befriedigend sein, so machen Sie glücklichere oder nehmen Sie die ganze Sache als ein psychologisches Wunder an. Kurz Giasar sah alle diese Schönen zwar ganz gern an und es fuhr ihm warm und lebendig durch alle Glieder, wenn ein kleiner weiblicher Mund den seinigen berührte, oder beim Spiel von ohngefähr der Schleier eines niedlichen hochklopfenden Busens in Unordnung geriet, aber die entzückende, himmlische Leidenschaft Liebe, die schon so oft besungen und empfunden ist, die uns vergöttert, sich selbst auf so unzählige Art widerspricht, Hirten und Kaiser verwundet, kannte er noch nicht. Aber es wird Zeit, daß wir auf die endliche Entwicklung von Giasars und des Druiden Schicksal kommen. Giasar war nunmehr achtzehn Jahre alt, das glücklichste Alter der Menschheit! wo die Blüte in ihrer lieblichsten Schönheit ist, wo Phantasie und Freude unsre einzigen Begleiterinnen sind, eine rosenhafte Zukunft unsern bezauberten Blicken sich darstellt und jegliche Seelenkraft aufkeimt und lebendige Wonne, seliges Himmelsgefühl durch unsere Fibern rauscht und mit unendlichem Taumel unsren Busen schwellt. Einst an einem entzückenden Frühlingstage schweifte Giasar herum in Wald und Tal, kletterte auf Höhen und Berge um neue Aussichten zu entdecken und um ganz die wonnevolle Natur zu genießen und ihre grenzenlosen Seligkeiten inniger einzuschlürfen. Plötzlich erblickte er von einer sanften Anhöhe auf der andern Seite ein romantisches Tal, das sich sanft zwischen ungeheure Felsen schmiegte und mit aller Frühlingspracht sich seinen trunkenen Blicken darstellte. Himmelhohe Zedern umschlossen es von einigen Seiten und das frischeste Grün schmückte die Auen, durch die sich sanft ein silberheller Felsenquell ergoß und die Stille des schauerlichen Orts unterbrach. Am Ende des Tals war ein Häuschen voll griechischer Einfalt, wie ein Tempel der Grazien, um das sich einige Myrtenbüsche sanft gelagert hatten. Unwillkürlich stieg er wie wonnetrunken hinab, aber wie ergriff ihn neues Entzücken, als er dicht am Eingange des Tals unter Myrten und Rosengebüschen ein Mädchen schlafend fand, das sein Ideal von Schönheit und alle seine Gespielinnen bei weitem an himmlischer Schönheit und überschwenglichen Reizen übertraf. Alle seine Feen- und Zaubererzählungen fielen ihm bei, aber er fand, daß sein Abenteuer alle an Wunder überschritt. Er rieb sich die Augen, hielt alles für einen Traum, aber als er endlich von seinem Wachen überzeugt war, so konnte er doch nicht umhin zu glauben, es sei eine Göttin oder eine Fee und ein süßer Schauer, der unaussprechlich angenehm war befiel ihn. Lange wagte er es nicht näher zu treten . . .

Gedichte aus der Tennstedter und Freiberger Zeit 1794–1799

Walzer

Hinunter die Pfade des Lebens gedreht
 Pausiert nicht, ich bitt euch so lang es noch geht
Drückt fester die Mädchen ans klopfende Herz
 Ihr wißt ja wie flüchtig ist Jugend und Scherz.

5 Laßt fern von uns Zanken und Eifersucht sein
 Und nimmer die Stunden mit Grillen entweihn
Dem Schutzgeist der Liebe nur gläubig vertraut
 Es findet noch jeder gewiß eine Braut.

An Adolph Selmnitz

Was paßt, das muß sich ründen,
Was sich versteht, sich finden,
Was gut ist, sich verbinden,
Was liebt, zusammensein.
5 Was hindert, muß entweichen,
Was krumm ist, muß sich gleichen,
Was fern ist, sich erreichen,
Was keimt, das muß gedeihn.

Gib traulich mir die Hände,
10 Sei Bruder mir und wende
Den Blick vor Deinem Ende
Nicht wieder weg von mir.

Ein Tempel – wo wir knieen –
Ein Ort – wohin wir ziehen
15 Ein Glück – für das wir glühen
Ein Himmel – mir und dir.

Anfang

Es kann kein Rausch sein – oder ich wäre nicht
Für diesen Stern geboren – nur so von ohngefähr
In dieser tollen Welt zu nah an
Seinen magnetischen Kreis gekommen.

5 Ein Rausch wär wirklich *sittlicher Grazie*
Vollendetes Bewußtsein? – Glauben an Menschheit wär
Nur Spielwerk einer frohen Stunde –?
Wäre dies Rausch, was ist dann das Leben?

Soll ich getrennt sein ewig? – ist Vorgefühl
10 Der künftigen Vereinigung, dessen, was
Wir hier für Unser schon erkannten,
Aber nicht ganz noch besitzen konnten –

Ist dies auch Rausch? so bliebe der Nüchternheit,
Der Wahrheit nur die Masse, der Ton, und das
15 Gefühl der Leere, des Verlustes
Und der vernichtigenden Entsagung.

Womit wird denn belohnt für die Anstrengung
Zu leben wider Willen, Feind von sich selbst zu sein
Und tief sich in den Staub getreten
20 Lächelnd zu sehn – und Bestimmung meinen.

Was führt den Weisen denn durch d[es] Lebens Tal,
Als Fackel zu dem höheren Sein hinauf –

2) Kein Schwärmer Ordnung. Zeit.
Ich wäre kein Mensch mehr – oder ich wäre nicht
für diesen Planeten geboren – und so von Ohngefähr
In diese kalte Welt zu ... an
Seiner magnetischen Kraft gekommen.
Ein Mensch wäre wirklich sittlicher Grazie &
Vollendetes Bewußtseyn – Streben an Menschheit
wär
Nur Spielerey, oder schwacher Wahn – ?
Wär der Mensch, was ist denn das Leben?
Soll ich getrennt seyn ewig – ist Wagschluß
oder künftige Vereinigung, dessen, was
Wir hier für Andere schon erkennen,
Aber nicht genug noch besitzen können –
Ist die auch Mensch, so bleibe die Nüchternheit,
der Wahrheit nur die Macht, der Ehre, und des
Gefühl des Leeren, des Verlustes
Und der vermißten Entbehrung.

Soll er nur hier geduldig bauen,
Nieder sich legen und ewig tot sein.

25 Du bist nicht Rausch – du Stimme des Genius,
Du Anschaun dessen, was uns unsterblich macht,
Und du Bewußtsein jenes Wertes,
Der nur erst einzeln allhier erkannt wird.

Einst wird die Menschheit sein, was Sophie mir
30 Jetzt ist – vollendet – sittliche Grazie –
Dann wird ihr *höheres Bewußtsein*
Nicht mehr verwechselt mit Dunst des Weines.

Am Sonnabend Abend

Bin ich noch der, der gestern Morgen
Dem Gott des Leichtsinns Hymnen sang
Und über allen Ernst und Sorgen
Der Freude leichte Geißel schwang –
5 Der, jeder Einladung entgegen,
Das Herz in beiden Händen, flog
Und wie ein junges Blut, verwegen
Auf jedes Abenteuer zog.

Der mit den Kinderschuhen lange
10 Der Liebe Kartenhaus verließ,
Und wie das Glück, in seinem Gange
An Reiche, wie an Karten, stieß,
Im Kampf der neuen Elemente
Im Geist schon Sieger sang: *ça va*,
15 Und schon die Schöpfung im Konvente
Und Gott, als Präsidenten, sah.

Der schlauer noch, als ein Berliner,
In Mädchen Jesuiten spürt,

Und Vater Adams Gattin kühner,
20 Als wahren Stifter denunziert.
In dessen Stube längst vergessen
Das Bild des Aberglaubens hing
Und der zum Spott nur in die Messen
Von den Elftausend Jungfern ging.

25 Derselbe kanns nicht sein, der heute
Beklemmt weit auf die Weste knöpft
Und schweigend an der Morgenseite
So emsig Luft von dorther schöpft.
Den vierzehn Jahre so entzücken,
30 (Bald sind die 7 Wochen voll)
Und der in jeden Augenblicken,
Was anders will, was anders soll.

Ist das der Mann, der Sieben Weisen
Im Umsehn in die Tasche steckt,
35 Den schon die kürzeste der Reisen
So wundersam im Schlafe weckt.
Und der noch kaum die stolzen Träume
Der Weisheit lahm fortschleichen sieht,
Als aus dem hoffnungsvollsten Keime
40 Für ihn ein Rosenstock schon blüht.

O! immer fort der Mann von Gestern,
Was kümmert seine Flucht denn mich –
Die guten Stunden haben Schwestern,
Und Schwestern – die gesellen sich.
45 Damit sie immer sich erkennen
Und immer froh beisammen sein,
Will ich ein Wort zur Lösung nennen –
Sophie soll die Losung sein.

An Carolinen

als ich ihr, den Sonnabend Abend gab

Darf ich mit der Zeugin meiner Schwächen
Frei und ungefährdet sie besprechen,
Ihrer Teilnehmung gewärtig sein?
Darf ich holden, süßen Worten trauen
5 Und gewiß auf meinen Glauben bauen?
Wird mich diese Beichte nie gereun?

Gern gesteh ichs – oft ward ich betrogen,
Wenn von Schmeichelworten angezogen,
Mir der größte Wurf gelungen schien.
10 Und mir dann, vom Star gelöst, am Ende,
Mühsam nur gelang in meine Hände
Das verspielte Herz zurückzuziehn.

Doch es soll nie meine Hoffnung welken –
Leichter wird der Himmel sich entwölken
15 Einer Stirn, die nicht versiegelt ist.
Zuversicht besticht des Schicksals Launen –
Und im Zuge deiner Augenbraunen
Les ich eher klugen Rat, als List.

M. und S.

Glücklich vereinigte sie die Hand der bildenden Mutter:
Was man bei Einer empfand, sagt man der Andern so gern.

Siehst du sie beide, so siehst du das Rätsel neben der Lösung.
Einzeln ist jede für sich Rätsel und Lösung zugleich.

5 Sähst du die liebliche Mutter wohl gern als knospendes Mädchen?
Oder das Knöspchen erblüht? – Schaue die Lieblichen hier.

Zu Sophiens Geburtstag

Wer ein holdes Weib errungen
Stimme seinen Jubel ein.
Mir ist dieser Wurf gelungen
Töne Jubel – die ist mein.
5 So hat nie das Herz geschlagen
Nie so hoch und nie so gut.
Künftig neigt vor meinen Tagen
Selbst der Glücklichste den Hut.

Fest umschlingt den Bund der Herzen
10 Nun der Ring der Ewigkeit,
Und es bricht der Stab der Schmerzen
Am Altar der Einigkeit.
O –! im Himmel ist geschlossen
Unsrer Herzen süßer Bund.
15 Ist ein beßrer Spruch entflossen
Je des Schicksals weisen Mund?

Dir gehört nun was ich habe,
Was ich denke fühle bin,
Und du nimmst nun jede Gabe
20 Meines Schicksals für dich hin.
Was ich sucht, hab ich gefunden,
Was ich fand, das fand auch mich,
Und die Geißel meiner Stunden
Zweifelsucht und Leichtsinn wich.

25 Nimmer soll mein Mund dich loben
Weil mein Herz zu warm dich ehrt.
Tief im Busen aufgehoben
Wohne heimlich mir dein Wert.
Wenn ich wunde Herzen heile
30 Jede Stunde besser bin
Nie im Guten lässig weile
Dieses Lob nimm dir dann hin.

Liebes Mädchen deiner Liebe
Dank ich Achtung noch und Wert,
35 Wenn sich unsre Erdenliebe
Schon in Himmelslust verklärt.
Ohne dich wär ich noch lange
Rastlos auf und ab geschwankt,
Und auf meinem Lebensgange
40 Oft am Überdruß erkrankt.

Wenn nur unsre Mutter wieder
Frisch und ledig bei uns steht
Und im Kreise unsrer Brüder
Stolz die Friedensfahne weht.
45 Wenn dann noch ein Süßer Trauter
Unsre Lolly fest umschlang –
O –! Dann tönt noch zehnfach lauter
Unsres Jubels Hochgesang.

Wenig still durchhoffte Jahre
50 Leiten unverwandt zum Ziel,
Wo am glücklichen Altare
Endet unsrer Wünsche Spiel,
Uns, auf ewig Eins, verschwinden,
Wölkchen gleich, des Lebens Mühn
55 Und um unsre Herzen winden
Kränze sich von Immergrün.

Antwort an Carolinen

Den Trost, den ich für mich, oft hoffnungslos, entbehre,
Wenn meine Seele matt im Grübeln sich verliert,
Und sie aus dieser engen Sphäre
Ein guter Engel nicht entführt;
5 O! diesen Trost in andern zu beseelen
Ward nicht umsonst mir zum Ersatz verliehn –
Für andre glaub ich viel, für andre kann ich wählen,
Und neue Saiten auf in fremden Busen ziehn.

Verzweifle nicht an dem, wozu in Deinem Herzen
10 Längst jeder Ton zum andern widerklang –
Du bist bestimmt zu Freuden und zu Schmerzen,
Die der nicht fühlt, dem zum Empfang
Kein beßrer Genius das Lied der Weihe sang.
Ausharrende Geduld – ward diese Dir beschieden –
15 So sage zum voraus dem Schicksal warmen Dank:
Der lange Kampf beschließt – und golden naht der
Frieden.

Des Schicksals Lieblinge erzieht es lang und rauh.
Oft bricht das schwache Herz – noch glücklich, wenn
die Stunde,
Die seine letzte heißt – mit süßem Trost im Munde
20 Den Angstschweiß wandelt um in süßen Lebenstau –
Doch wer sie übersteht der Prüfungen Gefahren,
Wem nie die Zuversicht im bängsten Sturm entfiel –
Erreicht den sauren Preis von still durchhofften
Jahren
Und sinkt umarmend hin ans Ziel.

25 Wir haben uns aus Tausenden gefunden –
Wir wandeln Einen Weg – Ein Stern ists, der uns führt –
Erkennst Du nicht den Wink – *ich* habe ausgespürt,
Was Mein wird – *Dir* sind noch die Augen zugebunden.

Auch ich seh *Ihn* noch nicht – Geduld! – die Binde fällt –
30 Indes versöhne Dich die Freundschaft mit der Welt –
Geduldige Dein Herz – zu desto tiefern Zuge
Naht Dir die Liebe dann mit ihrem Nektarkruge.

Einst, laß mir diesen Blick – wenn nicht Entsagung mehr
Und bange Hoffnungen in unserm Herzen wohnen;
35 Wenn Lieb und Schicksal uns für manches Opfer lohnen
Und hinter uns nun rauscht der Jugend wildes Meer.
Einst, wenn zum vollen Tisch, am Mittag ihres Lebens,
Vereint ein *Doppelpaar* von *Glücklichen* sich setzt –
Dann denken wir zurück den Vormittag – an *Jetzt* –
40 »Wer hätte das geträumt? – Nie seufzt das Herz
vergebens!« –

Lied beim Punsch

am Abend der Trennung

Sind nicht die Augenblicke
Begeisterten Gefühls
Wert unsers wärmsten Dankes
Und würdig unsers Ziels?
5 Da steht im frohen Zirkel
Der Menschheit Genius
Und gießt aus voller Schale
Den edelsten Genuß.

Dem Greis entglimmt in ihnen
10 Der alten Jugend Glut.
Hier schöpft der Mann zu Taten
Begeisterung und Mut.
Hoch klopft des Jünglings Busen,
Gerührt wird jedes Herz,
15 Und jedes drückt voll Liebe
Geschwister nur ans Herz.

Nur solche Feste schmücken
Des Lebens rauhen Pfad;
Nur Herzensfülle hemmet
20 Des Glückes leichtes Rad.
Wo Freudentränen glänzen,
Wo Herz zu Herzen spricht,
Mitfühlend jedes fühlet,
Nur da entrollt es nicht.

25 O! himmlisch tönt in Liedern
Erinnerung an Sie,
Und weckt nach langen Jahren
Der Nachwelt Sympathie.
Wir freun uns aller Spuren
30 Der alten Fröhlichkeit.
Einst freun sich unsre Enkel
Noch unsrer frohen Zeit.

Drum laßt an diesem Abend,
Der noch vereint uns sieht,
35 Da uns sobald nicht wieder
Ein solches Stündchen blüht,
Uns jeden unsrer Lieben
Ein Rosenblättchen streun
Und unsern Herzenswünschen
40 Solenn dies Lied itzt weihn.

Dem Vater und der Mutter,
Die nichts, als Kinder, sehn,
Mag bis zum Rand des Lebens
Das Freudenfähnchen wehn.
45 Und wenn wir leise Wünsche
In Minchens Herz verstehn –
So soll sie Luft der Freiheit
Am eignen Herd umwehn.

Nur Dauer ihres Glückes
50 Dem liebenswerten Paar;
Bringt unserm Fritz und Fritzchen
Dies Glas zum Wunsche dar.
Lili beweise baldigst
Ihr Haushaltungsgenie
55 Indes wir alle singen;
Zieh, lieber Schimmel, zieh.

Leicht falle dein Pantoffel
Bald, Söffchen, auf den Mann,
Der in des Lebens Lotto
60 Dies Quintchen sich gewann.
Einst geht noch unsre Danscour
Als Sansjüpon in Klub.
Und Hannchens Kränzchen hole
Baldmöglichst Belzebub.

65 Was Gast ist soll mitleben!
Es schließe fest sich an
Und wandle mit uns ewig
Und bleib uns zugetan.
Dem Bruder dort am Rheine,
70 Den Lieben nah und weit,
Sei dieses Glas, als Zeichen
Von jedem Wunsch geweiht.

Zum Tempel wird die Stube.
Der Punschtisch zum Altar.
75 Es bringt der Geist der Liebe
Jetzt seine Opfer dar.
Senkt euren Blick die Stufen
Des Tempels nun hinab
Und haltet fest die Stimmung,
80 Die dieser Blick euch gab.

Ihr schaut in einen Wirbel
Von Menschenschicksal hin
Und forscht und fragt vergebens
Nach dieses Rätsels Sinn.
85 Einst wird es leicht sich lösen;
Längst ist der Schlüssel da;
Denn war nicht Lieb und Einfalt
Den Menschen immer nah?

Auch ihr könnt freudig walten
90 Für diesen Zeitbeginn.
Wirkt der Natur entgegen
Und wirkt mit Einem Sinn.
Ist jeder gut und tätig
Für Menschenrecht und Wohl,
95 Und ist auf seiner Stelle
Ein jedes, was es soll.

So wird in süßer Reife
Die Menschheit, himmlisch schön,
Erwacht von langem Schlummer,
100 In beßre Zonen gehn.
Belohnt wird, wessen Taten
In ihrem Herzen glühn –
Doch wer sah je den Garten
Wo dann die Kränze blühn.

Gedicht

Zum 29. April
dem Tage des Gartenkaufs

In diesem Saeculo im Jahre Siebenneunzig
Starb hier ein Advokat, in seiner Rasse einzig,
In praxi wohlgeübt ein Phönix seltner Art,

In welchem Redlichkeit mit Klugheit sich gepaart.
5 Der Witwe hinterließ er nicht das Geld bei Haufen,
Drum suchte sie sogleich den Garten zu verkaufen,
Mit Bäumen gut besetzt und einen Acker groß,
Verwahrt mit roter Tür und einem großen Schloß.
Die Frau Kreisamtmannin ersuchte den Kreisamtmann
10 Den Garten zu erstehn – Sie sprach so sanft:
»Verdammt, Mann!
Ein jedes hat allhier so einen Gartenfleck,
Und wir – was haben wir? – wir haben einen –
Es ist nicht auszustehn, wo soll ich Kaffee trinken?
Und muß die Stube nicht mir an im Sommer stinken?«
15 Der Ehherr rief den Schmidt aus Konfraternität,
Gab ihm den Auftrag, und des Preises Quantität.
Der Auktionstermin ließ immer auf sich warten,
Indes wir, voll Reform, auf die Entscheidung harrten.
Der Garten ward besehn, bewundert und gelobt,
20 Und dann voll Ungeduld nach Weiberart getobt.
Den neunundzwanzigsten April vergeß ich nimmer.
Apollo reiche mir zuvor den Saitenstimmer!
Früh seifte der Barbier des Herrn Kreisamtmanns Bart,
Als von dem Gartenkauf auch so gesprochen ward.
25 »Wo trifft die Witwe wohl auf bessere Bezahler.
Mein Ultimatum ist: Zweihundertsechzig Taler.«
Der Herr der Bärte schrieb sich dieses hinters Ohr,
Und trugs beim nächsten Bart des Kuratoris vor.
»Gefunden« schrie entzückt Herr Topf, der Topf der
Töpfe,
30 Springt auf mit halbem Bart, sucht seine Hemdenknöpfe,
Läuft zur Kurandin stracks, in Sprung, Galopp und Trab,
Kommt, sieht den Käufer an, und schließt den Handel
ab. –
In frohern Hoffnungen war Cäsar nicht zerronnen,
Als er die große Schlacht bei Pharsalus gewonnen,
35 Als unsre Rahel jetzt, da nun der Schlüssel kam,

Und sie, nach zartem Streit, ihn in Empfang nun nahm.
Beglückwünscht ward sie hoch – bei Tisch ward manch
Projekt
Präliminariter von jedem ausgeheckt –
Nur für Reformen und für Hüttchen hat sie Ohren.
40 Er aber sitzt so kalt, als hätt er taube Ohren.
Wir tranken Kaffee erst – ich redte, ohne Ruhm
Zu melden, viel und schön, vom neuen Eigentum.
Dann gingen wir hinaus – es weht ein leises Windchen –
Voraus die Phantasie – wie einst Tobias' Hündchen.
45 Wir langen an – er reicht den Hut und Schlüssel ihr.
Ein jeder zieht den Hut – auf donnerte die Tür.
Vor Adams offnem Maul lag so das Paradies,
Als hier der Garten sich den trunknen Blicken wies.
Zu kühne Muse schweig von diesen Augenblicken,
50 Viel besser ist es hier die Augen zuzudrücken.
Der zählt den Sand am Meer und Berenicens Haar
Der die Projekte kennt, die hier der Rausch gebar.
Kurz, endlich gingen wir nach vielem Tun und Reden
Wie unsrer Eltern Paar aus diesem Garten Eden.
55 Nun gingen wir herum, sahn über jeden Zaun,
Und mußten in der Luft noch manches Schlößchen
baun. –
Heil aber Tennstedt dir – welch Glück ist dir geworden
Mit dieser Bürgerin vom Seraphinen-Orden!
Heil dir auch, Rahels Ruh – es wird in kurzer Zeit
60 In Hirschfelds Almanach dir auch ein Blatt geweiht.

Dir aber liebes Paar! wünscht, ohne Kapp und Schellen
Ein Freund, den Lieb und Treu euch ewig zugesellen,
Auf diesem trauten Fleck den lieblichen Genuß,
Der tief im Herzen quillt und nie versiegen muß.
65 O feiert manches Jahr hier schöne Ruhestunden
Bleibt bis zum späten Herbst in stiller Lust verbunden!
Und bin ich einst ins Land der Sehnsucht heimgekehrt,
So denkt: auch er wär hier wohl eines Plätzchens wert.

Der Fremdling

Den 22. Jänner 1797 [1798]

Der Frau Bergrätin von Charpentier gewidmet

Müde bist du und kalt, Fremdling, du scheinest nicht
Dieses Himmels gewohnt – warmere Lüfte wehn
Deiner Heimat und freier
Hob sich vormals die junge Brust.

5 Streute ewiger Lenz dort nicht auf stiller Flur
Buntes Leben umher? spann nicht der Frieden dort
Feste Weben? und blühte
Dort nicht ewig, was einmal wuchs?

O! du suchest umsonst – untergegangen ist
10 Jenes himmlische Land – keiner der Sterblichen
Weiß den Pfad, den auf immer
Unzugängliches Meer verhüllt.

Wenig haben sich nur deines verwandten Volks
Noch entrissen der Flut – hierhin und dorthin sind
15 Sie gesäet und erwarten
Beßre Zeiten des Wiedersehns.

Folge willig mir nach – wahrlich ein gut Geschick
Hat hieher dich geführt – Heimatsgenossen sind
Hier, die eben, im Stillen,
20 Heut ein häusliches Fest begehn.

Unverkennbar erscheint dort dir die innige
Herzenseinheit – es strahlt Unschuld und Liebe dir
Klar von allen Gesichtern,
Wie vorzeiten im Vaterland.

25 Lichter hebt sich dein Blick – wahrlich, der Abend wird,
Wie ein freundlicher Traum, schnell dir vorübergehn,
Wenn in süßem Gespräche
Sich dein Herz bei den Guten löst –

Seht – der Fremdling ist hier – der aus demselben Land
30 Sich verbannt fühlt, wie Ihr; traurige Stunden sind
Ihm geworden – es neigte
Früh der fröhliche Tag sich ihm.

Doch er weilet noch gern, wo er Genossen trifft,
Feiert munter das Fest häuslicher Freuden mit;
35 Ihn entzücket der Frühling,
Der so frisch um die Eltern blüht.

Daß das heutige Fest oft noch zurückekehrt,
Eh den Weinenden sich ungern die Mutter raubt
Und auf nächtlichen Pfaden
40 Folgt dem Führer ins Vaterland –

Daß der Zauber nicht weicht, welcher das Band beglückt
Eures Bundes – und daß auch die Entfernteren
Des genießen, und wandern
Einen fröhlichen Weg mit Euch –

45 Dieses wünschet der Gast – aber der Dichter sagts
Euch für ihn; denn er schweigt gern, wenn er freudig ist,
Und er sehnet so eben
Seine fernen Geliebten her.

Bleibt dem Fremdlinge hold – spärliche Freuden sind
50 Ihm hienieden gezählt – doch bei so freundlichen
Menschen sieht er geduldig
Nach dem großen Geburtstag hin.

Freiberg, 11. Mai 1798

Eins nur ist, was der Mensch zu allen Zeiten gesucht hat;
Überall, bald auf den Höhn, bald in dem Tiefsten der Welt –
Unter verschiedenen Namen – umsonst – es versteckte sich immer,
Immer empfand er es noch – dennoch erfaßt er es nie.
5 Längst schon fand sich ein Mann, der den Kindern in freundlichen Mythen
Weg und Schlüssel verriet zu des Verborgenen Schloß.
Wenige deuteten sich die leichte Chiffre der Lösung,
Aber die wenigen auch waren nun Meister des Ziels.
Lange Zeiten verflossen – der Irrtum schärfte den Sinn uns –
10 Daß uns der Mythus selbst nicht mehr die Wahrheit verbarg.
Glücklich, wer weise geworden und nicht die Welt mehr durchgrübelt,
Wer von sich selber den Stein ewiger Weisheit begehrt.
Nur der vernünftige Mensch ist der echte Adept – er verwandelt
Alles in Leben und Gold – braucht Elixiere nicht mehr.
15 In ihm dampfet der heilige Kolben – der König ist in ihm –
Delphos auch und er faßt endlich das: *Kenne dich selbst*.

Letzte Liebe

Also noch ein freundlicher Blick am Ende der Wallfahrt,
Ehe die Pforte des Hains leise sich hinter mir schließt.
Dankbar nehm ich das Zeichen der treuen Begleiterin Liebe
Fröhlichen Mutes an, öffne das Herz ihr mit Lust.
5 Sie hat mich durch das Leben allein ratgebend geleitet,
Ihr ist das ganze Verdienst, wenn ich dem Guten gefolgt,
Wenn manch zärtliches Herz dem Frühgeschiedenen nachweint
Und dem erfahrenen Mann Hoffnungen welken mit mir.
Noch als das Kind, im süßen Gefühl sich entfaltender Kräfte,
10 Wahrlich als Sonntagskind trat in den siebenten Lenz,
Rührte mit leiser Hand den jungen Busen die Liebe,
Weibliche Anmut schmückt jene Vergangenheit reich.
Wie aus dem Schlummer die Mutter den Liebling weckt mit dem Kusse,
Wie er zuerst sie sieht und sich verständigt an ihr:
15 Also die Liebe mit mir – durch sie erfuhr ich die Welt erst,
Fand mich selber und ward, was man als Liebender wird.
Was bisher nur ein Spiel der Jugend war, das verkehrte
Nun sich in ernstes Geschäft, dennoch verließ sie mich nicht –
Zweifel und Unruh suchten mich oft von ihr zu entfernen,
20 Endlich erschien der Tag, der die Erziehung vollzog,
Welcher mein Schicksal mir zur Geliebten gab und auf ewig
Frei mich gemacht und gewiß eines unendlichen Glücks.

An die Fundgrube Auguste

Zu ihrem 49. Geburtstage

Glück auf, Fundgrube, das Saeculum
Ist nun zur Hälfte für dich bald um.
Viel edle Geschicke hast du beschert
Und gute Wetter uns immer gewährt.
5 Zum Glück des Bergmanns streiche dein Gang
Geschart mit freundlichen Gängen noch lang.

Der müde Fremdling ist verschwunden
Und hat dem Freunde Platz gemacht,
Der aus so vielen trüben Stunden
Ein treues Herz davongebracht.
5 Auf immer nun mit euch verbunden,
Von keinem Kummer mehr bewacht
Hat er sich wieder selbst gefunden,
Und manches, was er nicht gedacht.

Ein Jahr mit seinen bunten Wochen
10 Verstrich, wir wußten selbst nicht wie.
Und anders, als wir uns versprochen
Klang oft des Lebens Melodie.
Doch fester ward mit jedem Tage
Das liebe Band um unsern Strauß
15 Und immer lauter ward die Sage,
Ein Blinder Knabe wär im Haus.

Es wußte Eine von euch beiden
Gewiß, was an der Sage war.

Wohin ziehst du mich,
Fülle meines Herzens,
Gott des Rausches,
Welche Wälder, welche Klüfte
5 Durchstreif ich mit fremdem Mut.
Welche Höhlen
Hören in den Sternenkranz
Cäsars ewigen Glanz mich flechten
Und den Göttern ihn zugesellen.
10 Unerhörte, gewaltige
Keinen sterblichen Lippen entfallene
Dinge will ich sagen.
Wie die glühende Nachtwandlerin
Die bacchische Jungfrau
15 Am Hebrus staunt
Und im thrazischen Schnee
Und in Rhodope im Lande der Wilden
So dünkt mir seltsam und fremd
Der Flüsse Gewässer
20 Der einsame Wald

Die Lehrlinge zu Sais

1798–1799

1.

Der Lehrling

5 Mannigfache Wege gehen die Menschen. Wer sie verfolgt und vergleicht, wird wunderliche Figuren entstehen sehn; Figuren, die zu jener großen Chiffernschrift zu gehören scheinen, die man überall, auf Flügeln, Eierschalen, in Wolken, im Schnee, in Kristallen und in 10 Steinbildungen, auf gefrierenden Wassern, im Innern und Äußern der Gebirge, der Pflanzen, der Tiere, der Menschen, in den Lichtern des Himmels, auf berührten und gestrichenen Scheiben von Pech und Glas, in den Feilspänen um den Magnet her, und sonderbaren Kon- 15 junkturen des Zufalls, erblickt. In ihnen ahndet man den Schlüssel dieser Wunderschrift, die Sprachlehre derselben, allein die Ahndung will sich selbst in keine feste Formen fügen, und scheint kein höherer Schlüssel werden zu wollen. Ein Alkahest scheint über die Sinne der 20 Menschen ausgegossen zu sein. Nur augenblicklich scheinen ihre Wünsche, ihre Gedanken sich zu verdichten. So entstehen ihre Ahndungen, aber nach kurzen Zeiten schwimmt alles wieder, wie vorher, vor ihren Blicken.

25 Von weitem hört ich sagen: die Unverständlichkeit sei Folge nur des Unverstandes; dieser suche, was er habe, und also niemals weiter finden könne. Man verstehe die Sprache nicht, weil sich die Sprache selber nicht verstehe, nicht verstehen wolle; die echte Sanskrit spräche, um 30 zu sprechen, weil Sprechen ihre Lust und ihr Wesen sei.

Nicht lange darauf sprach einer: »Keiner Erklärung bedarf die heilige Schrift. Wer wahrhaft spricht, ist des ewigen Lebens voll, und wunderbar verwandt mit echten Geheimnissen dünkt uns seine Schrift, denn sie ist ein Akkord aus des Weltalls Symphonie.«
Von unserm Lehrer sprach gewiß die Stimme, denn er versteht die Züge zu versammeln, die überall zerstreut sind. Ein eignes Licht entzündet sich in seinen Blicken, wenn vor uns nun die hohe Rune liegt, und er in unsern Augen späht, ob auch in uns aufgegangen ist das Gestirn, das die Figur sichtbar und verständlich macht. Sieht er uns traurig, daß die Nacht nicht weicht, so tröstet er uns, und verheißt dem emsigen, treuen Seher künftiges Glück. Oft hat er uns erzählt, wie ihm als Kind der Trieb die Sinne zu üben, zu beschäftigen und zu erfüllen, keine Ruhe ließ. Den Sternen sah er zu und ahmte ihre Züge, ihre Stellungen im Sande nach. Ins Luftmeer sah er ohne Rast, und ward nicht müde seine Klarheit, seine Bewegungen, seine Wolken, seine Lichter zu betrachten. Er sammelte sich Steine, Blumen, Käfer aller Art, und legte sie auf mannigfache Weise sich in Reihen. Auf Menschen und auf Tiere gab er acht, am Strand des Meeres saß er, suchte Muscheln. Auf sein Gemüt und seine Gedanken lauschte er sorgsam. Er wußte nicht, wohin ihn seine Sehnsucht trieb. Wie er größer ward, strich er umher, besah sich andre Länder, andre Meere, neue Lüfte, fremde Sterne, unbekannte Pflanzen, Tiere, Menschen, stieg in Höhlen, sah wie in Bänken und in bunten Schichten der Erde Bau vollführt war, und drückte Ton in sonderbare Felsenbilder. Nun fand er überall Bekanntes wieder, nur wunderlich gemischt, gepaart, und also ordneten sich selbst in ihm oft seltsame Dinge. Er merkte bald auf die Verbindungen in allem, auf Begegnungen, Zusammentreffungen. Nun sah er bald nichts mehr allein. – In große bunte Bilder drängten sich die Wahrnehmungen seiner Sinne: er hörte, sah, tastete und dachte

zugleich. Er freute sich, Fremdlinge zusammenzubringen. Bald waren ihm die Sterne Menschen, bald die Menschen Sterne, die Steine Tiere, die Wolken Pflanzen, er spielte mit den Kräften und Erscheinungen, er wußte
5 wo und wie er dies und jenes finden, und erscheinen lassen konnte, und griff so selbst in den Saiten nach Tönen und Gängen umher.

Was nun seitdem aus ihm geworden ist, tut er nicht kund. Er sagt uns, daß wir selbst, von ihm und eigner
10 Lust geführt, entdecken würden, was mit ihm vorgegangen sei. Mehrere von uns sind von ihm gewichen. Sie kehrten zu ihren Eltern zurück und lernten ein Gewerbe treiben. Einige sind von ihm ausgesendet worden, wir wissen nicht wohin; er suchte sie aus. Von ihnen waren
15 einige nur kurze Zeit erst da, die andern länger. Eins war ein Kind noch, es war kaum da, so wollte er ihm den Unterricht übergeben. Es hatte große dunkle Augen mit himmelblauem Grunde, wie Lilien glänzte seine Haut, und seine Locken wie lichte Wölkchen, wenn der Abend
20 kommt. Die Stimme drang uns allen durch das Herz, wir hätten gern ihm unsere Blumen, Steine, Federn alles gern geschenkt. Es lächelte unendlich ernst, und uns ward seltsam wohl mit ihm zumute. »Einst wird es wiederkommen«, sagte der Lehrer, »und unter uns wohnen,
25 dann hören die Lehrstunden auf.« – Einen schickte er mit ihm fort, der hat uns oft gedauert. Immer traurig sah er aus, lange Jahre war er hier, ihm glückte nichts, er fand nicht leicht, wenn wir Kristalle suchten oder Blumen. In die Ferne sah er schlecht, bunte Reihen gut zu
30 legen wußte er nicht. Er zerbrach alles so leicht. Doch hatte keiner einen solchen Trieb und solche Lust am Sehn und Hören. Seit einer Zeit, – vorher eh jenes Kind in unsern Kreis trat, – ward er auf einmal heiter und geschickt. Eines Tages war er traurig ausgegangen, er
35 kam nicht wieder und die Nacht brach ein. Wir waren seinetwegen sehr in Sorgen; auf einmal, wie des Morgens

Dämmerung kam, hörten wir in einem nahen Haine seine Stimme. Er sang ein hohes, frohes Lied; wir wunderten uns alle; der Lehrer sah mit einem Blick nach Morgen, wie ich ihn wohl nie wieder sehen werde. In unsre Mitte trat er bald, und brachte, mit unaussprechlicher Seligkeit im Antlitz, ein unscheinbares Steinchen von seltsamer Gestalt. Der Lehrer nahm es in die Hand, und küßte ihn lange, dann sah er uns mit nassen Augen an und legte dieses Steinchen auf einen leeren Platz, der mitten unter andern Steinen lag, gerade wo wie Strahlen viele Reihen sich berührten.
Ich werde dieser Augenblicke nie fortan vergessen. Uns war, als hätten wir im Vorübergehn eine helle Ahndung dieser wunderbaren Welt in unsern Seelen gehabt.
Auch ich bin ungeschickter als die andern, und minder gern scheinen sich die Schätze der Natur von mir finden zu lassen. Doch ist der Lehrer mir gewogen, und läßt mich in Gedanken sitzen, wenn die andern suchen gehn. So wie dem Lehrer ist mir nie gewesen. Mich führt alles in mich selbst zurück. Was einmal die zweite Stimme sagte, habe ich wohl verstanden. Mich freuen die wunderlichen Haufen und Figuren in den Sälen, allein mir ist, als wären sie nur Bilder, Hüllen, Zierden, versammelt um ein göttlich Wunderbild, und dieses liegt mir immer in Gedanken. Sie such ich nicht, in ihnen such ich oft. Es ist, als sollten sie den Weg mir zeigen, wo in tiefem Schlaf die Jungfrau steht, nach der mein Geist sich sehnt. Mir hat der Lehrer nie davon gesagt, auch ich kann ihm nichts anvertrauen, ein unverbrüchliches Geheimnis dünkt es mir. Gern hätt ich jenes Kind gefragt, in seinen Zügen fand ich Verwandtschaft; auch schien in seiner Nähe mir alles heller innerlich zu werden. Wäre es länger geblieben, sicherlich hätte ich mehr in mir erfahren. Auch wäre mir am Ende vielleicht der Busen offen, die Zunge frei geworden. Gern wär ich auch mit ihm gegangen. Es kam nicht so. Wie lang ich hier noch

bleibe, weiß ich nicht. Mir scheint es, als blieb ich immer hier. Kaum wag ich es mir selber zu gestehen, allein zu innig dringt sich mir der Glauben auf: einst find ich hier, was mich beständig rührt; sie ist zugegen. Wenn ich mit diesem Glauben hier umhergehe, so tritt mir alles in ein höher Bild, in eine neue Ordnung mir zusammen, und alle sind nach Einer Gegend hin gerichtet. Mir wird dann jedes so bekannt, so lieb; und was mir seltsam noch erschien und fremd, wird nun auf einmal wie ein Hausgerät.
Gerade diese Fremdheit ist mir fremd, und darum hat mich immer diese Sammlung zugleich entfernt und angezogen. Den Lehrer kann und mag ich nicht begreifen. Er ist mir just so unbegreiflich lieb. Ich weiß es, er versteht mich, er hat nie gegen mein Gefühl und meinen Wunsch gesprochen. Vielmehr will er, daß wir den eignen Weg verfolgen, weil jeder neue Weg durch neue Länder geht, und jeder endlich zu diesen Wohnungen, zu dieser heiligen Heimat wieder führet. Auch ich will also meine Figur beschreiben, und wenn kein Sterblicher, nach jener Inschrift dort, den Schleier hebt, so müssen wir Unsterbliche zu werden suchen; wer ihn nicht heben will, ist kein echter Lehrling zu Sais.

2.

Die Natur

Es mag lange gedauert haben, ehe die Menschen darauf dachten, die mannigfachen Gegenstände ihrer Sinne mit einem gemeinschaftlichen Namen zu bezeichnen und sich entgegen zu setzen. Durch Übung werden Entwickelungen befördert, und in allen Entwickelungen gehen Teilungen, Zergliederungen vor, die man bequem mit den Brechungen des Lichtstrahls vergleichen kann. So hat sich auch nur allmählich unser Innres in so mannigfaltige Kräfte zerspaltet, und mit fortdauernder Übung wird auch diese Zerspaltung zunehmen. Vielleicht ist es nur krankhafte Anlage der späteren Menschen, wenn sie 5 das Vermögen verlieren, diese zerstreuten Farben ihres Geistes wieder zu mischen und nach Belieben den alten einfachen Naturstand herzustellen, oder neue, mannigfaltige Verbindungen unter ihnen zu bewirken. Je vereinigter sie sind, desto vereinigter, desto vollständiger und 10 persönlicher fließt jeder Naturkörper, jede Erscheinung in sie ein: denn der Natur des Sinnes entspricht die Natur des Eindrucks, und daher mußte jenen früheren Menschen alles menschlich, bekannt und gesellig vorkommen, die frischeste Eigentümlichkeit mußte in ihren 15 Ansichten sichtbar werden, jede ihrer Äußerungen war ein wahrer Naturzug, und ihre Vorstellungen mußten mit der sie umgebenden Welt übereinstimmen, und einen treuen Ausdruck derselben darstellen. Wir können daher die Gedanken unsrer Altväter von den Dingen in 20 der Welt als ein notwendiges Erzeugnis, als eine Selbstabbildung des damaligen Zustandes der irdischen Natur betrachten, und besonders an ihnen, als den schicklichsten Werkzeugen der Beobachtung des Weltalls, das Hauptverhältnis desselben, das damalige Verhältnis zu 25 seinen *Bewohnern*, und seiner Bewohner zu ihm, bestimmt abnehmen. Wir finden, daß gerade die erhabensten Fragen zuerst ihre Aufmerksamkeit beschäftigten, und daß sie den Schlüssel dieses wundervollen Gebäudes bald in einer Hauptmasse der wirklichen Dinge, bald in 30 dem erdichteten Gegenstande eines unbekannten Sinns aufsuchten. Bemerklich ist hier die gemeinschaftliche Ahndung desselben im Flüssigen, im Dünnen, Gestaltlosen. Es mochte wohl die Trägheit und Unbehülflichkeit der festen Körper den Glauben an ihre Abhängigkeit und 35 Niedrigkeit nicht ohne Bedeutung veranlassen. Früh genug stieß jedoch ein grübelnder Kopf auf die Schwierigkeit der Gestalten-Erklärung aus jenen gestaltlosen Kräften und Meeren. Er versuchte den Knoten durch eine Art von Vereinigung zu lösen, indem er die ersten 5 Anfänge zu festen, gestalteten Körperchen machte, die er jedoch über allen Begriff klein annahm, und nun aus diesem Staubmeere, aber freilich nicht ohne Beihülfe mitwirkender Gedankenwesen, anziehender und abstoßender Kräfte, den ungeheuern Bau vollführen zu kön- 10 nen meinte. Noch früher findet man statt wissenschaftlicher Erklärungen, Märchen und Gedichte voll merkwürdiger bildlicher Züge, Menschen, Götter und Tiere als gemeinschaftliche Werkmeister, und hört auf die natürlichste Art die Entstehung der Welt beschreiben. Man 15 erfährt wenigstens die Gewißheit eines zufälligen, *werkzeuglichen* Ursprungs derselben, und auch für den Verächter der regellosen Erzeugnisse der Einbildungskraft ist diese Vorstellung bedeutend genug. Die Geschichte der Welt als Menschengeschichte zu behandeln, überall 20 nur menschliche Begebenheiten und Verhältnisse zu finden, ist eine fortwandernde, in den verschiedensten Zeiten wieder mit neuer Bildung hervortretende Idee geworden, und scheint an wunderbarer Wirkung, und leichter Überzeugung beständig den Vorrang gehabt zu 25 haben. Auch scheint die Zufälligkeit der Natur sich wie von selbst an die Idee menschlicher Persönlichkeit anzuschließen, und letztere am willigsten, als menschliches Wesen verständlich zu werden. Daher ist auch wohl die Dichtkunst das liebste Werkzeug der eigentlichen Na- 30 turfreunde gewesen, und am hellsten ist in Gedichten der Naturgeist erschienen. Wenn man echte Gedichte liest und hört, so fühlt man einen innern Verstand der Natur sich bewegen, und schwebt, wie der himmlische Leib derselben, in ihr und über ihr zugleich. Naturforscher 35 und Dichter haben durch Eine Sprache sich immer wie Ein Volk gezeigt. Was jene im ganzen sammelten und in großen, geordneten Massen aufstellten, haben diese für menschliche Herzen zur täglichen Nahrung und Notdurft verarbeitet, und jene unermeßliche Natur zu mannigfaltigen, kleinen, gefälligen Naturen zersplittert und gebildet. Wenn diese mehr das Flüssige und Flüchtige mit leichtem Sinn verfolgten, suchten jene mit scharfen Messerschnitten den innern Bau und die Verhältnisse der Glieder zu erforschen. Unter ihren Händen starb die freundliche Natur, und ließ nur tote, zuckende Reste zurück, dagegen sie vom Dichter, wie durch geistvollen Wein, noch mehr beseelt, die göttlichsten und muntersten Einfälle hören ließ, und über ihr Alltagsleben erhoben, zum Himmel stieg, tanzte und weissagte, jeden Gast willkommen hieß, und ihre Schätze frohen Muts verschwendete. So genoß sie himmlische Stunden mit dem Dichter, und lud den Naturforscher nur dann ein, wenn sie krank und gewissenhaft war. Dann gab sie ihm Bescheid auf jede Frage, und ehrte gern den ernsten, strengen Mann. Wer also ihr Gemüt recht kennen will, muß sie in der Gesellschaft der Dichter suchen, dort ist sie offen und ergießt ihr wundersames Herz. Wer sie aber nicht aus Herzensgrunde liebt, und dies und jenes nur an ihr bewundert, und zu erfahren strebt, muß ihre Krankenstube, ihr Beinhaus fleißig besuchen.

Man steht mit der Natur gerade in so unbegreiflich verschiedenen Verhältnissen, wie mit den Menschen; und wie sie sich dem Kinde kindisch zeigt, und sich gefällig seinem kindlichen Herzen anschmiegt, so zeigt sie sich dem Gotte göttlich, und stimmt zu dessen hohem Geiste. Man kann nicht sagen, daß es eine Natur gebe, ohne etwas Überschwengliches zu sagen, und alles Bestreben nach Wahrheit in den Reden und Gesprächen von der Natur entfernt nur immer mehr von der Natürlichkeit. Es ist schon viel gewonnen, wenn das Streben, die Natur vollständig zu begreifen, zur Sehnsucht sich veredelt, zur zarten, bescheidnen Sehnsucht, die sich das fremde, kalte Wesen gern gefallen läßt, wenn sie nur einst auf vertrauteren Umgang rechnen kann. Es ist ein geheimnisvoller Zug nach allen Seiten in unserm Innern, aus einem unendlich tiefen Mittelpunkt sich rings verbreitend. Liegt nun die wundersame sinnliche und unsinnliche Natur rund um uns her, so glauben wir es sei jener Zug ein Anziehn der Natur, eine Äußerung unsrer Sympathie mit ihr: nur sucht der eine hinter diesen blauen, fernen Gestalten noch eine Heimat, die sie ihm verhüllen, eine Geliebte seiner Jugend, Eltern und Geschwister, alte Freunde, liebe Vergangenheiten; der andre meint, da jenseits warteten unbekannte Herrlichkeiten seiner, eine lebensvolle Zukunft glaubt er dahinter versteckt, und streckt verlangend seine Hände einer neuen Welt entgegen. Wenige bleiben bei dieser herrlichen Umgebung ruhig stehen, und suchen sie nur selbst in ihrer Fülle und ihrer Verkettung zu erfassen, vergessen über der Vereinzelung den blitzenden Faden nicht, der reihenweise die Glieder knüpft und den heiligen Kronleuchter bildet, und finden sich beseligt in der Beschauung dieses lebendigen, über nächtlichen Tiefen schwebenden Schmucks. So entstehn mannigfache Naturbetrachtungen, und wenn an einem Ende die Naturempfindung ein lustiger Einfall, eine Mahlzeit wird, so sieht man sie dort zur andächtigsten Religion verwandelt, einem ganzen Leben Richtung, Haltung und Bedeutung geben. Schon unter den kindlichen Völkern gabs solche ernste Gemüter, denen die Natur das Antlitz einer Gottheit war, indessen andre fröhliche Herzen sich nur auf sie zu Tische baten; die Luft war ihnen ein erquickender Trank, die Gestirne Lichter zum nächtlichen Tanz, und Pflanzen und Tiere nur köstliche Speisen, und so kam ihnen die Natur nicht wie ein stiller, wundervoller Tempel, sondern wie eine lustige Küche und Speisekammer vor. Dazwischen waren andre sinnigere Seelen, die in der gegenwärtigen Natur nur große, aber verwilderte Anlagen bemerkten, und Tag und Nacht beschäftiget waren, Vorbilder einer edleren Natur zu schaffen. – Sie teilten sich gesellig in das große Werk, die einen suchten die verstummten und verlornen Töne in Luft und Wäldern zu erwecken, andre legten ihre Ahndungen und Bilder schönerer Geschlechter in Erz und Steine nieder, bauten schönere Felsen zu Wohnungen wieder, brachten die verborgenen Schätze aus den Grüften der Erde wieder ans Licht; zähmten die ausgelassenen Ströme, bevölkerten das unwirtliche Meer, führten in öde Zonen alte, herrliche Pflanzen und Tiere zurück, hemmten die Waldüberschwemmungen, und pflegten die edleren Blumen und Kräuter, öffneten die Erde den belebenden Berührungen der zeugenden Luft und des zündenden Lichts, lehrten die Farben zu reizenden Bildungen sich mischen und ordnen, und Wald und Wiese, Quellen und Felsen wieder zu lieblichen Gärten zusammenzutreten, hauchten in die lebendigen Glieder Töne, um sie zu entfalten, und in heitern Schwingungen zu bewegen, nahmen sich der armen, verlaßnen, für Menschensitte empfänglichen Tiere an, und säuberten die Wälder von den schädlichen Ungeheuern, diesen Mißgeburten einer entarteten Phantasie. Bald lernte die Natur wieder freundlichere Sitten, sie ward sanfter und erquicklicher, und ließ sich willig zur Beförderung der menschlichen Wünsche finden. Allmählich fing ihr Herz wieder an menschlich sich zu regen, ihre Phantasien wurden heitrer, sie ward wieder umgänglich, und antwortete dem freundlichen Frager gern, und so scheint allmählich die alte goldne Zeit zurückzukommen, in der sie den Menschen Freundin, Trösterin, Priesterin und Wundertäterin war, als sie unter ihnen wohnte und ein himmlischer Umgang die Menschen zu Unsterblichen machte. Dann werden die Gestirne die Erde wieder besuchen, der sie gram geworden waren in jenen Zeiten der Verfinsterung; dann legt die Sonne ihren strengen

Zepter nieder, und wird wieder Stern unter Sternen, und alle Geschlechter der Welt kommen dann nach langer Trennung wieder zusammen. Dann finden sich die alten verwaisten Familien, und jeder Tag sieht neue Begrüßungen, neue Umarmungen; dann kommen die ehemaligen Bewohner der Erde zu ihr zurück, in jedem Hügel regt sich neu erglimmende Asche, überall lodern Flammen des Lebens empor, alte Wohnstätten werden neu erbaut, alte Zeiten erneuert, und die Geschichte wird zum Traum einer unendlichen, unabsehlichen Gegenwart.

Wer dieses Stamms und dieses Glaubens ist, und gern auch das Seinige zu dieser Entwilderung der Natur beitragen will, geht in den Werkstätten der Künstler umher, belauscht überall die unvermutet in allen Ständen hervorbrechende Dichtkunst, wird nimmer müde die Natur zu betrachten und mit ihr umzugehen, geht überall ihren Fingerzeigen nach, verschmäht keinen mühseligen Gang, wenn sie ihm winkt, und sollte er auch durch Modergrüfte gehen: er findet sicher unsägliche Schätze, das Grubenlichtchen steht am Ende still, und wer weiß, in welche himmlische Geheimnisse ihn dann eine reizende Bewohnerin des unterirdischen Reichs einweiht. Keiner irrt gewiß weiter ab vom Ziele, als wer sich selbst einbildet, er kenne schon das seltsame Reich, und wisse mit wenig Worten seine Verfassung zu ergründen und überall den rechten Weg zu finden. Von selbst geht keinem, der los sich riß und sich zur Insel machte, das Verständnis auf, auch ohne Mühe nicht. Nur Kindern, oder kindlichen Menschen, die nicht wissen, was sie tun, kann dies begegnen. Langer, unablässiger Umgang, freie und künstliche Betrachtung, Aufmerksamkeit auf leise Winke und Züge, ein inneres Dichterleben, geübte Sinne, ein einfaches und gottesfürchtiges Gemüt, das sind die wesentlichen Erfordernisse eines echten Naturfreundes, ohne welche keinem sein Wunsch gedeihen wird.

Nicht weise scheint es, eine Menschenwelt ohne volle aufgeblühte Menschheit begreifen und verstehn zu wollen. Kein Sinn muß schlummern, und wenn auch nicht alle gleich wach sind, so müssen sie doch alle angeregt und nicht unterdrückt und erschlafft sein. So wie man einen künftigen Maler in dem Knaben sieht, der alle Wände und jeden ebenen Sand mit Zeichnungen füllt, und Farben zu Figuren bunt verknüpft, so sieht man einen künftigen Weltweisen in jenem, der allen natürlichen Dingen ohne Rast nachspürt, nachfrägt, auf alles achtet, jedes Merkwürdige zusammenträgt und froh ist, wenn er einer neuen Erscheinung, einer neuen Kraft und Kenntnis Meister und Besitzer geworden ist.

Nun dünkt es einigen, es sei der Mühe gar nicht wert, den endlosen Zerspaltungen der Natur nachzugehn, und überdem ein gefährliches Unternehmen, ohne Frucht und Ausgang. So wie man nie das kleinste Korn der festen Körper, nie die einfachste Faser finden werde, weil alle Größe vor- und rückwärts sich ins Unendliche verliert, so sei es auch mit den Arten der Körper und Kräfte; auch hier gerate man auf neue Arten, neue Zusammensetzungen, neue Erscheinungen bis ins Unendliche. Sie schienen dann nur stillzustehn, wenn unser Fleiß ermatte, und so verschwende man die edle Zeit mit müßigen Betrachtungen und langweiligem Zählen, und werde dies zuletzt ein wahrer Wahnsinn, ein fester Schwindel an der entsetzlichen Tiefe. Auch bleibe die Natur, so weit man käme, immer eine furchtbare Mühle des Todes: überall ungeheurer Umschwung, unauflösliche Wirbelkette, ein Reich der Gefräßigkeit, des tollsten Übermuts, eine unglücksschwangere Unermeßlichkeit; die wenigen lichten Punkte beleuchteten nur eine desto grausendere Nacht, und Schrecken aller Art müßten jeden Beobachter zur Gefühllosigkeit ängstigen. Wie ein Heiland stehe dem armen Menschengeschlechte der Tod zur Seite, denn ohne Tod wäre der Wahnsinnigste am glücklichsten. Gerade jenes Streben nach Ergründung dieses riesenmäßigen Triebwerks sei schon ein Zug in die Tiefe, ein beginnender Schwindel: denn jeder Reiz scheine ein wachsender Wirbel, der bald sich des Unglücklichen ganz bemächtige, und ihn dann durch eine schreckenvolle Nacht mit sich fortreiße. Hier sei die listige Fallgrube des menschlichen Verstandes, den die Natur überall als ihren größten Feind zu vernichten suche. Heil der kindlichen Unwissenheit und Schuldlosigkeit der Menschen, welche sie die entsetzlichen Gefahren nicht gewahr werden ließe, die überall wie furchtbare Wetterwolken um ihre friedlichen Wohnsitze herlägen, und jeden Augenblick über sie hereinzubrechen bereit wären. Nur innre Uneinigkeit der Naturkräfte habe die Menschen bis jetzo erhalten, indes könne jener große Zeitpunkt nicht ausbleiben, wo sich die sämtlichen Menschen durch einen großen gemeinschaftlichen Entschluß aus dieser peinlichen Lage, aus diesem furchtbaren Gefängnisse reißen und durch eine freiwillige Entsagung ihrer hiesigen Besitztümer auf ewig ihr Geschlecht aus diesem Jammer erlösen, und in eine glücklichere Welt, zu ihrem alten Vater retten würden. So endeten sie doch ihrer würdig, und kämen ihrer notwendigen, gewaltsamen Vertilgung, oder einer noch entsetzlicheren Ausartung in Tiere, durch stufenweise Zerstörung der Denkorgane, durch Wahnsinn, zuvor. Umgang mit Naturkräften, mit Tieren, Pflanzen, Felsen, Stürmen und Wogen müsse notwendig die Menschen diesen Gegenständen verähnlichen, und diese Verähnlichung, Verwandlung und Auflösung des Göttlichen und Menschlichen in unbändige Kräfte sei der Geist der Natur, dieser fürchterlich verschlingenden Macht: und sei nicht alles, was man sehe, schon ein Raub des Himmels, eine große Ruine ehemaliger Herrlichkeiten, Überbleibsel eines schrecklichen Mahls?

»Wohl«, sagen Mutigere, »laßt unser Geschlecht einen

langsamen, wohldurchdachten Zerstörungskrieg mit dieser Natur führen. Mit schleichenden Giften müssen wir ihr beizukommen suchen. Der Naturforscher sei ein edler Held, der sich in den geöffneten Abgrund stürze, um seine Mitbürger zu erretten. Die Künstler haben ihr schon manchen geheimen Streich beigebracht, fahrt nur so fort, bemächtigt euch der heimlichen Fäden, und macht sie lüstern nach sich selbst. Benutzt jene Zwiste, um sie, wie jenen feuerspeienden Stier, nach eurer Willkür lenken zu können. Euch untertänig muß sie werden. Geduld und Glauben ziemt den Menschenkindern. Entfernte Brüder sind zu Einem Zweck mit uns vereint, das Sternenrad wird das Spinnrad unsers Lebens werden, und dann können wir durch unsere Sklaven ein neues Dschinnistan uns bauen. Mit innerm Triumph laßt uns ihren Verwüstungen, ihren Tumulten zusehn, sie soll an uns sich selbst verkaufen, und jede Gewalttat soll ihr zur schweren Buße werden. In den begeisternden Gefühlen unsrer Freiheit laßt uns leben und sterben, hier quillt der Strom, der sie einst überschwemmen und zähmen wird, und in ihm laßt uns baden und mit neuem Mut zu Heldentaten uns erfrischen. Bis hieher reicht die Wut des Ungeheuers nicht, ein Tropfen Freiheit ist genug, sie auf immer zu lähmen und ihren Verheerungen Maß und Ziel zu setzen.«

»Sie haben recht«, sprechen mehrere; »hier oder nirgends liegt der Talisman. Am Quell der Freiheit sitzen wir und spähn; er ist der große Zauberspiegel, in dem rein und klar die ganze Schöpfung sich enthüllt, in ihm baden die zarten Geister und Abbilder aller Naturen, und alle Kammern sehn wir hier aufgeschlossen. Was brauchen wir die trübe Welt der sichtbaren Dinge mühsam zu durchwandern? Die reinere Welt liegt ja in uns, in diesem Quell. Hier offenbart sich der wahre Sinn des großen, bunten, verwirrten Schauspiels; und treten wir von diesen Blicken voll in die Natur, so ist uns alles wohlbekannt, und sicher kennen wir jede Gestalt. Wir brauchen nicht erst lange nachzuforschen, eine leichte Vergleichung, nur wenige Züge im Sande sind genug um uns zu verständigen. So ist uns alles eine große Schrift, wozu wir den Schlüssel haben, und nichts kommt uns unerwartet, weil wir voraus den Gang des großen Uhrwerks wissen. Nur wir genießen die Natur mit vollen Sinnen, weil sie uns nicht von Sinnen bringt, weil keine Fieberträume uns ängstigen und helle Besonnenheit uns zuversichtlich und ruhig macht.«

»Die andern reden irre«, sagt ein ernster Mann zu diesen. »Erkennen sie in der Natur nicht den treuen Abdruck ihrer selbst? Sie selbst verzehren sich in wilder Gedankenlosigkeit. Sie wissen nicht, daß ihre Natur ein Gedankenspiel, eine wüste Phantasie ihres Traumes ist. Ja wohl ist sie ihnen ein entsetzliches Tier, eine seltsame abenteuerliche Larve ihrer Begierden. Der wachende Mensch sieht ohne Schaudern diese Brut seiner regellosen Einbildungskraft, denn er weiß, daß es nichtige Gespenster seiner Schwäche sind. Er fühlt sich Herr der Welt, sein Ich schwebt mächtig über diesem Abgrund, und wird in Ewigkeiten über diesem endlosen Wechsel erhaben schweben. Einklang strebt sein Inneres zu verkünden, zu verbreiten. Er wird in die Unendlichkeit hinaus stets einiger mit sich selbst und seiner Schöpfung um sich her sein, und mit jedem Schritte die ewige Allwirksamkeit einer hohen sittlichen Weltordnung, der Veste seines Ichs, immer heller hervortreten sehn. Der Sinn der Welt ist die Vernunft: um derentwillen ist sie da, und wenn sie erst der Kampfplatz einer kindlichen, aufblühenden Vernunft ist, so wird sie einst zum göttlichen Bilde ihrer Tätigkeit, zum Schauplatz einer wahren Kirche werden. Bis dahin ehre sie der Mensch, als Sinnbild seines Gemüts, das sich mit ihm in unbestimmbare Stufen veredelt. Wer also zur Kenntnis der Natur gelangen will, übe seinen sittlichen Sinn, handle und bilde dem edlen Kerne seines Innern gemäß, und wie von selbst wird die Natur sich vor ihm öffnen. Sittliches Handeln ist jener große und einzige Versuch, in welchem alle Rätsel der mannigfaltigsten Erscheinungen sich lösen. Wer ihn versteht, und in strengen Gedankenfolgen ihn zu zerlegen weiß, ist ewiger Meister der Natur.«

Der Lehrling hört mit Bangigkeit die sich kreuzenden Stimmen. Es scheint ihm jede recht zu haben, und eine sonderbare Verwirrung bemächtigt sich seines Gemüts. Allmählich legt sich der innre Aufruhr, und über die dunkeln sich aneinander brechenden Wogen scheint ein Geist des Friedens heraufzuschweben, dessen Ankunft sich durch neuen Mut und überschauende Heiterkeit in der Seele des Jünglings ankündigt.

Ein muntrer Gespiele, dem Rosen und Winden die Schläfe zierten, kam herbeigesprungen, und sah ihn in sich gesenkt sitzen. »Du Grübler«, rief er, »bist auf ganz verkehrtem Wege. So wirst du keine großen Fortschritte machen. Das Beste ist überall die Stimmung. Ist das wohl eine Stimmung der Natur? Du bist noch jung und fühlst du nicht das Gebot der Jugend in allen Adern? nicht Liebe und Sehnsucht deine Brust erfüllen? Wie kannst du nur in der Einsamkeit sitzen? Sitzt die Natur einsam? Den Einsamen flieht Freude und Verlangen: und ohne Verlangen, was nützt dir die Natur? Nur unter Menschen wird er einheimisch, der Geist, der sich mit tausend bunten Farben in alle deine Sinne drängt, der wie eine unsichtbare Geliebte dich umgibt. Bei unsern Festen löst sich seine Zunge, er sitzt obenan und stimmt Lieder des fröhlichsten Lebens an. Du hast noch nicht geliebt, du Armer; beim ersten Kuß wird eine neue Welt dir aufgetan, mit ihm fährt Leben in tausend Strahlen in dein entzücktes Herz. Ein Märchen will ich dir erzählen, horche wohl.

Vor langen Zeiten lebte weit gegen Abend ein blutjunger Mensch. Er war sehr gut, aber auch über die Maßen wunderlich. Er grämte sich unaufhörlich um nichts und wieder nichts, ging immer still für sich hin, setzte sich einsam, wenn die andern spielten und fröhlich waren, und hing seltsamen Dingen nach. Höhlen und Wälder waren sein liebster Aufenthalt, und dann sprach er immerfort mit Tieren und Vögeln, mit Bäumen und Felsen, natürlich kein vernünftiges Wort, lauter närrisches Zeug zum Totlachen. Er blieb aber immer mürrisch und ernsthaft, ungeachtet sich das Eichhörnchen, die Meerkatze, der Papagei und der Gimpel alle Mühe gaben ihn zu zerstreuen, und ihn auf den richtigen Weg zu weisen. Die Gans erzählte Märchen, der Bach klimperte eine Ballade dazwischen, ein großer dicker Stein machte lächerliche Bockssprünge, die Rose schlich sich freundlich hinter ihm herum, kroch durch seine Locken, und der Efeu streichelte ihm die sorgenvolle Stirn. Allein der Mißmut und Ernst waren hartnäckig. Seine Eltern waren sehr betrübt, sie wußten nicht was sie anfangen sollten. Er war gesund und aß, nie hatten sie ihn beleidigt, er war auch bis vor wenig Jahren fröhlich und lustig gewesen, wie keiner; bei allen Spielen voran, von allen Mädchen gern gesehn. Er war recht bildschön, sah aus wie gemalt, tanzte wie ein Schatz. Unter den Mädchen war Eine, ein köstliches, bildschönes Kind, sah aus wie Wachs, Haare wie goldne Seide, kirschrote Lippen, wie ein Püppchen gewachsen, brandrabenschwarze Augen. Wer sie sah, hätte mögen vergehn, so lieblich war sie. Damals war Rosenblüte, so hieß sie, dem bildschönen Hyazinth, so hieß er, von Herzen gut, und er hatte sie lieb zum Sterben. Die andern Kinder wußtens nicht. Ein Veilchen hatte es ihnen zuerst gesagt, die Hauskätzchen hatten es wohl gemerkt, die Häuser ihrer Eltern lagen nahe beisammen. Wenn nun Hyazinth die Nacht an seinem Fenster stand und Rosenblüte an ihrem, und die

Kätzchen auf den Mäusefang da vorbeiliefen, da sahen sie die beiden stehn, und lachten und kicherten oft so laut, daß sie es hörten und böse wurden. Das Veilchen hatte es der Erdbeere im Vertrauen gesagt, die sagte es ihrer Freundin der Stachelbeere, die ließ nun das Sticheln nicht, wenn Hyazinth gegangen kam; so erfuhrs denn bald der ganze Garten und der Wald, und wenn Hyazinth ausging, so riefs von allen Seiten: ›Rosenblütchen ist mein Schätzchen!‹ Nun ärgerte sich Hyazinth, und mußte doch auch wieder aus Herzensgrunde lachen, wenn das Eidechschen geschlüpft kam, sich auf einen warmen Stein setzte, mit dem Schwänzchen wedelte und sang:

Rosenblütchen, das gute Kind,
Ist geworden auf einmal blind,
Denkt, die Mutter sei Hyazinth,
Fällt ihm um den Hals geschwind;
Merkt sie aber das fremde Gesicht,
Denkt nur an, da erschrickt sie nicht,
Fährt, als merkte sie kein Wort,
Immer nur mit Küssen fort.

Ach! wie bald war die Herrlichkeit vorbei. Es kam ein Mann aus fremden Landen gegangen, der war erstaunlich weit gereist, hatte einen langen Bart, tiefe Augen, entsetzliche Augenbrauen, ein wunderliches Kleid mit vielen Falten und seltsame Figuren hineingewebt. Er setzte sich vor das Haus, das Hyazinths Eltern gehörte. Nun war Hyazinth sehr neugierig, und setzte sich zu ihm und holte ihm Brot und Wein. Da tat er seinen weißen Bart voneinander und erzählte bis tief in die Nacht, und Hyazinth wich und wankte nicht, und wurde auch nicht müde zuzuhören. Soviel man nachher vernahm, so hat er viel von fremden Ländern, unbekannten Gegenden, von erstaunlich wunderbaren Sachen erzählt, und ist drei Tage dageblieben, und mit Hyazinth in tiefe Schachten hinuntergekrochen. Rosenblütchen hat genug den alten Hexenmeister verwünscht, denn Hyazinth ist ganz versessen auf seine Gespräche gewesen, und hat sich um nichts bekümmert; kaum daß er ein wenig Speise zu sich genommen. Endlich hat jener sich fortgemacht, doch dem Hyazinth ein Büchelchen dagelassen, das kein Mensch lesen konnte. Dieser hat ihm noch Früchte, Brot und Wein mitgegeben, und ihn weit weg begleitet. Und dann ist er tiefsinnig zurückgekommen, und hat einen ganz neuen Lebenswandel begonnen. Rosenblütchen hat recht zum Erbarmen um ihn getan, denn von der Zeit an hat er sich wenig aus ihr gemacht und ist immer für sich geblieben. Nun begab sichs, daß er einmal nach Hause kam und war wie neugeboren. Er fiel seinen Eltern um den Hals, und weinte. ›Ich muß fort in fremde Lande‹, sagte er, ›die alte wunderliche Frau im Walde hat mir erzählt, wie ich gesund werden müßte, das Buch hat sie ins Feuer geworfen, und hat mich getrieben, zu euch zu gehn und euch um euren Segen zu bitten. Vielleicht komme ich bald, vielleicht nie wieder. Grüßt Rosenblütchen. Ich hätte sie gern gesprochen, ich weiß nicht, wie mir ist, es drängt mich fort; wenn ich an die alten Zeiten zurückdenken will, so kommen gleich mächtigere Gedanken dazwischen, die Ruhe ist fort, Herz und Liebe mit, ich muß sie suchen gehn. Ich wollt euch gern sagen, wohin, ich weiß selbst nicht, dahin wo die Mutter der Dinge wohnt, die verschleierte Jungfrau. Nach der ist mein Gemüt entzündet. Lebt wohl.‹ Er riß sich los und ging fort. Seine Eltern wehklagten und vergossen Tränen, Rosenblütchen blieb in ihrer Kammer und weinte bitterlich. Hyazinth lief nun was er konnte, durch Täler und Wildnisse, über Berge und Ströme, dem geheimnisvollen Lande zu. Er fragte überall nach der heiligen Göttin (Isis) Menschen und Tiere, Felsen und Bäume. Manche lachten manche schwiegen, nirgends erhielt er Bescheid. Im Anfange kam er durch rauhes, wildes Land, Nebel und Wolken warfen sich ihm in den Weg, es stürmte immerfort; dann fand er unabsehliche Sandwüsten, glühenden Staub, und wie er wandelte, so veränderte sich auch sein Gemüt, die Zeit wurde ihm lang und die innre Unruhe legte sich, er wurde sanfter und das gewaltige Treiben in ihm allgemach zu einem leisen, aber starken Zuge, in den sein ganzes Gemüt sich auflöste. Es lag wie viele Jahre hinter ihm. Nun wurde die Gegend auch wieder reicher und mannigfaltiger, die Luft lau und blau, der Weg ebener, grüne Büsche lockten ihn mit anmutigem Schatten, aber er verstand ihre Sprache nicht, sie schienen auch nicht zu sprechen, und doch erfüllten sie auch sein Herz mit grünen Farben und kühlem, stillem Wesen. Immer höher wuchs jene süße Sehnsucht in ihm, und immer breiter und saftiger wurden die Blätter, immer lauter und lustiger die Vögel und Tiere, balsamischer die Früchte, dunkler der Himmel, wärmer die Luft, und heißer seine Liebe, die Zeit ging immer schneller, als sähe sie sich nahe am Ziele. Eines Tages begegnete er einem kristallnen Quell und einer Menge Blumen, die kamen in ein Tal herunter zwischen schwarzen himmelhohen Säulen. Sie grüßten ihn freundlich mit bekannten Worten. ›Liebe Landsleute‹, sagte er, ›wo find ich wohl den geheiligten Wohnsitz der Isis? Hier herum muß er sein, und ihr seid vielleicht hier bekannter, als ich.‹ ›Wir gehn auch nur hier durch‹, antworteten die Blumen; ›eine Geisterfamilie ist auf der Reise und wir bereiten ihr Weg und Quartier, indes sind wir vor kurzem durch eine Gegend gekommen, da hörten wir ihren Namen nennen. Gehe nur aufwärts, wo wir herkommen, so wirst du schon mehr erfahren.‹ Die Blumen und die Quelle lächelten, wie sie das sagten, boten ihm einen frischen Trunk und gingen weiter. Hyazinth folgte ihrem Rat, frug und frug und kam endlich zu jener längst gesuchten

Wohnung, die unter Palmen und andern köstlichen Gewächsen versteckt lag. Sein Herz klopfte in unendlicher Sehnsucht, und die süßeste Bangigkeit durchdrang ihn in dieser Behausung der ewigen Jahreszeiten. Unter himmlischen Wohlgedüften entschlummerte er, weil ihn nur der Traum in das Allerheiligste führen durfte. Wunderlich führte ihn der Traum durch unendliche Gemächer voll seltsamer Sachen auf lauter reizenden Klängen und in abwechselnden Akkorden. Es dünkte ihm alles so bekannt und doch in niegesehener Herrlichkeit, da schwand auch der letzte irdische Anflug, wie in Luft verzehrt, und er stand vor der himmlischen Jungfrau, da hob er den leichten, glänzenden Schleier, und Rosenblütchen sank in seine Arme. Eine ferne Musik umgab die Geheimnisse des liebenden Wiedersehns, die Ergießungen der Sehnsucht, und schloß alles Fremde von diesem entzückenden Orte aus. Hyazinth lebte nachher noch lange mit Rosenblütchen unter seinen frohen Eltern und Gespielen, und unzählige Enkel dankten der alten wunderlichen Frau für ihren Rat und ihr Feuer; denn damals bekamen die Menschen so viel Kinder, als sie wollten.« –

Die Lehrlinge umarmten sich und gingen fort. Die weiten hallenden Säle standen leer und hell da, und das wunderbare Gespräch in zahllosen Sprachen unter den tausendfaltigen Naturen, die in diesen Sälen zusammengebracht und in mannigfaltigen Ordnungen aufgestellt waren, dauerte fort. Ihre innern Kräfte spielten gegeneinander. Sie strebten in ihre Freiheit, in ihre alten Verhältnisse zurück. Wenige standen auf ihrem eigentlichen Platze, und sahen in Ruhe dem mannigfaltigen Treiben um sich her zu. Die übrigen klagten über entsetzliche Qualen und Schmerzen, und bejammerten das alte, herrliche Leben im Schoße der Natur, wo sie eine gemeinschaftliche Freiheit vereinigte, und jedes von selbst erhielt, was es bedurfte. »O! daß der Mensch«, sagten sie, »die innre Musik der Natur verstände, und einen Sinn für äußere Harmonie hätte. Aber er weiß ja kaum, daß wir zusammen gehören, und keins ohne das andere bestehen kann. Er kann nichts liegen lassen, tyrannisch trennt er uns und greift in lauter Dissonanzen herum. Wie glücklich könnte er sein, wenn er mit uns freundlich umginge, und auch in unsern großen Bund träte, wie ehemals in der goldnen Zeit, wie er sie mit Recht nennt. In jener Zeit verstand er uns, wie wir ihn verstanden. Seine Begierde, Gott zu werden, hat ihn von uns getrennt, er sucht, was wir nicht wissen und ahnden können, und seitdem ist er keine begleitende Stimme, keine Mitbewegung mehr. Er ahndet wohl die unendliche Wollust, den ewigen Genuß in uns, und darum hat er eine so wunderbare Liebe zu einigen unter uns. Der Zauber des Goldes, die Geheimnisse der Farben, die Freuden des Wassers sind ihm nicht fremd, in den Antiken ahndet er die Wunderbarkeit der Steine, und dennoch fehlt ihm noch die süße Leidenschaft für das Weben der Natur, das Auge für unsre entzückenden Mysterien. Lernt er nur einmal fühlen? Diesen himmlischen, diesen natürlichsten aller Sinne kennt er noch wenig: durch das Gefühl würde die alte, ersehnte Zeit zurückkommen; das Element des Gefühls ist ein inneres Licht, was sich in schönern, kräftigern Farben bricht. Dann gingen die Gestirne in ihm auf, er lernte die ganze Welt fühlen, klärer und mannigfaltiger, als ihm das Auge jetzt Grenzen und Flächen zeigt. Er würde Meister eines unendlichen Spiels und vergäße alle törichten Bestrebungen in einem ewigen, sich selbst nährenden und immer wachsenden Genusse. Das Denken ist nur ein Traum des Fühlens, ein erstorbenes Fühlen, ein blaßgraues, schwaches Leben.«

Wie sie so sprachen, strahlte die Sonne durch die hohen Fenster, und in ein sanftes Säuseln verlor sich der Lärm des Gesprächs; eine unendliche Ahndung durchdrang alle Gestalten, die lieblichste Wärme verbreitete sich über alle, und der wunderbarste Naturgesang erhob sich aus der tiefsten Stille. Man hörte Menschenstimmen in der Nähe, die großen Flügeltüren nach dem Garten zu wurden geöffnet, und einige Reisende setzten sich auf die Stufen der breiten Treppe, in den Schatten des Gebäudes. Die reizende Landschaft lag in schöner Erleuchtung vor ihnen, und im Hintergrunde verlor sich der Blick an blauen Gebirgen hinauf. Freundliche Kinder brachten mannigfaltige Speisen und Getränke, und bald begann ein lebhaftes Gespräch unter ihnen.

»Auf alles, was der Mensch vornimmt, muß er seine *ungeteilte* Aufmerksamkeit oder sein Ich richten«, sagte endlich der eine, »und wenn er dieses getan hat, so entstehn bald Gedanken, oder eine neue Art von Wahrnehmungen, die nichts als zarte Bewegungen eines färbenden oder klappernden Stifts, oder wunderliche Zusammenziehungen und Figurationen einer elastischen Flüssigkeit zu sein scheinen, auf eine wunderbare Weise in ihm. Sie verbreiten sich von dem Punkte, wo er den Eindruck fest stach, nach allen Seiten mit lebendiger Beweglichkeit, und nehmen sein Ich mit fort. Er kann dieses Spiel oft gleich wieder vernichten, indem er seine Aufmerksamkeit wieder teilt oder nach Willkür herumschweifen läßt, denn sie scheinen nichts als Strahlen und Wirkungen, die jenes Ich nach allen Seiten zu in jenem elastischen Medium erregt, oder seine Brechungen in demselben, oder überhaupt ein seltsames Spiel der Wellen dieses Meers mit der starren Aufmerksamkeit zu sein. Höchst merkwürdig ist es, daß der Mensch erst in diesem Spiele seine Eigentümlichkeit, seine spezifische Freiheit recht gewahr wird, und daß es ihm vorkommt, als erwache er aus einem tiefen Schlafe, als sei er nun erst in der Welt zu Hause, und verbreite jetzt erst das Licht des Tages sich über seine innere Welt. Er glaubt es am höchsten gebracht zu haben, wenn er, ohne jenes Spiel zu stören, zugleich die gewöhnlichen Geschäfte der Sinne vornehmen, und empfinden und denken zugleich kann. Dadurch gewinnen beide Wahrnehmungen: die Außenwelt wird durchsichtig, und die Innenwelt mannigfaltig und bedeutungsvoll, und so befindet sich der Mensch in einem innig lebendigen Zustande zwischen zwei Welten in der vollkommensten Freiheit und dem freudigsten Machtgefühl. Es ist natürlich, daß der Mensch diesen Zustand zu verewigen und ihn über die ganze Summe seiner Eindrücke zu verbreiten sucht; daß er nicht müde wird, diese Assoziationen beider Welten zu verfolgen, und ihren Gesetzen und ihren Sympathien und Antipathien nachzuspüren. Den Inbegriff dessen, was uns rührt, nennt man die Natur, und also steht die Natur in einer unmittelbaren Beziehung auf die Gliedmaßen unsers Körpers, die wir Sinne nennen. Unbekannte und geheimnisvolle Beziehungen unsers Körpers lassen unbekannte und geheimnisvolle Verhältnisse der Natur vermuten, und so ist die Natur jene wunderbare Gemeinschaft, in die unser Körper uns einführt, und die wir nach dem Maße seiner Einrichtungen und Fähigkeiten kennenlernen. Es frägt sich, ob wir die Natur der Naturen durch diese spezielle Natur wahrhaft begreifen lernen können, und inwiefern unsre Gedanken und die Intensität unsrer Aufmerksamkeit durch dieselbe bestimmt werden, oder sie bestimmen, und dadurch von der Natur losreißen und vielleicht ihre zarte Nachgiebigkeit verderben. Man sieht wohl, daß diese innern Verhältnisse und Einrichtungen unsers Körpers vor allen Dingen erforscht werden müssen, ehe wir diese Frage zu beantworten und in die Natur der Dinge zu dringen hoffen können. Es ließe sich jedoch auch denken, daß wir überhaupt erst uns mannigfach im Denken müßten geübt haben, ehe wir uns an dem innern Zusammenhang unsers Körpers versuchen und seinen Verstand zum Verständnis der Natur gebrauchen könnten, und da wäre freilich nichts natürlicher, als alle mögliche Bewegungen 5 des Denkens hervorzubringen und eine Fertigkeit in diesem Geschäft, sowie eine Leichtigkeit zu erwerben, von einer zur andern überzugehen und sie mannigfach zu verbinden und zu zerlegen. Zu dem Ende müßte man alle Eindrücke aufmerksam betrachten, das dadurch ent- 10 stehende Gedankenspiel ebenfalls genau bemerken, und sollten dadurch abermals neue Gedanken entstehn, auch diesen zusehn, um so allmählich ihren Mechanismus zu erfahren und durch eine oftmalige Wiederholung die mit jedem Eindruck beständig verbundnen Bewegungen von 15 den übrigen unterscheiden und behalten zu lernen. Hätte man dann nur erst einige Bewegungen, als Buchstaben der Natur, herausgebracht, so würde das Dechiffrieren immer leichter vonstatten gehn, und die Macht über die Gedankenerzeugung und Bewegung den Beobachter in 20 Stand setzen, auch ohne vorhergegangenen wirklichen Eindruck, Naturgedanken hervorzubringen und Natur- kompositionen zu entwerfen, und dann wäre der End- zweck erreicht.«

»Es ist wohl viel gewagt«, sagte ein anderer, »so aus den 25 äußerlichen Kräften und Erscheinungen der Natur sie zusammensetzen zu wollen, und sie bald für ein unge- heures Feuer, bald für einen wunderbar gestalteten Fall, bald für eine Zweiheit oder Dreiheit, oder für irgendeine andere seltsamliche Kraft auszugeben. Es wäre denkba- 30 rer, daß sie das Erzeugnis eines unbegreiflichen Einver- ständnisses unendlich verschiedner Wesen wäre, das wunderbare Band der Geisterwelt, der Vereinigungs- und Berührungspunkt unzähliger Welten.«

»Laß es gewagt sein«, sprach ein dritter; »je willkürlicher 35 das Netz gewebt ist, das der kühne Fischer auswirft, desto glücklicher ist der Fang. Man ermuntre nur jeden, seinen Gang so weit als möglich fortzusetzen, und jeder sei willkommen, der mit einer neuen Phantasie die Dinge überspinnt. Glaubst du nicht, daß es gerade die gut ausgeführten Systeme sein werden, aus denen der künftige Geograph der Natur die Data zu seiner großen Naturkarte nimmt? Sie wird er vergleichen, und diese Vergleichung wird uns das sonderbare Land erst kennen lehren. Die Erkenntnis der Natur wird aber noch himmelweit von ihrer Auslegung verschieden sein. Der eigentliche Chiffrierer wird vielleicht dahin kommen, mehrere Naturkräfte zugleich zu Hervorbringung herrlicher und nützlicher Erscheinungen in Bewegung zu setzen, er wird auf der Natur, wie auf einem großen Instrument phantasieren können, und doch wird er die Natur nicht verstehn. Dies ist die Gabe des Naturhistorikers, des Zeitensehers, der vertraut mit der Geschichte der Natur, und bekannt mit der Welt, diesem höheren Schauplatz der Naturgeschichte, ihre Bedeutungen wahrnimmt und weissagend verkündigt. Noch ist dieses Gebiet ein unbekanntes, ein heiliges Feld. Nur göttliche Gesandte haben einzelne Worte dieser höchsten Wissenschaft fallenlassen, und es ist nur zu verwundern, daß die ahndungsvollen Geister sich diese Ahndung haben entgehn lassen und die Natur zur einförmigen Maschine, ohne Vorzeit und Zukunft, erniedrigt haben. Alles Göttliche hat eine Geschichte und die Natur, dieses einzige Ganze, womit der Mensch sich vergleichen kann, sollte nicht so gut wie der Mensch in einer Geschichte begriffen sein, oder welches eins ist, einen Geist haben? Die Natur wäre nicht die Natur, wenn sie keinen Geist hätte, nicht jenes einzige Gegenbild der Menschheit nicht die unentbehrliche Antwort dieser geheimnisvollen Frage, oder die Frage zu dieser unendlichen Antwort.«

»Nur die Dichter haben es gefühlt, was die Natur den Menschen sein kann«, begann ein schöner Jüngling, »und man kann auch hier von ihnen sagen, daß sich die

Menschheit in ihnen in der vollkommensten Auflösung befindet, und daher jeder Eindruck durch ihre Spiegelhelle und Beweglichkeit rein in allen seinen unendlichen Veränderungen nach allen Seiten fortgepflanzt wird. Al-
5 les finden sie in der Natur. Ihnen allein bleibt die Seele derselben nicht fremd, und sie suchen in ihrem Umgang alle Seligkeiten der goldnen Zeit nicht umsonst. Für sie hat die Natur alle Abwechselungen eines unendlichen Gemüts, und mehr als der geistvollste, lebendigste
10 Mensch überrascht sie durch sinnreiche Wendungen und Einfälle, Begegnungen und Abweichungen, große Ideen und Bizarrerien. Der unerschöpfliche Reichtum ihrer Phantasie läßt keinen vergebens ihren Umgang aufsuchen. Alles weiß sie zu verschönern, zu beleben, zu
15 bestätigen, und wenn auch im Einzelnen ein bewußtloser, nichtsbedeutender Mechanismus allein zu herrschen scheint, so sieht doch das tiefer sehende Auge eine wunderbare Sympathie mit dem menschlichen Herzen im Zusammentreffen und in der Folge der einzelnen
20 Zufälligkeiten. Der Wind ist eine Luftbewegung, die manche äußere Ursachen haben kann, aber ist er dem einsamen, sehnsuchtsvollen Herzen nicht mehr, wenn er vorübersaust, von geliebten Gegenden herweht und mit tausend dunkeln, wehmütigen Lauten den stillen
25 Schmerz in einen tiefen melodischen Seufzer der ganzen Natur aufzulösen scheint? Fühlt nicht so auch im jungen, bescheidnen Grün der Frühlingswiesen der junge Liebende seine ganze blumenschwangre Seele mit entzückender Wahrheit ausgesprochen, und ist je die Üp-
30 pigkeit einer nach süßer Auflösung in goldnen Wein lüsternen Seele köstlicher und erwecklicher erschienen, als in einer vollen, glänzenden Traube, die sich unter den breiten Blättern halb versteckt? Man beschuldigt die Dichter der Übertreibung, und hält ihnen ihre bildliche
35 uneigentliche Sprache gleichsam nur zugute, ja man begnügt sich ohne tiefere Untersuchung, ihrer Phantasie

jene wunderliche Natur zuzuschreiben, die manches sieht und hört, was andere nicht hören und sehen, und die in einem lieblichen Wahnsinn mit der wirklichen Welt nach ihrem Belieben schaltet und waltet; aber mir scheinen die Dichter noch bei weitem nicht genug zu übertreiben, nur dunkel den Zauber jener Sprache zu ahnden und mit der Phantasie nur so zu spielen, wie ein Kind mit dem Zauberstabe seines Vaters spielt. Sie wissen nicht, welche Kräfte ihnen untertan sind, welche Welten ihnen gehorchen müssen. Ist es denn nicht wahr, daß Steine und Wälder der Musik gehorchen und, von ihr gezähmt, sich jedem Willen wie Haustiere fügen? – Blühen nicht wirklich die schönsten Blumen um die Geliebte und freuen sich sie zu schmücken? Wird für sie der Himmel nicht heiter und das Meer nicht eben? – Drückt nicht die ganze Natur so gut, wie das Gesicht, und die Gebärden, der Puls und die Farben, den Zustand eines jeden der höheren, wunderbaren Wesen aus, die wir Menschen nennen? Wird nicht der Fels ein eigentümliches Du, eben wenn ich ihn anrede? Und was bin ich anders, als der Strom, wenn ich wehmütig in seine Wellen hinabschaue, und die Gedanken in seinem Gleiten verliere? Nur ein ruhiges, genußvolles Gemüt wird die Pflanzenwelt, nur ein lustiges Kind oder ein Wilder die Tiere verstehn. – Ob jemand die Steine und Gestirne schon verstand, weiß ich nicht, aber gewiß muß dieser ein erhabnes Wesen gewesen sein. In jenen Statuen, die aus einer untergegangenen Zeit der Herrlichkeit des Menschengeschlechts übriggebliegen sind, leuchtet allein so ein tiefer Geist, so ein seltsames Verständnis der Steinwelt hervor, und überzieht den sinnvollen Betrachter mit einer Steinrinde, die nach innen zu wachsen scheint. Das Erhabne wirkt versteinernd, und so dürften wir uns nicht über das Erhabne der Natur und seine Wirkungen wundern, oder nicht wissen, wo es zu suchen sei. Könnte die Natur nicht über den Anblick

Gottes zu Stein geworden sein? Oder vor Schrecken über die Ankunft des Menschen?«

Über diese Rede war der, welcher zuerst gesprochen hatte, in tiefe Betrachtung gesunken, die fernen Berge wurden buntgefärbt, und der Abend legte sich mit süßer Vertraulichkeit über die Gegend. Nach einer langen Stille hörte man ihn sagen: »Um die Natur zu begreifen, muß man die Natur innerlich in ihrer ganzen Folge entstehen lassen. Bei dieser Unternehmung muß man sich bloß von der göttlichen Sehnsucht nach Wesen, die uns gleich sind, und den notwendigen Bedingungen dieselben zu vernehmen, bestimmen lassen, denn wahrhaftig die ganze Natur ist nur als Werkzeug und Medium des Einverständnisses vernünftiger Wesen begreiflich. Der denkende Mensch kehrt zur ursprünglichen Funktion seines Daseins, zur schaffenden Betrachtung, zu jenem Punkte zurück, wo Hervorbringen und Wissen in der wundervollsten Wechselverbindung standen, zu jenem schöpferischen Moment des eigentlichen Genusses, des innern Selbstempfängnisses. Wenn er nun ganz in die *Beschauung* dieser Urerscheinung versinkt, so entfaltet sich vor ihm in neu entstehenden Zeiten und Räumen, wie ein unermeßliches Schauspiel, die Erzeugungsgeschichte der Natur, und jeder feste Punkt, der sich in der unendlichen Flüssigkeit ansetzt, wird ihm eine neue Offenbarung des Genius der Liebe, ein neues Band des Du und des Ich. Die sorgfältige Beschreibung dieser innern Weltgeschichte ist die wahre Theorie der Natur; durch den Zusammenhang seiner Gedankenwelt in sich, und ihre Harmonie mit dem Universum, bildet sich von selbst ein Gedankensystem zur getreuen Abbildung und Formel des Universums. Aber die Kunst des ruhigen Beschauens, der schöpferischen Weltbetrachtung ist schwer, unaufhörliches ernstes Nachdenken und strenge Nüchternheit fordert die Ausführung, und die Belohnung wird kein Beifall der mühescheuenden Zeitgenossen, sondern nur eine Freude des Wissens und Wachens, eine innigere Berührung des Universums sein.«

»Ja«, sagte der zweite, »nichts ist so bemerkenswert, als das große Zugleich in der Natur. Überall scheint die Natur ganz gegenwärtig. In der Flamme eines Lichts sind alle Naturkräfte tätig, und so repräsentiert und verwandelt sie sich überall und unaufhörlich, treibt Blätter, Blüten und Früchte zusammen, und ist mitten in der Zeit gegenwärtig, vergangen und zukünftig zugleich; und wer weiß, in welche eigne Art von Ferne sie ebenfalls wirkt und ob nicht dieses Natursystem nur eine Sonne ist im Universo, die durch Bande an dasselbe geknüpft ist, durch ein Licht und einen Zug und Einflüsse, die zunächst in unserm Geiste sich deutlicher vernehmen lassen, und aus ihm heraus den Geist des Universums über diese Natur ausgießen, und den Geist dieser Natur an andere Natursysteme verteilen.«

»Wenn der Denker«, sprach der dritte, »mit Recht als Künstler den tätigen Weg betritt, und durch eine geschickte Anwendung seiner geistigen Bewegungen das Weltall auf eine einfache, rätselhaft scheinende Figur zu reduzieren sucht, ja man möchte sagen die Natur tanzt, und mit Worten die Linien der Bewegungen nachschreibt, so muß der Liebhaber der Natur dieses kühne Unternehmen bewundern, und sich auch über das Gedeihen dieser menschlichen Anlage freuen. Billig stellt der Künstler die Tätigkeit obenan, denn sein Wesen ist Tun und Hervorbringen mit Wissen und Willen, und seine Kunst ist, sein Werkzeug zu allem gebrauchen, die Welt auf seine Art nachbilden zu können, und darum wird das Prinzip seiner Welt Tätigkeit, und seine Welt seine Kunst. Auch hier wird die Natur in neuer Herrlichkeit sichtbar, und nur der gedankenlose Mensch wirft die unleserlichen, wunderlich gemischten Worte mit Verachtung weg. Dankbar legt der Priester diese neue, erhabene Meßkunst auf den Altar zu der magnetischen Nadel, die sich nie verirrt, und zahllose Schiffe auf dem pfadlosen Ozean zu bewohnten Küsten und den Häfen des Vaterlandes zurückführte. Außer dem Denker gibt es aber noch andre Freunde des Wissens, die dem Hervorbringen durch Denken nicht vorzüglich zugetan, und also ohne Beruf zu dieser Kunst, lieber Schüler der Natur werden, ihre Freude im Lernen, nicht im Lehren, im Erfahren, nicht im Machen, im Empfangen, nicht im Geben finden. Einige sind geschäftig und nehmen im Vertrauen auf die Allgegenwart und die innige Verwandtschaft der Natur, mithin auch im voraus von der Unvollständigkeit und der Kontinuität alles Einzelnen überzeugt, irgendeine Erscheinung mit Sorgfalt auf, und halten den in tausend Gestalten sich verwandelnden Geist derselben mit stetem Blicke fest, und gehn dann an diesem Faden durch alle Schlupfwinkel der geheimen Werkstätte, um eine vollständige Verzeichnung dieser labyrinthischen Gänge entwerfen zu können. Sind sie mit dieser mühseligen Arbeit fertig, so ist auch unvermerkt ein höherer Geist über sie gekommen, und es wird ihnen dann leicht, über die vorliegende Karte zu reden und jedem Suchenden seinen Weg vorzuschreiben. Unermeßlicher Nutzen segnet ihre mühsame Arbeit, und der Grundriß ihrer Karte wird auf eine überraschende Weise mit dem Systeme des Denkers übereinstimmen, und sie werden diesem zum Trost gleichsam den lebendigen Beweis seiner abstrakten Sätze unwillkürlich geführt haben. Die Müßigsten unter ihnen erwarten kindlich von liebevoller Mitteilung höherer, von ihnen mit Inbrunst verehrter Wesen die ihnen nützliche Kenntnis der Natur. Sie mögen Zeit und Aufmerksamkeit in diesem kurzen Leben nicht Geschäften widmen, und dem Dienste der Liebe entziehn. Durch frommes Betragen suchen sie nur Liebe zu gewinnen, nur Liebe mitzuteilen, unbekümmert um das große Schauspiel der Kräfte, ruhig ihrem Schicksale in diesem Reiche der Macht ergeben, weil das innige Bewußtsein ihrer Unzertrennlichkeit von den geliebten Wesen sie erfüllt, und die Natur sie nur als Abbild und Eigentum derselben rührt. Was brauchen diese glücklichen Seelen zu wissen, die das beste Teil erwählt haben, und als reine Flammen der Liebe in dieser irdischen Welt nur auf den Spitzen der Tempel oder auf umhergetriebenen Schiffen, als Zeichen des überströmenden himmlischen Feuers lodern? Oft erfahren diese liebenden Kinder in seligen Stunden herrliche Dinge aus den Geheimnissen der Natur, und tun sie in unbewußter Einfalt kund. Ihren Tritten folgt der Forscher, um jedes Kleinod zu sammeln, was sie in ihrer Unschuld und Freude haben fallen lassen, ihrer Liebe huldigt der mitfühlende Dichter und sucht durch seine Gesänge diese Liebe, diesen Keim des goldnen Alters, in andre Zeiten und Länder zu verpflanzen.«

»Wem regt sich nicht«, rief der Jüngling mit funkelndem Auge, »das Herz in hüpfender Lust, wenn ihm das innerste Leben der Natur in seiner ganzen Fülle in das Gemüt kommt! wenn dann jenes mächtige Gefühl, wofür die Sprache keine andere Namen als Liebe und Wollust hat, sich in ihm ausdehnt, wie ein gewaltiger, alles auflösender Dunst, und er bebend in süßer Angst in den dunkeln lockenden Schoß der Natur versinkt, die arme Persönlichkeit in den überschlagenden Wogen der Lust sich verzehrt, und nichts als ein Brennpunkt der unermeßlichen Zeugungskraft, ein verschluckender Wirbel im großen Ozean übrigbleibt! Was ist die überall erscheinende Flamme? Eine innige Umarmung, deren süße Frucht in wollüstigen Tropfen heruntertaut. Das Wasser, dieses erstgeborne Kind luftiger Verschmelzungen, kann seinen wollüstigen Ursprung nicht verleugnen und zeigt sich, als Element der Liebe und der Mischung mit himmlischer Allgewalt auf Erden. Nicht unwahr haben alte Weisen im Wasser den Ursprung der Dinge gesucht, und wahrlich sie haben von einem höhern Was-

ser, als dem Meer- und Quellwasser gesprochen. In
jenem offenbaret sich nur das Urflüssige, wie es im
flüssigen Metall zum Vorschein kommt, und darum
mögen die Menschen es immer auch nur göttlich verehren. Wie wenige haben sich noch in die Geheimnisse des
Flüssigen vertieft und manchem ist diese Ahndung des
höchsten Genusses und Lebens wohl nie in der trunkenen Seele aufgegangen. Im Durste offenbaret sich diese
Weltseele, diese gewaltige Sehnsucht nach dem Zerfließen. Die Berauschten fühlen nur zu gut diese überirdi-
sche Wonne des Flüssigen, und am Ende sind alle ange-
nehme Empfindungen in uns mannigfache Zerfließun-
gen, Regungen jener Urgewässer in uns. Selbst der Schlaf
ist nichts als die Flut jenes unsichtbaren Weltmeers, und
das Erwachen das Eintreten der Ebbe. Wie viele Menschen stehn an den berauschenden Flüssen und hören
nicht das Wiegenlied dieser mütterlichen Gewässer, und
genießen nicht das entzückende Spiel ihrer unendlichen
Wellen! Wie diese Wellen, lebten wir in der goldnen
Zeit; in buntfarbigen Wolken, diesen schwimmenden
Meeren und Urquellen des Lebendigen auf Erden, liebten und erzeugten sich die Geschlechter der Menschen in
ewigen Spielen; wurden besucht von den Kindern des
Himmels und erst in jener großen Begebenheit, welche
heilige Sagen die Sündflut nennen, ging diese blühende
Welt unter; ein feindliches Wesen schlug die Erde nieder, und einige Menschen blieben geschwemmt auf die
Klippen der neuen Gebirge in der fremden Welt zurück.
Wie seltsam, daß gerade die heiligsten und reizendsten
Erscheinungen der Natur in den Händen so toter Menschen sind, als die Scheidekünstler zu sein pflegen! sie,
die den schöpferischen Sinn der Natur mit Macht erwek-
ken, nur ein Geheimnis der Liebenden, Mysterien der
höhern Menschheit sein sollten, werden mit Schamlosig-
keit und sinnlos von rohen Geistern hervorgerufen, die
nie wissen werden, welche Wunder ihre Gläser um-

schließen. Nur Dichter sollten mit dem Flüssigen umgehn, und von ihm der glühenden Jugend erzählen dürfen; die Werkstätten wären Tempel und mit neuer Liebe würden die Menschen ihre Flamme und ihre Flüsse verehren und sich ihrer rühmen. Wie glücklich würden die Städte sich wieder dünken, die das Meer oder ein großer Strom bespült, und jede Quelle würde wieder die Freistätte der Liebe und der Aufenthalt der erfahrnen und geistreichen Menschen. Darum lockt auch die Kinder nichts mehr als Feuer und Wasser, und jeder Strom verspricht ihnen, in die bunte Ferne, in schönere Gegenden sie zu führen. Es ist nicht bloß Widerschein, daß der Himmel im Wasser liegt, es ist eine zarte Befreundung, ein Zeichen der Nachbarschaft, und wenn der unerfüllte Trieb in die unermeßliche Höhe will, so versinkt die glückliche Liebe gern in die endlose Tiefe. Aber es ist umsonst, die Natur lehren und predigen zu wollen. Ein Blindgeborner lernt nicht sehen, und wenn man ihm noch so viel von Farben und Lichtern und fernen Gestalten erzählen wollte. So wird auch keiner die Natur begreifen, der kein Naturorgan, kein innres naturerzeugendes und absonderndes Werkzeug hat, der nicht, wie von selbst, überall die Natur an allem erkennt und unterscheidet und mit angeborner Zeugungslust, in inniger mannigfaltiger Verwandtschaft mit allen Körpern, durch das Medium der Empfindung, sich mit allen Naturwesen vermischt, sich gleichsam in sie hineinfühlt. Wer aber einen richtigen und geübten Natursinn hat, der genießt die Natur, indem er sie studiert, und freut sich ihrer unendlichen Mannigfaltigkeit, ihrer Unerschöpflichkeit im Genusse, und bedarf nicht, daß man ihn mit unnützen Worten in seinen Genüssen störe. Ihm dünkt vielmehr, daß man nicht heimlich genug mit der Natur umgehen, nicht zart genug von ihr reden, nicht ungestört und aufmerksam genug sie beschauen kann. Er fühlt sich in ihr, wie am Busen seiner züchtigen Braut und vertraut auch nur dieser seine erlangten Einsichten in süßen vertraulichen Stunden. Glücklich preis ich diesen Sohn, diesen Liebling der Natur, dem sie verstattet sie in ihrer Zweiheit, als erzeugende und gebärende Macht, und in ihrer Einheit, als eine unendliche, ewigdauernde Ehe, zu betrachten. Sein Leben wird eine Fülle aller Genüsse, eine Kette der Wollust und seine Religion der eigentliche, echte Naturalismus sein.«

Unter dieser Rede hatte sich der Lehrer mit seinen Lehrlingen der Gesellschaft genähert. Die Reisenden standen auf und begrüßten ihn ehrfurchtsvoll. Eine erfrischende Kühlung verbreitete sich aus den dunkeln Laubgängen über den Platz und die Stufen. Der Lehrer ließ einen jener seltnen leuchtenden Steine bringen, die man Karfunkel nennt, und ein hellrotes, kräftiges Licht goß sich über die verschiednen Gestalten und Kleidungen aus. Es entspann sich bald eine freundliche Mitteilung unter ihnen. Während eine Musik aus der Ferne sich hören ließ und eine kühlende Flamme aus Kristallschalen in die Lippen der Sprechenden hineinloderte, erzählten die Fremden merkwürdige Erinnerungen ihrer weiten Reisen. Voll Sehnsucht und Wißbegierde hatten sie sich aufgemacht, um die Spuren jenes verloren gegangenen Urvolks zu suchen, dessen entartete und verwilderte Reste die heutige Menschheit zu sein schiene, dessen hoher Bildung sie noch die wichtigsten und unentbehrlichsten Kenntnisse und Werkzeuge zu danken hat. Vorzüglich hatte sie jene heilige Sprache gelockt, die das glänzende Band jener königlichen Menschen mit überirdischen Gegenden und Bewohnern gewesen war, und von der einige Worte, nach dem Verlaut mannigfaltiger Sagen, noch im Besitz einiger glücklichen Weisen unter unsern Vorfahren gewesen sein mögen. Ihre Aussprache war ein wunderbarer Gesang, dessen unwiderstehliche Töne tief in das Innere jeder Natur eindrangen und sie zerlegten. Jeder ihrer Namen schicn das Losungswort für dic Seele jedes Naturkörpers. Mit schöpferischer Gewalt erregten diese Schwingungen alle Bilder der Welterscheinungen, und von ihnen konnte man mit Recht sagen, daß das Leben des Universums ein ewiges tausendstimmiges Gespräch sei; denn in ihrem Sprechen schienen alle Kräfte, alle Arten der Tätigkeit auf das unbegreiflichste vereinigt zu sein. Die Trümmer dieser Sprache, wenigstens alle Nachrichten von ihr, aufzusuchen, war ein Hauptzweck ihrer Reise gewesen, und der Ruf des Altertums hatte sie auch nach Sais gezogen. Sie hofften hier von den erfahrnen Vorstehern des Tempelarchivs wichtige Nachrichten zu erhalten, und vielleicht in den großen Sammlungen aller Art selbst Aufschlüsse zu finden. Sie baten den Lehrer um die Erlaubnis, eine Nacht im Tempel schlafen, und seinen Lehrstunden einige Tage beiwohnen zu dürfen. Sie erhielten was sie wünschten, und freuten sich innig, wie der Lehrer aus dem Schatze seiner Erfahrungen ihre Erzählungen mit mannigfaltigen Bemerkungen begleitete, und eine Reihe lehrreicher und anmutiger Geschichten und Beschreibungen vor ihnen entwickelte. Endlich kam er auch auf das Geschäft seines Alters, den unterschiednen Natursinn in jungen Gemütern zu erwecken, zu üben, zu schärfen, und ihn mit den andern Anlagen zu höheren Blüten und Früchten zu verknüpfen.

»Ein Verkündiger der Natur zu sein, ist ein schönes und heiliges Amt«, sagte der Lehrer. »Nicht der bloße Umfang und Zusammenhang der Kenntnisse, nicht die Gabe, diese Kenntnisse leicht und rein an bekannte Begriffe und Erfahrungen anzuknüpfen, und die eigentümlichen fremd klingenden Worte mit gewöhnlichen Ausdrücken zu vertauschen, selbst nicht die Geschicklichkeit einer reichen Einbildungskraft, die Naturerscheinungen in leicht faßliche und treffend beleuchtete Gemälde zu ordnen, die entweder durch den Reiz der Zusammenstellung und den Reichtum des Inhalts die Sinne spannen und befriedigen, oder den Geist durch eine tiefe Bedeutung entzücken, alles dies macht noch nicht das echte Erfordernis eines Naturkündigers aus. Wem es um etwas anders zu tun ist, als um die Natur, dem ist es vielleicht genug, aber wer eine innige Sehnsucht nach der Natur spürt, wer in ihr alles sucht, und gleichsam ein empfindliches Werkzeug ihres geheimen Tuns ist, der wird nur den für seinen Lehrer und für den Vertrauten der Natur erkennen, der mit Andacht und Glauben von ihr spricht, dessen Reden die wunderbare, unnachahmliche Eindringlichkeit und Unzertrennlichkeit haben, durch die sich wahre Evangelia, wahre Eingebungen ankündigen. Die ursprünglich günstige Anlage eines solchen natürlichen Gemüts muß durch unablässigen Fleiß von Jugend auf, durch Einsamkeit und Stillschweigen, weil vieles Reden sich nicht mit der steten Aufmerksamkeit verträgt, die ein solcher anwenden muß, durch kindliches, bescheidnes Wesen und unermüdliche Geduld unterstützt und ausgebildet sein. Die Zeit läßt sich nicht bestimmen, wie bald einer ihrer Geheimnisse teilhaftig wird. Manche Beglückte gelangten früher, manche erst im hohen Alter dazu. Ein wahrer Forscher wird nie alt, jeder ewige Trieb ist außer dem Gebiete der Lebenszeit, und je mehr die äußere Hülle verwittert, desto heller und glänzender und mächtiger wird der Kern. Auch haftet diese Gabe nicht an äußerer Schönheit, oder Kraft, oder Einsicht, oder irgendeinem menschlichen Vorzug. In allen Ständen, unter jedem Alter und Geschlecht, in allen Zeitaltern und unter jedem Himmelsstriche hat es Menschen gegeben, die von der Natur zu ihren Lieblingen ausersehn und durch inneres Empfängnis beglückt waren. Oft schienen diese Menschen einfältiger und ungeschickter zu sein, als andere, und blieben ihr ganzes Leben hindurch in der Dunkelheit des großen Haufens.

Es ist sogar als eine rechte Seltenheit zu achten, wenn man das wahre Naturverständnis bei großer Beredsamkeit, Klugheit, und einem prächtigen Betragen findet, da es gemeiniglich die einfachen Worte, den geraden Sinn, und ein schlichtes Wesen hervorbringt oder begleitet. In den Werkstätten der Handwerker und Künstler, und da, wo die Menschen in vielfältigem Umgang und Streit mit der Natur sind, als da ist beim Ackerbau, bei der Schiffahrt, bei der Viehzucht, bei den Erzgruben, und so bei vielen andern Gewerben, scheint die Entwickelung dieses Sinns am leichtesten und öftersten stattzufinden. Wenn jede Kunst in der Erkenntnis der Mittel, einen gesuchten Zweck zu erreichen, eine bestimmte Wirkung und Erscheinung hervorzubringen, und in der Fertigkeit, diese Mittel zu wählen und anzuwenden, besteht, so muß derjenige, der den innern Beruf fühlt, das Naturverständnis mehreren Menschen gemein zu machen, diese Anlage in den Menschen vorzüglich zu entwickeln, und zu pflegen, zuerst auf die natürlichen Anlässe dieser Entwicklung sorgfältig zu achten und die Grundzüge dieser Kunst der Natur abzulernen suchen. Mit Hülfe dieser erlangten Einsichten wird er sich ein System der Anwendung dieser Mittel bei jedem gegebenen Individuum, auf Versuche, Zergliederung und Vergleichung gegründet, bilden, sich dieses System bis zur andern Natur aneignen, und dann mit Enthusiasmus sein belohnendes Geschäft anfangen. Nur diesen wird man mit Recht einen Lehrer der Natur nennen können, da jeder andre bloße Naturalist nur zufällig und sympathetisch, wie ein Naturerzeugnis selbst, den Sinn für die Natur erwecken wird.«

Entwürfe zu »Die Lehrlinge zu Sais«

Anfang 1798 (HKA I,110)

Der Lehrling zu Sais

Der geognostische Streit der Volkanisten und Neptunisten ist eigentlich der Streit: Ob die Erde sthenisch oder asthenisch debütiert habe.

Mai 1798 (HKA II,584)

Einem gelang es – er hob den Schleier der Göttin zu Sais – Aber was sah er? er sah – Wunder des Wunders – Sich Selbst.

Juli/August 1798 (HKA II,618)

Ein Günstling des Glücks sehnte sich die unaussprechliche Natur zu umfassen. Er suchte den geheimnisvollen Aufenthalt der Isis. Sein Vaterland und seine Geliebten verließ er und achtete im Drange seiner Leidenschaft auf den Kummer seiner Braut nicht. Lange währte seine Reise. Die Mühseligkeiten waren groß. Endlich begegnete er einem Quell und Blumen, die einen Weg für eine Geisterfamilie bereiteten. Sie verrieten ihm den Weg zu dem Heiligtume. Entzückt von Freude kam er an die Türe. Er trat ein und sah – seine Braut, die ihn mit Lächeln empfing. Wie er sich umsah, fand er sich in seiner Schlafkammer – und eine liebliche Nachtmusik tönte unter seinen Fenstern zu der süßen Auflösung des Geheimnisses.

Spätsommer 1798 (HKA III,248)

[...] der [Me]nsch hat immer symbolische Philosophie seines Wesens in seinen Werken und seinem Tun und Lassen ausgedrückt – Er verkündigt sich und sein Evangelium der Natur. Er ist der Messias der Natur – [...] 5

November 1798 (HKA III,423)

Der Naturstaat ist *Res privata* (Mystisch) und Res publica zugleich.
Mystizism d[er] Natur. Isis – Jungfrau – Schleier – Geheimnisvolle Behandl[ung] der N[atur-]W[issenschaft]. 10
Wissenstrieb – Neugierde – Geheimnis – Unbekanntes.
Der Wissenstrieb ist aus Geheimnis und Wissen wunderbar gemischt – oder zusammengesetzt. 15
Mystische W[issenschaften] – Menschen – Dinge – Zeichen – Töne – Gedanken – Empfindungen – Zeiten – Figuren – Bewegungen etc.

(Mystisch – heilig – abgesondert – *isoliert*).

Dezember 1798 / Januar 1799 (HKA II,669) 20

Die Naturlehre

– Doppelte Wege – vom Einzelnen – vom Ganzen – Von innen – von außen. Naturgenie. Mathematik. *Göthe. Schelling. Ritter. Die pneumatische* Chemie. *Das Mittelalter. Naturromane. Vortrag der Physik. Werner. Experimentieren.* 25
Ob der Naturlehre *eine wahre Einheit* zum Grunde liegt.

September/Oktober 1799 (HKA III,579)

Jesus der Held. Sehnsucht nach dem Heiligen Grabe. Kreuzlied. Nonnen und Mönchslied. Der Anachoret. Die Weinende. Der Suchende. Das Gebet. Sehnsucht
5 nach der Jungfrau. Die ewge Lampe. Sein Leiden. Jesus in Sais.

Das Lied der Toten.

Ende 1799 (HKA III,590)

Verwandlung des Tempels zu Sais.
10 Erscheinung der Isis.
Tod des Lehrers.
Träume im Tempel.
Werkstatt des Archaeus.
Ankunft der griechischen Götter.
15 Einweihung in die Geheimnisse.
Bilds[äule] des Memnons.
Reise zu den Pyramiden.
Das *Kind* und sein Johannes. Der Messias der Natur.
Neues Testament – und neue Natur – als *neues Jeru-*
20 *salem.*

Kosmogenieen der Alten. Indische Gottheiten.

Geistliche Lieder

1799–1800

I.

Was wär ich ohne dich gewesen?
Was würd ich ohne dich nicht sein?
Zu Furcht und Ängsten auserlesen,
Ständ ich in weiter Welt allein.
5 Nichts wüßt ich sicher, was ich liebte,
Die Zukunft wär ein dunkler Schlund;
Und wenn mein Herz sich tief betrübte,
Wem tät ich meine Sorge kund?

Einsam verzehrt von Lieb und Sehnen,
10 Erschien mir nächtlich jeder Tag;
Ich folgte nur mit heißen Tränen
Dem wilden Lauf des Lebens nach.
Ich fände Unruh im Getümmel,
Und hoffnungslosen Gram zu Haus.
15 Wer hielte ohne Freund im Himmel
Wer hielte da auf Erden aus?

Hat Christus sich mir kund gegeben,
Und bin ich seiner erst gewiß,
Wie schnell verzehrt ein lichtes Leben
20 Die bodenlose Finsternis.
Mit ihm bin ich erst Mensch geworden;
Das Schicksal wird verklärt durch ihn,
Und Indien muß selbst im Norden
Um den Geliebten fröhlich blühn.

25 Das Leben wird zur Liebesstunde,
Die ganze Welt sprücht Lieb und Lust.

Ein heilend Kraut wächst jeder Wunde,
Und frei und voll klopft jede Brust.
Für alle seine tausend Gaben
30 Bleib ich sein demutvolles Kind,
Gewiß ihn unter uns zu haben,
Wenn zwei auch nur versammelt sind.

O! geht hinaus auf allen Wegen,
Und holt die Irrenden herein,
35 Streckt jedem eure Hand entgegen,
Und ladet froh sie zu uns ein.
Der Himmel ist bei uns auf Erden,
Im Glauben schauen wir ihn an;
Die Eines Glaubens mit uns werden,
40 Auch denen ist er aufgetan.

Ein alter, schwerer Wahn von Sünde
War fest an unser Herz gebannt;
Wir irrten in der Nacht wie Blinde,
Von Reu und Lust zugleich entbrannt.
45 Ein jedes Werk schien uns Verbrechen,
Der Mensch ein Götterfeind zu sein,
Und schien der Himmel uns zu sprechen,
So sprach er nur von Tod und Pein.

Das Herz, des Lebens reiche Quelle,
50 Ein böses Wesen wohnte drin;
Und wards in unserm Geiste helle,
So war nur Unruh der Gewinn.
Ein eisern Band hielt an der Erde
Die bebenden Gefangnen fest;
55 Furcht vor des Todes Richterschwerte
Verschlang der Hoffnung Überrest.

Da kam ein Heiland, ein Befreier,
Ein Menschensohn, voll Lieb und Macht,

Und hat ein allbelebend Feuer
60 In unserm Innern angefacht.
Nun sahn wir erst den Himmel offen,
Als unser altes Vaterland,
Wir konnten glauben nun und hoffen,
Und fühlten uns mit Gott verwandt.

65 Seitdem verschwand bei uns die Sünde
Und fröhlich wurde jeder Schritt;
Man gab zum schönsten Angebinde
Den Kindern diesen Glauben mit;
Durch ihn geheiligt zog das Leben
70 Vorüber, wie ein selger Traum,
Und, ewger Lieb und Lust ergeben,
Bemerkte man den Abschied kaum.

Noch steht in wunderbarem Glanze
Der heilige Geliebte hier,
75 Gerührt von seinem Dornenkranze
Und seiner Treue weinen wir.
Ein jeder Mensch ist uns willkommen,
Der seine Hand mit uns ergreift,
Und in sein Herz mit aufgenommen,
80 Zur Frucht des Paradieses reift.

II.

Fern im Osten wird es helle,
Graue Zeiten werden jung;
Aus der lichten Farbenquelle
Einen langen tiefen Trunk!
5 Alter Sehnsucht heilige Gewährung,
Süße Lieb in göttlicher Verklärung!

Endlich kommt zur Erde nieder
Aller Himmel selges Kind,
Schaffend im Gesang weht wieder
10 Um die Erde Lebenswind,
Weht zu neuen ewig lichten Flammen
Längst verstiebte Funken hier zusammen.

Überall entspringt aus Grüften
Neues Leben, neues Blut;
15 Ewgen Frieden uns zu stiften,
Taucht er in die Lebensflut;
Steht mit vollen Händen in der Mitte,
Liebevoll gewärtig jeder Bitte,

Lasse seine milden Blicke
20 Tief in deine Seele gehn,
Und von seinem ewgen Glücke
Sollst du dich ergriffen sehn.
Alle Herzen, Geister und die Sinnen
Werden einen neuen Tanz beginnen.

25 Greife dreist nach seinen Händen,
Präge dir sein Antlitz ein,
Mußt dich immer nach ihm wenden,
Blüte nach dem Sonnenschein;
Wirst du nur das ganze Herz ihm zeigen,
30 Bleibt er wie ein treues Weib dir eigen.

Unser ist sie nun geworden,
Gottheit, die uns oft erschreckt,
Hat im Süden und im Norden
Himmelskeime rasch geweckt,
35 Und so laßt im vollen Gottes-Garten,
Treu uns jede Knosp und Blüte warten.

III.

Wer einsam sitzt in seiner Kammer,
Und schwere, bittre Tränen weint,
Wem nur gefärbt von Not und Jammer
Die Nachbarschaft umher erscheint;

5 Wer in das Bild vergangner Zeiten
Wie tief in einen Abgrund sieht,
In welchen ihn von allen Seiten,
Ein süßes Weh hinunter zieht; –

Es ist, als lägen Wunderschätze
10 Da unten für ihn aufgehäuft,
Nach deren Schloß in wilder Hetze
Mit atemloser Brust er greift.

Die Zukunft liegt in öder Dürre
Entsetzlich lang und bang vor ihm,
15 Er schweift umher, allein und irre,
Und sucht sich selbst mit Ungestüm.

Ich fall ihm weinend in die Arme:
Auch mir war einst, wie dir, zumut,
Doch ich genas von meinem Harme,
20 Und weiß nun, wo man ewig ruht.

Dich muß, wie mich, ein Wesen trösten,
Das innig liebte, litt und starb;
Das selbst für die, die ihm am wehsten
Getan, mit tausend Freuden starb.

25 Er starb, und dennoch alle Tage
Vernimmst du seine Lieb und ihn,
Und kannst getrost in jeder Lage
Ihn zärtlich in die Arme ziehn.

Mit ihm kommt neues Blut und Leben
30 In dein erstorbenes Gebein;
Und wenn du ihm dein Herz gegeben,
So ist auch seines ewig dein.

Was du verlorst, hat er gefunden;
Du triffst bei ihm, was du geliebt:
35 Und ewig bleibt mit dir verbunden,
Was seine Hand dir wiedergibt.

IV.

Unter tausend frohen Stunden,
So im Leben ich gefunden,
Blieb nur eine mir getreu;
Eine wo in tausend Schmerzen
5 Ich erfuhr in meinem Herzen,
Wer für uns gestorben sei.

Meine Welt war mir zerbrochen,
Wie von einem Wurm gestochen
Welkte Herz und Blüte mir;
10 Meines Lebens ganze Habe,
Jeder Wunsch lag mir im Grabe,
Und zur Qual war ich noch hier.

Da ich so im stillen krankte,
Ewig weint und weg verlangte,
15 Und nur blieb vor Angst und Wahn:
Ward mir plötzlich wie von oben
Weg des Grabes Stein geschoben,
Und mein Innres aufgetan.

Wen ich sah, und wen an seiner
20 Hand erblickte, frage keiner,

Ewig werd ich dies nur sehn;
Und von allen Lebensstunden
Wird nur die, wie meine Wunden,
Ewig heiter, offen stehn.

V.

Wenn ich ihn nur habe,
Wenn er mein nur ist,
Wenn mein Herz bis hin zum Grabe
Seine Treue nie vergißt:
5 Weiß ich nichts von Leide,
Fühle nichts, als Andacht, Lieb und Freude.

Wenn ich ihn nur habe,
Laß ich alles gern,
Folg an meinem Wanderstabe
10 Treu gesinnt nur meinem Herrn;
Lasse still die andern
Breite, lichte, volle Straßen wandern.

Wenn ich ihn nur habe,
Schlaf ich fröhlich ein,
15 Ewig wird zu süßer Labe
Seines Herzens Flut mir sein,
Die mit sanftem Zwingen
Alles wird erweichen und durchdringen.

Wenn ich ihn nur habe,
20 Hab ich auch die Welt;
Selig, wie ein Himmelsknabe,
Der der Jungfrau Schleier hält.
Hingesenkt im Schauen
Kann mir vor dem Irdischen nicht grauen.

25 Wo ich ihn nur habe,
Ist mein Vaterland;
Und es fällt mir jede Gabe,
Wie ein Erbteil in die Hand:
Längst vermißte Brüder
30 Find ich nun in seinen Jüngern wieder.

VI.

Wenn alle untreu werden,
So bleib ich dir doch treu;
Daß Dankbarkeit auf Erden
Nicht ausgestorben sei.
5 Für mich umfing dich Leiden,
Vergingst für mich in Schmerz;
Drum geb ich dir mit Freuden
Auf ewig dieses Herz.

Oft muß ich bitter weinen,
10 Daß du gestorben bist,
Und mancher von den Deinen
Dich lebenslang vergißt.
Von Liebe nur durchdrungen
Hast du so viel getan,
15 Und doch bist du verklungen,
Und keiner denkt daran.

Du stehst voll treuer Liebe
Noch immer jedem bei;
Und wenn dir keiner bliebe,
20 So bleibst du dennoch treu;
Die treuste Liebe sieget,
Am Ende fühlt man sie,
Weint bitterlich und schmieget
Sich kindlich an dein Knie.

25 Ich habe dich empfunden,
O! lasse nicht von mir;
Laß innig mich verbunden
Auf ewig sein mit dir.
Einst schauen meine Brüder
30 Auch wieder himmelwärts,
Und sinken liebend nieder,
Und fallen dir ans Herz.

VII.

Hymne

Wenige wissen
Das Geheimnis der Liebe,
Fühlen Unersättlichkeit
Und ewigen Durst.
5 Des Abendmahls
Göttliche Bedeutung
Ist den irdischen Sinnen Rätsel;
Aber wer jemals
Von heißen, geliebten Lippen
10 Atem des Lebens sog,
Wem heilige Glut
In zitternde Wellen das Herz schmolz,
Wem das Auge aufging,
Daß er des Himmels
15 Unergründliche Tiefe maß,
Wird essen von seinem Leibe
Und trinken von seinem Blute
Ewiglich.
Wer hat des irdischen Leibes
20 Hohen Sinn erraten?
Wer kann sagen,
Daß er das Blut versteht?

Einst ist alles Leib,
Ein Leib,
25 In himmlischem Blute
Schwimmt das selige Paar. –
O! daß das Weltmeer
Schon errötete,
Und in duftiges Fleisch
30 Aufquölle der Fels!
Nie endet das süße Mahl,
Nie sättigt die Liebe sich.
Nicht innig, nicht eigen genug
Kann sie haben den Geliebten.
35 Von immer zärteren Lippen
Verwandelt wird das Genossene
Inniglicher und näher.
Heißere Wollust
Durchbebt die Seele,
40 Durstiger und hungriger
Wird das Herz:
Und so währet der Liebe Genuß
Von Ewigkeit zu Ewigkeit.
Hätten die Nüchternen
45 Einmal gekostet,
Alles verließen sie,
Und setzten sich zu uns
An den Tisch der Sehnsucht,
Der nie leer wird.
50 Sie erkennten der Liebe
Unendliche Fülle,
Und priesen die Nahrung
Von Leib und Blut.

VIII.

Weinen muß ich, immer weinen:
Möcht er einmal nur erscheinen,
Einmal nur von Ferne mir.
Heilge Wehmut! ewig währen
5 Meine Schmerzen, meine Zähren;
Gleich erstarren möcht ich hier.

Ewig seh ich ihn nur leiden,
Ewig bittend ihn verscheiden.
O! daß dieses Herz nicht bricht,
10 Meine Augen sich nicht schließen,
Ganz in Tränen zu zerfließen,
Dieses Glück verdient ich nicht.

Weint denn keiner nicht von allen?
Soll sein Name so verhallen?
15 Ist die Welt auf einmal tot?
Werd ich nie aus seinen Augen
Wieder Lieb und Leben saugen?
Ist er nun auf ewig tot?

Tot, – was kann, was soll das heißen?
20 O! so sagt mir doch ihr Weisen,
Sagt mir diese Deutung an.
Er ist stumm, und alle schweigen,
Keiner kann auf Erden zeigen,
Wo mein Herz ihn finden kann.

25 Nirgend kann ich hier auf Erden
Jemals wieder glücklich werden,
Alles ist ein düstrer Traum.
Ich bin auch mit ihm verschieden,
Läg ich doch mit ihm in Frieden
30 Schon im unterirdschen Raum.

Du, sein Vater und der meine,
Sammle du doch mein Gebeine
Zu dem seinigen nur bald.
Grün wird bald sein Hügel stehen
35 Und der Wind darüber wehen,
Und verwesen die Gestalt.

Wenn sie seine Liebe wüßten,
Alle Menschen würden Christen,
Ließen alles andre stehn;
40 Liebten alle nur den Einen,
Würden alle mit mir weinen
Und in bitterm Weh vergehn.

IX.

Ich sag es jedem, daß er lebt
Und auferstanden ist,
Daß er in unsrer Mitte schwebt
Und ewig bei uns ist.

5 Ich sag es jedem, jeder sagt
Es seinen Freunden gleich,
Daß bald an allen Orten tagt
Das neue Himmelreich.

Jetzt scheint die Welt dem neuen Sinn
10 Erst wie ein Vaterland;
Ein neues Leben nimmt man hin
Entzückt aus seiner Hand.

Hinunter in das tiefe Meer
Versank des Todes Graun,
15 Und jeder kann nun leicht und hehr
In seine Zukunft schaun.

Der dunkle Weg, den er betrat,
Geht in den Himmel aus,
Und wer nur hört auf seinen Rat,
20 Kommt auch in Vaters Haus.

Nun weint auch keiner mehr allhie,
Wenn Eins die Augen schließt,
Vom Wiedersehn, spät oder früh,
Wird dieser Schmerz versüßt.

25 Es kann zu jeder guten Tat
Ein jeder frischer glühn,
Denn herrlich wird ihm diese Saat
In schönern Fluren blühn.

Er lebt, und wird nun bei uns sein,
30 Wenn alles uns verläßt!
Und so soll dieser Tag uns sein
Ein Weltverjüngungs-Fest.

X.

Es gibt so bange Zeiten,
Es gibt so trüben Mut,
Wo alles sich von weiten
Gespenstisch zeigen tut.

5 Es schleichen wilde Schrecken
So ängstlich leise her,
Und tiefe Nächte decken
Die Seele zentnerschwer.

Die sichern Stützen schwanken,
10 Kein Halt der Zuversicht;
Der Wirbel der Gedanken
Gehorcht dem Willen nicht.

Der Wahnsinn naht und locket
Unwiderstehlich hin.
15 Der Puls des Lebens stocket,
Und stumpf ist jeder Sinn.

Wer hat das Kreuz erhoben
Zum Schutz für jedes Herz?
Wer wohnt im Himmel droben,
20 Und hilft in Angst und Schmerz?

Geh zu dem Wunderstamme,
Gib stiller Sehnsucht Raum,
Aus ihm geht eine Flamme
Und zehrt den schweren Traum.

25 Ein Engel zieht dich wieder
Gerettet auf den Strand,
Und schaust voll Freuden nieder
In das gelobte Land.

XI.

Ich weiß nicht, was ich suchen könnte,
Wär jenes liebe Wesen mein,
Wenn er mich seine Freude nennte,
Und bei mir wär, als wär ich sein.

5 So Viele gehn umher und suchen
Mit wild verzerrtem Angesicht,
Sie heißen immer sich die Klugen,
Und kennen diesen Schatz doch nicht.

Der Eine denkt, er hat's ergriffen,
10 Und was er hat, ist nichts als Gold;
Der will die ganze Welt umschiffen,
Nichts als ein Name wird sein Sold.

Der läuft nach einem Siegerkranze
Und Der nach einem Lorbeerzweig,
15 Und so wird von verschiednem Glanze
Getäuscht ein jeder, keiner reich.

Hat er sich euch nicht kund gegeben?
Vergaßt ihr, wer für euch erblich?
Wer uns zu Lieb aus diesem Leben
20 In bittrer Qual verachtet wich?

Habt ihr von ihm denn nichts gelesen,
Kein armes Wort von ihm gehört?
Wie himmlisch gut er uns gewesen,
Und welches Gut er uns beschert?

25 Wie er vom Himmel hergekommen,
Der schönsten Mutter hohes Kind?
Welch Wort die Welt von ihm vernommen,
Wie viel durch ihn genesen sind?

Wie er von Liebe nur beweget
30 Sich ganz uns hingegeben hat,
Und in die Erde sich geleget
Zum Grundstein einer Gottesstadt?

Kann diese Botschaft euch nicht rühren,
Ist so ein Mensch euch nicht genug,
35 Und öffnet ihr nicht eure Türen
Dem, der den Abgrund zu euch schlug?

Laßt ihr nicht alles willig fahren,
Tut gern auf jeden Wunsch Verzicht,
Wollt euer Herz nur ihm bewahren
40 Wenn er euch seine Huld verspricht?

Nimm du mich hin, du Held der Liebe!
Du bist mein Leben, meine Welt,
Wenn nichts vom Irdischen mir bliebe,
So weiß ich, wer mich schadlos hält.

45 Du gibst mir meine Lieben wieder,
Du bleibst in Ewigkeit mir treu,
Anbetend sinkt der Himmel nieder,
Und dennoch wohnest du mir bei.

XII.

Wo bleibst du Trost der ganzen Welt?
Herberg ist dir schon längst bestellt.
Verlangend sieht ein jedes dich,
Und öffnet deinem Segen sich.

5 Geuß, Vater, ihn gewaltig aus,
Gib ihn aus deinem Arm heraus:
Nur Unschuld, Lieb und süße Scham
Hielt ihn, daß er nicht längst schon kam.

Treib ihn von dir in unsern Arm,
10 Daß er von deinem Hauch noch warm;
In schweren Wolken sammle ihn
Und laß ihn so hernieder ziehn.

In kühlen Strömen send ihn her,
In Feuerflammen lodre er,
15 In Luft und Öl, in Klang und Tau
Durchdring er unsrer Erde Bau.

So wird der heilge Kampf gekämpft,
So wird der Hölle Grimm gedämpft,
Und ewig blühend geht allhier
20 Das alte Paradies herfür.

Die Erde regt sich, grünt und lebt,
Des Geistes voll ein jedes strebt
Den Heiland lieblich zu empfahn
Und beut die vollen Brüst ihm an.

25 Der Winter weicht, ein neues Jahr
Steht an der Krippe Hochaltar.
Es ist das erste Jahr der Welt,
Die sich dies Kind erst selbst bestellt.

Die Augen sehn den Heiland wohl,
30 Und doch sind sie des Heilands voll,
Von Blumen wird sein Haupt geschmückt,
Aus denen er selbst holdselig blickt.

Er ist der Stern, er ist die Sonn,
Er ist des ewgen Lebens Bronn,
35 Aus Kraut und Stein und Meer und Licht
Schimmert sein kindlich Angesicht.

In allen Dingen sein kindlich Tun.
Seine heiße Liebe wird nimmer ruhn,
Er schmiegt sich seiner unbewußt
40 Unendlich fest an jede Brust.

Ein Gott für uns, ein Kind für sich
Liebt er uns all herzinniglich,
Wird unsre Speis und unser Trank,
Treusinn ist ihm der liebste Dank.

45 Das Elend wächst je mehr und mehr,
Ein düstrer Gram bedrückt uns sehr,
Laß, Vater, den Geliebten gehn,
Mit uns wirst du ihn wieder sehn.

XIII.

Wenn in bangen trüben Stunden
Unser Herz beinah verzagt,
Wenn von Krankheit überwunden
Angst in unserm Innern nagt;
5 Wir der Treugeliebten denken,
Wie sie Gram und Kummer drückt,
Wolken unsern Blick beschränken,
Die kein Hoffnungsstrahl durchblickt:

O! dann neigt sich Gott herüber,
10 Seine Liebe kommt uns nah,
Sehnen wir uns dann hinüber
Steht sein Engel vor uns da,
Bringt den Kelch des frischen Lebens,
Lispelt Mut und Trost uns zu;
15 Und wir beten nicht vergebens
Auch für die Geliebten Ruh.

XIV.

Wer einmal, Mutter, dich erblickt,
Wird vom Verderben nie bestrickt,
Trennung von dir muß ihn betrüben,
Ewig wird er dich brünstig lieben
5 Und deiner Huld Erinnerung
Bleibt fortan seines Geistes höchster Schwung.

Ich mein es herzlich gut mit dir,
Was mir gebricht, siehst du in mir.
Laß, süße Mutter, dich erweichen,
10 Einmal gib mir ein frohes Zeichen.
Mein ganzes Dasein ruht in dir,
Nur einen Augenblick sei du bei mir.

13. [illegible]

No 7. 1.

Wenn in bangen trüben Stunden
Unser Herz beinah verzagt,
Wenn von Krankheit überwunden
Angst in unserm Innern nagt.
Wir der Treugeliebten denken
Wie sie Gram und Kummer drückt,
Wolken unsern Blick beschränken,
Die kein Hoffnungsstrahl durchblickt.

O! dann neigt sich Gott herüber
Seine Liebe kommt uns nah,
Sehnen wir uns dann hinüber
Steht sein Engel vor uns da.
Bringt den Kelch des frischen Lebens
Lispelt Muth und Trost uns zu;
Und wir beten nicht vergebens
Auch für die Geliebten Ruh.

Oft, wenn ich träumte, sah ich dich
So schön, so herzensinniglich,
15 Der kleine Gott auf deinen Armen
Wollt des Gespielen sich erbarmen;
Du aber hobst den hehren Blick
Und gingst in tiefe Wolkenpracht zurück;

Was hab ich, Armer, dir getan?
20 Noch bet ich dich voll Sehnsucht an,
Sind deine heiligen Kapellen
Nicht meines Lebens Ruhestellen?
Gebenedeite Königin
Nimm dieses Herz mit diesem Leben hin.

25 Du weißt, geliebte Königin,
Wie ich so ganz dein eigen bin.
Hab ich nicht schon seit langen Jahren
Im stillen deine Huld erfahren?
Als ich kaum meiner noch bewußt,
30 Sog ich schon Milch aus deiner selgen Brust.

Unzähligmal standst du bei mir,
Mit Kindeslust sah ich nach dir,
Dein Kindlein gab mir seine Hände,
Daß es dereinst mich wieder fände;
35 Du lächeltest voll Zärtlichkeit
Und küßtest mich, o himmelsüße Zeit!

Fern steht nun diese selge Welt,
Gram hat sich längst zu mir gesellt,
Betrübt bin ich umhergegangen,
40 Hab ich mich denn so schwer vergangen?
Kindlich berühr ich deinen Saum,
Erwecke mich aus diesem schweren Traum.

Darf nur ein Kind dein Antlitz schaun,
Und deinem Beistand fest vertraun,
45 So löse doch des Alters Binde,
Und mache mich zu deinem Kinde:
Die Kindeslieb und Kindestreu
Wohnt mir von jener goldnen Zeit noch bei.

XV.

Ich sehe dich in tausend Bildern,
Maria, lieblich ausgedrückt,
Doch keins von allen kann dich schildern,
Wie meine Seele dich erblickt.

5 Ich weiß nur, daß der Welt Getümmel
Seitdem mir wie ein Traum verweht,
Und ein unnennbar süßer Himmel
Mir ewig im Gemüte steht.

Welches Lebendige,
Sinnbegabte,
Liebt nicht vor allen
Wundererscheinungen
des verbreiteten Raums um ihn
das allerfreuliche Licht –
Mit seinen Stralen u. Wogen
Seinen Farben,
Seiner milden Allgegenwart
Im Tage.
Wie des Lebens
Innerste Seele
Athmet es die Riesenwelt
der rastlosen Gestirne
die in seinem blauen Meere schwimmen,
Athmet es der funkelnde Stein,

No 13.

Hymnen an die Nacht

[Handschrift]

1799

[1.]

5 Welcher Lebendige,
Sinnbegabte,
Liebt nicht vor allen
Wundererscheinungen
Des verbreiteten Raums um ihn
10 Das allerfreuliche Licht –
Mit seinen Stralen u[nd] Wogen
Seinen Farben,
Seiner milden Allgegenwart
Im Tage.
15 Wie des Lebens
Innerste Seele
Athmet es die Riesenwelt
Der rastlosen Gestirne
Die in seinem blauen Meere schwimmen,
20 Athmet es der funkelnde Stein,
Die ruhige Pflanze
Und der Thiere
Vielgestaltete,
Immerbewegte Kraft –
25 Athmen es vielfarbige
Wolken u[nd] Lüfte
Und vor allen
Die herrlichen Fremdlinge
Mit den sinnvollen Augen
30 Dem schwebenden Gange
Und dem tönenden Munde.

Wie ein König
Der irrdischen Natur
Ruft es jede Kraft
Zu zahllosen Verwandlungen
Und seine Gegenwart allein 5
Offenbart die Wunderherrlichkeit
Des irrdischen Reichs.
Abwärts wend ich mich
Zu der heiligen, unaussprechlichen
Geheimnißvollen Nacht – 10
Fernab liegt die Welt,
Wie versenkt in eine tiefe Gruft
Wie wüst und einsam
Ihre Stelle!
Tiefe Wehmuth 15
Weht in den Sayten der Brust
Fernen der Errinnerung
Wünsche der Jugend
Der Kindheit Träume
Des ganzen, langen Lebens 20
Kurze Freuden
Und vergebliche Hoffnungen
Kommen in grauen Kleidern
Wie Abendnebel
Nach der Sonne, 25
Untergang.
Fernab liegt die Welt
Mit ihren bunten Genüssen.
In andern Räumen
Schlug das Licht auf 30
Die lustigen Gezelte.
Sollt es nie wiederkommen
Zu seinen treuen Kindern,
Seinen Gärten
In sein herrliches Haus? 35

Doch was quillt
So kühl u[nd] erquicklich
So ahndungsvoll
Unterm Herzen
5 Und verschluckt
Der Wehmuth weiche Luft,
Hast auch du
Ein menschliches Herz
Dunkle Macht?
10 Was hältst du
Unter deinem Mantel
Das mir unsichtbar kräftig
An die Seele geht?
Du scheinst nur furchtbar –
15 Köstlicher Balsam
Träuft aus deiner Hand
Aus dem Bündel Mohn
In süßer Trunkenheit
Entfaltest du die schweren Flügel des Gemüths.
20 Und schenkst uns Freuden
Dunkel und unaussprechlich
Heimlich, wie du selbst, bist
Freuden, die uns
Einen Himmel ahnden lassen.
25 Wie arm und kindisch
Dünkt mir das Licht,
Mit seinen bunten Dingen
Wie erfreulich und gesegnet
Des Tages Abschied.
30 Also nur darum
Weil die Nacht dir
Abwendig macht die Dienenden
Säetest du
In des Raums Weiten
35 Die leuchtenden Kugeln

Zu verkünden deine Allmacht
Deine Widerkehr
In den Zeiten deiner Entfernung.
Himmlischer als jene blitzenden Sterne
In jenen Weiten 5
Dünken uns die unendlichen Augen
Die die Nacht
In uns geöffnet.
Weiter sehn sie
Als die blässesten 10
Jener zahllosen Heere
Unbedürftig des Lichts
Durchschaun sie die Tiefen
Eines liebenden Gemüths,
Was einen höhern Raum 15
Mit unsäglicher Wollust füllt.
Preis der Weltköniginn,
Der hohen Verkündigerinn
Heiliger Welt,
Der Pflegerinn 20
Seliger Liebe
Du kommst, Geliebte –
Die Nacht ist da –
Entzückt ist meine Seele –
Vorüber ist der irrdische Tag 25
Und du bist wieder Mein.
Ich schaue dir ins tiefe dunkle Auge,
Sehe nichts als Lieb u[nd] Seligkeit.
Wir sinken auf der Nacht Altar
Aufs weiche Lager – 30
Die Hülle fällt
Und angezündet von dem warmen Druck
Entglüht des süßen Opfers
Reine Glut.

[2.]

Muß immer der Morgen wiederkommen?
Endet nie des Irrdischen Gewalt?
Unselige Geschäftigkeit verzehrt
5 Den himmlischen Anflug der Nacht?
Wird nie der Liebe geheimes Opfer
Ewig brennen?
Zugemessen ward
Dem Lichte Seine Zeit
10 Und dem Wachen –
Aber zeitlos ist der Nacht Herrschaft,
Ewig ist die Dauer des Schlafs.
Heiliger Schlaf!
Beglücke zu selten nicht
15 Der Nacht Geweihte –
In diesem irrdischen Tagwerck.
Nur die Thoren verkennen dich
Und wissen von keinem Schlafe
Als den Schatten
20 Den du mitleidig auf uns wirfst
In jener Dämmrung
Der wahrhaften Nacht.
Sie fühlen dich nicht
In der goldnen Flut der Trauben
25 In des Mandelbaums
Wunderöl
Und dem braunen Safte des Mohns.
Sie wissen nicht
Daß du es bist
30 Der des zarten Mädchens
Busen umschwebt
Und zum Himmel den Schoos macht –
Ahnden nicht
Daß aus alten Geschichten
35 Du himmelöffnend entgegentrittst

Und den Schlüssel trägst
Zu den Wohnungen der Seligen,
Unendlicher Geheimnisse
Schweigender Bote.

[3.] 5

Einst, da ich bittre Thränen vergoß –
Da in Schmerz aufgelößt meine Hoffnung zerrann und ich einsam stand an dem dürren Hügel, der in engen dunkeln Raum die Gestalt meines Lebens begrub, Einsam, wie noch kein Einsamer war, von unsäglicher 10 Angst getrieben, Kraftlos, nur ein Gedanken des Elends noch, – Wie ich da nach Hülfe umherschaute, Vorwärts nicht könnte und rückwärts nicht – und am fliehenden, verlöschten Leben mit unendlicher Sehnsucht hing – da kam aus blauen Fernen, Von den Höhen meiner alten 15 Seligkeit ein Dämmrungs Schauer – Und mit einemmale riß das Band der Geburt, des Lichtes Fessel – Hin floh die irrdische Herrlichkeit und meine Trauer mit ihr. Zusammen floß die Wehmuth in Eine neue unergründliche Welt – Du Nachtbegeisterung, Schlummer des Him- 20 mels kamst über mich. Die Gegend hob sich sacht empor – über der Gegend schwebte mein entbundner neugeborner Geist. Zur Staubwolke wurde der Hügel und durch die Wolke sah ich die verklärten Züge der Geliebten – In Ihren Augen ruhte die Ewigkeit – ich faßte ihre Hände 25 und die Thränen wurden ein funkelndes, unzerreißliches Band. Jahrtausende zogen abwärts in die Ferne, wie Ungewitter – An ihrem Halse weint ich dem neuen Leben entzückende Thränen. Das war der Erste Traum in dir. Er zog vorüber aber sein Abglanz blieb der ewige 30 unerschütterliche Glauben an den Nachthimmel und seine Sonne, die Geliebte.

[4.]

4. Sehnsucht nach dem Tode. Er saugt an mir. 5. Xstus. Er hebt den Stein v[om] Grabe.

Nun weiß ich wenn der lezte Morgen seyn wird – wenn
5 das Licht nicht mehr die Nacht und die Liebe scheucht, wenn der Schlummer ewig, und nur Ein unerschöpflicher Traum seyn wird. Himmlische Müdigkeit verläßt mich nun nicht wieder. Weit und mühsam war der Weg zum heilgen Grabe und das Kreutz war schwer. Wessen
10 Mund einmal die krystallene Woge nezte, die gemeinen Sinnen unsichtbar, quillt in des Hügels dunkeln Schoos, an dessen Fuß die irrdische Flut bricht, wer oben stand auf diesem Grenzgebürge der Welt und hinüber sah, in das neue Land, in der Nacht Wohnsitz, warlich der
15 kehrt nicht in das Treiben der Welt zurück, in das Land, wo das Licht regiert und ewige Unruh haußt. Oben baut er sich Hütten Hütten des Friedens, sehnt sich und liebt, schaut hinüber, bis die willkommenste aller Stunden hinunter ihn in den Brunnen der Quelle zieht. Alles
20 Irrdische schwimmt oben auf und wird von der Höhe hinabgespült, aber was Heilig ward durch der Liebe Berührung rinnt aufgelößt in verborgenen Gängen auf das jenseitige Gebiet, wo es, wie Wolken sich Mit entschlummerten Lieben mischt.

25 Noch weckst du,
Muntres Licht,
Den Müden zur Arbeit –
Flößest fröliches Leben mir ein.
Aber du lockst mich
30 Von der Errinnerung
Moosigen Denkmal nicht.
Gern will ich

Die fleißigen Hände rühren
Überall umschauen
Wo du mich brauchst,
Rühmen deines Glanzes
Volle Pracht 5
Unverdroßen verfolgen
Den schönen Zusammenhang
Deines künstlichen Wercks
Gern betrachten
Den sinnvollen Gang 10
Deiner gewaltigen
Leuchtenden Uhr,
Ergründen der Kräfte
Ebenmaaß
Und die Regeln 15
Des Wunderspiels
Unzähliger Räume
Und ihrer Zeiten.
Aber getreu der Nacht
Bleibt mein geheimes Herz 20
Und ihrer Tochter
Der schaffenden Liebe.
Kannst du mir zeigen
Ein ewigtreues Herz?
Hat deine Sonne 25
Freundliche Augen
Die mich erkennen?
Fassen deine Sterne
Meine verlangende Hand?
Geben mir wieder 30
Den zärtlichen Druck?
Hast du mit Farben
Und leichten Umriß
Sie geschmückt?
Oder war Sie es 35
Die deinem Schmuck

Höhere, liebere Bedeutung gab?
Welche Wollust,
Welchen Genuß,
Bietet dein Leben
5 Die aufwögen
Des Todes Entzückungen.
Trägt nicht alles
Was uns begeistert
Die Farbe der Nacht –
10 Sie trägt dich mütterlich
Und ihr verdankst du
All deine Herrlichkeit.
Du verflögst
In dir selbst
15 In endlosen Raum
Zergingst du,
Wenn sie dich nicht hielte –
Dich nicht bände
Daß du warm würdest
20 Und flammend
Die Welt zeugtest.
Warlich ich war eh du warst,
Mit meinem Geschlecht
Schickte die Mutter mich
25 Zu bewohnen deine Welt
Und zu heiligen sie
Mit Liebe.
Zu geben
Menschlichen Sinn
30 Deinen Schöpfungen.
Noch reiften sie nicht
Diese göttlichen Gedanken.
Noch sind der Spuren
Unsrer Gegenwart
35 Wenig.
Einst zeigt deine Uhr

Das Ende der Zeit
Wenn du wirst,
Wie unser Einer
Und voll Sehnsucht
Auslöschest u[nd] stirbst. 5
In mir fühl ich
Der Geschäftigkeit Ende
Himmlische Freyheit,
Selige Rückkehr.
In wilden Schmerzen 10
Erkenn ich deine Entfernung
Von unsrer Heymath
Deinen Widerstand
Gegen den alten,
Herrlichen Himmel. 15
Umsonst ist deine Wuth
Dein Toben.
Unverbrennlich
Steht das Kreutz,
Eine Siegesfahne 20
Unsres Geschlechts.

Hinüber wall ich
Und jede Pein
Wird einst ein Stachel
Der Wollust seyn. 25
Noch wenig Zeiten
So bin ich los
Und liege trunken
Der Lieb' im Schoos.
Unendliches Leben 30
Kommt über mich
Ich sehe von oben
Herunter auf Dich.
An jenem Hügel
Verlischt dein Glanz 35

Ein Schatten bringet
Den kühlen Kranz
O! sauge Geliebter
Gewaltig mich an
5 Daß ich bald ewig
Entschlummern kann.
Ich fühle des Todes
Verjüngende Flut
Und harr in den Stürmen
10 Des Lebens voll Muth.

[5.]

Über der Menschen
Weitverbreitete Stämme
Herrschte vor Zeiten
15 Ein eisernes Schicksal
Mit stummer Gewalt.
Eine dunkle
schwere Binde
lag um ihre
20 bange Seele.
Unendlich war die Erde.
Der Götter Aufenthalt
Und ihre Heymath.
Reich an Kleinoden
25 Und herrlichen Wundern.
Seit Ewigkeiten
Stand ihr geheimnißvoller Bau.
Über des Morgens
Blauen Bergen
30 In des Meeres
Heiligen Schoos
Wohnte die Sonne
Das allzündende
Lebendige Licht.

Alte Welt. Der Tod. *Xstus – neue Welt*, die Welt der Zukunft – Sein Leiden – Jugend – Botschaft. Auferstehung. *Mit den Menschen ändert die Welt sich.* Schluß – Aufruf.

Ein alter Riese 5
Trug die selige Welt
Fest unter Bergen
Lagen die Ursöhne
Der Mutter Erde –
Ohnmächtig 10
In ihrer zerstörenden Wuth
Gegen das neue
Herrliche Göttergeschlecht,
Und die befreundeten
Frölichen Menschen. 15
Des Meeres dunkle
Blaue Tiefe
War einer Göttin Schoos.
Himmlische Schaaren
Wohnten in frölicher Lust 20
In den krystallenen Grotten –
Flüsse und Bäume
Blumen und Thiere
Hatten menschlichen Sinn,
Süßer schmeckte der Wein 25
Weil ihn blühende Götterjugend
Den Menschen gab –
Des goldnen Korns
Volle Garben
Waren ein göttliches Geschenk. 30
Der Liebe trunkne Freuden
ein heiliger Dienst
Der himmlischen Schönheit.
So war das Leben

Ein ewiges Fest
Der Götter und Menschen.
Und kindlich verehrten
Alle Geschlechter
5 Die zarte, köstliche Flamme
Als das Höchste der Welt.
Nur Ein Gedanke wars

Der furchtbar zu den frohen Tischen trat
Und das Gemüth in wilde Schrecken hüllte.
10 Hier wußten selbst die Götter keinen Rath,
Der das Gemüth mit süßen Troste füllte,
Geheimnißvoll war dieses Unholds Pfad
Des Wuth kein Flehn und keine Gabe stillte –
Es war der Tod, der dieses Lustgelag
15 Mit Angst u[nd] Schmerz u[nd] Thränen unterbrach.

Auf ewig nun von allem abgeschieden
Was hier das Herz in süßer Wollust regt –
Getrennt von den Geliebten, die hienieden
Vergebne Sehnsucht, langes Weh bewegt –
20 Schien nur dem Todten matter Traum beschieden
Ohnmächtges Ringen nur ihm auferlegt.
Zerbrochen war die Woge des Genusses
Am Felsen des unendlichen Verdrusses.

Mit kühnem Geist und hoher Sinnenglut
25 Verschönte sich der Mensch die grause Larve –
Ein blasser Jüngling löscht das Licht u[nd] ruht –
Sanft ist das Ende, wie ein Wehn der Harfe –
Errinnrung schmilzt in kühler Schattenflut
Die Dichtung sangs dem traurigen Bedarfe
30 Doch unenträthselt blieb die ewge Nacht
Das ernste Zeichen einer fernen Macht.

Zu Ende neigte
Die Alte Welt sich.
Der lustige Garten
Des jungen Geschlechts
Verwelkte 5
Und hinaus
In den freyeren Raum
Strebten die erwachsenen
Unkindlichen Menschen.
Verschwunden waren die Götter. 10
Einsam und leblos
Stand die Natur
Entseelt von der strengen Zahl
Und der eisernen Kette
Gesetze wurden. 15
Und in Begriffe
Wie in Staub und Lüfte
Zerfiel die unermeßliche Blüthe
Des tausendfachen Lebens.
Entflohn war 20
Der allmächtige Glauben
Und die allverwandelnde
Allverschwisternde
Himmelsgenossinn
Die Fantasie. 25
Unfreundlich blies
Ein kalter Nordwind
Über die erstarrte Flur
Und die Wunderheymath
Verflog in den Aether 30
Und des Himmels
Unendliche Fernen
Füllten mit leuchtenden Welten sich.
Ins tiefere Heiligthum
In des Gemüths höhern Raum 35
Zog die Seele der Welt

Mit ihren Mächten
Zu walten dort
Bis zum Anbruch
Des neuen Tags,
5 Der höhern Weltherrlichkeit.
Nicht mehr war das Licht
Der Götter Aufenthalt
Und himmlisches Zeichen –
Den Schleyer der Nacht
10 Warfen Sie über sich
Die Nacht ward
Der Offenbarungen
Fruchtbarer Schoos.
Mitten unter den Menschen
15 Im Volk, das vor allen
Verachtet,
Zu früh reif
Und der seligen Unschuld der Jugend
Trotzig fremd geworden war,
20 Erschien die neue Welt
Mit niegesehnen Angesicht –
In der Armuth
Wunderbarer Hütte –
Ein Sohn der ersten Jungfrau u[nd] Mutter –
25 Geheimnißvoller Umarmung
Unendliche Frucht.
Des Morgenlands
Ahnende, blüthenreiche
Weisheit
30 Erkannte zuerst
Der neuen Zeit Beginn.
Ein Stern wies ihr den Weg
Zu des Königs
Demüthiger Wiege.
35 In der weiten Zukunft Namen
Huldigte sie ihm

Mit Glanz u[nd] Duft
Den höchsten Wundern der Natur.
Einsam entfaltete
Das himmlische Herz sich
Zu der Liebe 5
Glühenden Schoos
Des Vaters hohen Antlitz zugewandt –
Und ruhend an dem ahndungsselgen Busen
Der lieblichernsten Mutter.
Mit vergötternder Inbrunst 10
Schaute das weissagende Auge
Des blühenden Kindes
Auf die Tage der Zukunft,
Nach seinen Geliebten,
Den Sprossen seines Götterstamms, 15
Unbekümmert über seiner Tage
Irrdisches Schicksal.
Bald sammelten die kindlichsten Gemüther
Von allmächtiger Liebe
Wundersam ergriffen 20
Sich um ihn her.
Wie Blumen keimte
Ein neues, fremdes Leben
In seiner Nähe –
Unerschöpfliche Worte 25
Und der Botschaften Fröhligste
Fielen wie Funken
Eines göttlichen Geistes
Von seinen freundlichen Lippen.
Von ferner Küste 30
Unter Hellas
Heitern Himmel geboren
Kam ein Sänger
Nach Palaestina.
Und ergab sein ganzes Herz 35
Dem Wunderkinde:

Der Jüngling bist du, der seit langer Zeit
Auf unsren Gräbern steht in tiefen Sinnen –
Ein tröstlich Zeichen in der Dunkelheit
Der höhern Menschheit freudiges Beginnen.
5 Was uns gesenkt in tiefe Traurigkeit
Zieht uns mit süßer Sehnsucht nun von hinnen.
Im Tode ward das ewge Leben kund –
Du bist der Tod und machst uns erst gesund.

Der Sänger zog
10 Voll Freudigkeit
Nach Indostan
Und nahm ein Herz
Voll ewger Liebe mit,
Und schüttete
15 In feurigen Gesängen
Es unter jenem milden Himmel aus
Der traulicher
An die Erde sich schmiegt,
Daß tausend Herzen
20 Sich zu ihm neigten
Und die fröliche Botschaft
Tausendzweigig emporwuchs.
Bald nach des Sängers Abschied
Ward das köstliche Leben
25 Ein Opfer des menschlichen
Tiefen Verfalls –
Er starb in jungen Jahren
Weggerißen
Von der geliebten Welt
30 Von der weinenden Mutter
Und seinen Freunden.
Der unsäglichen Leiden
Dunkeln Kelch
Leerte der heilige Mund,

In entsezlicher Angst
Naht' ihm die Stunde der Geburt
Der neuen Welt.
Hart rang er mit des alten Todes Schrecken
Schwer lag der Druck der alten Welt auf ihm 5
Noch einmal sah er freundlich nach der Mutter –
Da kam der ewigen Liebe
Lösende Hand –
Und er entschlief.
Nur wenige Tage 10
Hieng ein tiefer Schleyer
Über das brausende Meer – über das finstre
Unzählige Thränen [bebende Land
Weinten die Geliebten.
Entsiegelt ward das Geheimniß 15
Himmlische Geister hoben
Den uralten Stein
Vom dunklen Grabe –
Engel saßen bey dem Schlummernden,
Lieblicher Träume 20
Zartes Sinnbild.
Er stieg in neuer Götterherrlichkeit
Erwacht auf die Höhe
Der verjüngten, neugebornen Welt
Begrub mit eigner Hand 25
Die alte mit ihm gestorbne Welt
In die verlaßne Höhle
Und legte mit allmächtiger Kraft
Den Stein, den keine Macht erhebt, darauf.
Noch weinen deine Lieben 30
Thränen der Freude
Thränen der Rührung
Und des unendlichen Danks
An deinem Grabe –
Sehn dich noch immer 35

Freudig erschreckt
Auferstehn
Und sich mit dir –
Mit süßer Inbrunst
5 Weinen an der Mutter
Seligen Busen
Und an der Freunde
Treuem Herzen –
Eilen mit voller Sehnsucht
10 In des Vaters Arm
Bringend die junge
Kindliche Menschheit
Und der goldnen Zukunft
Unversieglichen Trank.
15 Die Mutter eilte bald dir nach
In himmlischen Triumpf –
Sie war die Erste
In der neuen Heymath
Bey dir.
20 Lange Zeiten
Entfloßen seitdem
Und in immer höhern Glanze
Regte deine neue Schöpfung sich
Und Tausende zogen
25 Aus Schmerzen u[nd] Qualen
Voll Glauben und Sehnsucht
Und Treue dir nach.
Und walten mit dir
Und der himmlischen Jungfrau
30 Im Reiche der Liebe;
Und dienen im Tempel
Des himmlischen Todes.

Gehoben ist der Stein
Die Menschheit ist erstanden

Wir alle bleiben dein
Und fühlen keine Banden
Der herbste Kummer fleucht
Im lezten Abendmale
Vor deiner goldnen Schaale 5
Wenn Erd und Leben weicht.

Zur Hochzeit ruft der Tod
Die Lampen brennen helle
Die Jungfraun sind zur Stelle
Um Oel ist keine Noth. 10
Erklänge doch die Ferne
Von deinem Zuge schon
Und riefen uns die Sterne
Mit Menschenzung und Ton.

Nach dir, Maria, heben 15
Schon tausend Herzen sich
In diesem Schattenleben
Verlangten sie nur dich.
Sie hoffen zu genesen
Mit ahndungsvoller Lust 20
Drückst du sie, heilges Wesen
An deine treue Brust.

So manche die sich glühend
In bittrer Qual verzehrt
Und dieser Welt entfliehend 25
Nur dir sich zugekehrt
Die hülfreich uns erschienen
In mancher Noth und Pein –
Wir kommen nun zu ihnen
Um ewig da zu seyn. 30

Nun weint an keinem Grabe
Für Schmerz, wer liebend glaubt.

Der Liebe süße Habe
Wird keinem nicht geraubt.
Von treuen Himmelskindern
Wird ihm sein Herz bewacht
5 Die Sehnsucht ihm zu lindern
Begeistert ihn die Nacht.

Getrost das Leben schreitet
Zum ewgen Leben hin
Von innrer Glut geweitet
10 Verklärt sich unser Sinn.
Die Sternwelt wird zerfließen
Zum goldnen Lebens Wein
Wir werden sie genießen
Und lichte Sterne seyn.

15 Die Lieb' ist frey gegeben
Und keine Trennung mehr
Es wogt das volle Leben
Wie ein unendlich Meer –
Nur Eine Nacht der Wonne
20 Ein ewiges Gedicht –
Und unser aller Sonne
Ist Gottes Angesicht.

[6.]

Hinunter in der Erde Schoos
25 Weg aus des Lichtes Reichen
Der Schmerzen Wuth und wilder Stoß
Ist froher Abfahrt Zeichen.
Wir kommen in dem engen Kahn
Geschwind am Himmelsufer an.

30 Gelobt sey uns die ewge Nacht,
Gelobt der ewge Schlummer,

Wohl hat der Tag uns warm gemacht
Und welk der lange Kummer.
Die Lust der Fremde gieng uns aus.
Zum Vater wollen wir nach Haus.

Was sollen wir auf dieser Welt 5
Mit unsrer Lieb' u[nd] Treue –
Das Alte wird hintangestellt,
Was kümmert uns das Neue.
O! einsam steht und tiefbetrübt
Wer heiß und fromm die Vorzeit liebt. 10

Die Vorzeit wo die Sinne licht
In hohen Flammen brannten,
Des Vaters Hand und Angesicht
Die Menschen noch erkannten,
Und hohen Sinns, einfältiglich 15
Noch mancher seinem Urbild glich.

Die Vorzeit wo an Blüthen reich
Uralte Stämme prangten,
Und Kinder für das Himmelreich
Nach Tod u[nd] Qual verlangten 20
Und wenn auch Lust u[nd] Leben sprach
Doch manches Herz für Liebe brach.

Die Vorzeit, wo in Jugendglut
Gott selbst sich kundgegeben
Und frühem Tod in Liebesmuth 25
Geweiht sein süßes Leben
Und Angst und Schmerz nicht von sich trieb
Damit er uns nur theuer blieb.

Mit banger Sehnsucht sehn wir sie
In dunkle Nacht gehüllet 30
Und hier auf dieser Welt wird nie

Der heiße Durst gestillet.
Wir müssen nach der Heymath gehn
Um diese heilge Zeit zu sehn.

Was hält noch unsre Rückkehr auf –
5 Die Liebsten ruhn schon lange
Ihr Grab schließt unsern Lebenslauf
Nun wird uns weh und bange.
Zu suchen haben wir nichts mehr –
Das Herz ist satt, die Welt ist leer.

10 Unendlich und geheimnißvoll
Durchströmt uns süßer Schauer
Mir däucht aus tiefen Fernen scholl
Ein Echo unsrer Trauer
Die Lieben sehnen sich wol auch
15 Und sandten uns der Sehnsucht Hauch.

Hinunter zu der süßen Braut,
Zu Jesus dem Geliebten,
Getrost die Abenddämmrung graut
Den Liebenden Betrübten.
20 Ein Traum bricht unsre Banden los
Und senkt uns in des Vaters Schoos.

Hymnen an die Nacht

[*Athenaeum*-Fassung]

1800

1.

5 Welcher Lebendige, Sinnbegabte, liebt nicht vor allen Wundererscheinungen des verbreiteten Raums um ihn, das allerfreuliche Licht – mit seinen Farben, seinen Strahlen und Wogen; seiner milden Allgegenwart, als weckender Tag. Wie des Lebens innerste Seele atmet es der rast-
10 losen Gestirne Riesenwelt, und schwimmt tanzend in seiner blauen Flut – atmet es der funkelnde, ewigruhende Stein, die sinnige, saugende Pflanze, und das wilde, brennende, vielgestaltete Tier – vor allen aber der herrliche Fremdling mit den sinnvollen Augen, dem schwebenden
15 Gange, und den zartgeschlossenen, tonreichen Lippen. Wie ein König der irdischen Natur ruft es jede Kraft zu zahllosen Verwandlungen, knüpft und löst unendliche Bündnisse, hängt sein himmlisches Bild jedem irdischen Wesen um. – Seine Gegenwart allein offenbart die Wun-
20 derherrlichkeit der Reiche der Welt.
Abwärts wend ich mich zu der heiligen, unaussprechlichen, geheimnisvollen Nacht. Fernab liegt die Welt – in eine tiefe Gruft versenkt – wüst und einsam ist ihre Stelle. In den Saiten der Brust weht tiefe Wehmut. In
25 Tautropfen will ich hinuntersinken und mit der Asche mich vermischen. – Fernen der Erinnerung, Wünsche der Jugend, der Kindheit Träume, des ganzen langen Lebens kurze Freuden und vergebliche Hoffnungen kommen in grauen Kleidern, wie Abendnebel nach der
30 Sonne Untergang. In andern Räumen schlug die lustigen Gezelte das Licht auf. Sollte es nie zu seinen Kindern

wiederkommen, die mit der Unschuld Glauben seiner harren?
Was quillt auf einmal so ahndungsvoll unterm Herzen, und verschluckt der Wehmut weiche Luft? Hast auch du ein Gefallen an uns, dunkle Nacht? Was hältst du unter deinem Mantel, das mir unsichtbar kräftig an die Seele geht? Köstlicher Balsam träuft aus deiner Hand, aus dem Bündel Mohn. Die schweren Flügel des Gemüts hebst du empor. Dunkel und unaussprechlich fühlen wir uns bewegt – ein ernstes Antlitz seh ich froh erschrocken, das sanft und andachtsvoll sich zu mir neigt, und unter unendlich verschlungenen Locken der Mutter liebe Jugend zeigt. Wie arm und kindisch dünkt mir das Licht nun – wie erfreulich und gesegnet des Tages Abschied – Also nur darum, weil die Nacht dir abwendig macht die Dienenden, säetest du in des Raumes Weiten die leuchtenden Kugeln, zu verkünden deine Allmacht – deine Wiederkehr – in den Zeiten deiner Entfernung. Himmlischer, als jene blitzenden Sterne, dünken uns die unendlichen Augen, die die Nacht in uns geöffnet. Weiter sehn sie, als die blässesten jener zahllosen Heere – unbedürftig des Lichts durchschaun sie die Tiefen eines liebenden Gemüts – was einen höhern Raum mit unsäglicher Wollust füllt. Preis der Weltkönigin, der hohen Verkündigerin heiliger Welten, der Pflegerin seliger Liebe – sie sendet mir dich – zarte Geliebte – liebliche Sonne der Nacht, – nun wach ich – denn ich bin Dein und Mein – du hast die Nacht mir zum Leben verkündet – mich zum Menschen gemacht – zehre mit Geisterglut meinen Leib, daß ich luftig mit dir inniger mich mische und dann ewig die Brautnacht währt.

2.

Muß immer der Morgen wiederkommen? Endet nie des Irdischen Gewalt? unselige Geschäftigkeit verzehrt den himmlischen Anflug der Nacht. Wird nie der Liebe geheimes Opfer ewig brennen? Zugemessen ward dem Lichte seine Zeit; aber zeitlos und raumlos ist der Nacht Herrschaft. – Ewig ist die Dauer des Schlafs. Heiliger 5 Schlaf – beglücke zu selten nicht der Nacht Geweihte in diesem irdischen Tagewerk. Nur die Toren verkennen dich und wissen von keinem Schlafe, als den Schatten, den du in jener Dämmerung der wahrhaften Nacht mitleidig auf uns wirfst. Sie fühlen dich nicht in der 10 goldnen Flut der Trauben – in des Mandelbaums Wunderöl, und dem braunen Safte des Mohns. Sie wissen nicht, daß du es bist der des zarten Mädchens Busen umschwebt und zum Himmel den Schoß macht – ahnden nicht, daß aus alten Geschichten du himmelöffnend 15 entgegentrittst und den Schlüssel trägst zu den Wohnungen der Seligen, unendlicher Geheimnisse schweigender Bote.

3.

Einst da ich bittre Tränen vergoß, da in Schmerz aufge- 20 löst meine Hoffnung zerrann, und ich einsam stand am dürren Hügel, der in engen, dunkeln Raum die Gestalt meines Lebens barg – einsam, wie noch kein Einsamer war, von unsäglicher Angst getrieben – kraftlos, nur ein Gedanken des Elends noch. – Wie ich da nach Hülfe 25 umherschaute, vorwärts nicht konnte und rückwärts nicht, und am fliehenden, verlöschten Leben mit unendlicher Sehnsucht hing: – da kam aus blauen Fernen – von den Höhen meiner alten Seligkeit ein Dämmerungsschauer – und mit einem Male riß das Band der Geburt – 30 des Lichtes Fessel. Hin floh die irdische Herrlichkeit und meine Trauer mit ihr – zusammen floß die Wehmut in eine neue, unergründliche Welt – du Nachtbegeisterung, Schlummer des Himmels kamst über mich – die Gegend hob sich sacht empor; über der Gegend schwebte mein entbundner, neugeborner Geist. Zur Staubwolke wurde der Hügel – durch die Wolke sah ich die verklärten Züge der Geliebten. In ihren Augen ruhte die Ewigkeit – ich faßte ihre Hände, und die Tränen wurden ein funkelndes, unzerreißliches Band. Jahrtausende zogen abwärts in die Ferne, wie Ungewitter. An ihrem Halse weint ich dem neuen Leben entzückende Tränen. – Es war der erste, einzige Traum – und erst seitdem fühl ich ewigen, unwandelbaren Glauben an den Himmel der Nacht und sein Licht, die Geliebte.

4.

Nun weiß ich, wenn der letzte Morgen sein wird – wenn das Licht nicht mehr die Nacht und die Liebe scheucht – wenn der Schlummer ewig und nur Ein unerschöpflicher Traum sein wird. Himmlische Müdigkeit fühl ich in mir. – Weit und ermüdend ward mir die Wallfahrt zum heiligen Grabe, drückend das Kreuz. Die kristallene Woge, die gemeinen Sinnen unvernehmlich, in des Hügels dunkelm Schoß quillt, an dessen Fuß die irdische Flut bricht, wer sie gekostet, wer oben stand auf dem Grenzgebürge der Welt, und hinübersah in das neue Land, in der Nacht Wohnsitz – wahrlich der kehrt nicht in das Treiben der Welt zurück, in das Land, wo das Licht in ewiger Unruh hauset.

Oben baut er sich Hütten, Hütten des Friedens, sehnt sich und liebt, schaut hinüber, bis die willkommenste aller Stunden hinunter ihn in den Brunnen der Quelle zieht – das Irdische schwimmt obenauf, wird von Stürmen zurückgeführt, aber was heilig durch der Liebe Berührung ward, rinnt aufgelöst in verborgenen Gängen auf das jenseitige Gebiet, wo es, wie Düfte, sich mit entschlummerten Lieben mischt. Noch weckst du, muntres Licht den Müden zur Arbeit – flößest fröhliches

Leben mir ein – aber du lockst mich von der Erinnerung moosigem Denkmal nicht. Gern will ich die fleißigen Hände rühren, überall umschaun, wo du mich brauchst – rühmen deines Glanzes volle Pracht – unverdrossen
5 verfolgen deines künstlichen Werks schönen Zusammenhang – gern betrachten deiner gewaltigen, leuchtenden Uhr sinnvollen Gang – ergründen der Kräfte Ebenmaß und die Regeln des Wunderspiels unzähliger Räume und ihrer Zeiten. Aber getreu der Nacht bleibt mein geheimes
10 Herz, und der schaffenden Liebe, ihrer Tochter. Kannst du mir zeigen ein ewig treues Herz? hat deine Sonne freundliche Augen, die mich erkennen? fassen deine Sterne meine verlangende Hand? Geben mir wieder den zärtlichen Druck und das kosende Wort? Hast
15 du mit Farben und leichtem Umriß Sie geziert – oder war Sie es, die deinem Schmuck höhere, liebere Bedeutung gab? Welche Wollust, welchen Genuß bietet dein Leben, die aufwögen des Todes Entzückungen? Trägt nicht alles, was uns begeistert, die Farbe der Nacht? Sie trägt
20 dich mütterlich und ihr verdankst du all deine Herrlichkeit. Du verflögst in dir selbst – in endlosen Raum zergingst du, wenn sie dich nicht hielte, dich nicht bände, daß du warm würdest und flammend die Welt zeugtest. Wahrlich ich war, eh du warst – die Mutter
25 schickte mit meinen Geschwistern mich, zu bewohnen deine Welt, sie zu heiligen mit Liebe, daß sie ein ewig angeschautes Denkmal werde – zu bepflanzen sie mit unverwelklichen Blumen. Noch reiften sie nicht diese göttlichen Gedanken – Noch sind der Spuren unserer
30 Offenbarung wenig – Einst zeigt deine Uhr das Ende der Zeit, wenn du wirst wie unsereiner, und voll Sehnsucht und Inbrunst auslöschest und stirbst. In mir fühl ich deiner Geschäftigkeit Ende – himmlische Freiheit, selige Rückkehr. In wilden Schmerzen erkenn ich deine Ent-
35 fernung von unsrer Heimat, deinen Widerstand gegen

den alten, herrlichen Himmel. Deine Wut und dein Toben ist vergebens. Unverbrennlich steht das Kreuz – eine Siegesfahne unsers Geschlechts.

Hinüber wall ich,
Und jede Pein 5
Wird einst ein Stachel
Der Wollust sein.
Noch wenig Zeiten,
So bin ich los,
Und liege trunken 10
Der Lieb im Schoß.
Unendliches Leben
Wogt mächtig in mir
Ich schaue von oben
Herunter nach dir. 15
An jenem Hügel
Verlischt dein Glanz –
Ein Schatten bringet
Den kühlenden Kranz.
O! sauge, Geliebter, 20
Gewaltig mich an,
Daß ich entschlummern
Und lieben kann.
Ich fühle des Todes
Verjüngende Flut, 25
Zu Balsam und Äther
Verwandelt mein Blut –
Ich lebe bei Tage
Voll Glauben und Mut
Und sterbe die Nächte 30
In heiliger Glut.

5.

Über der Menschen weitverbreitete Stämme herrschte vor Zeiten ein eisernes Schicksal mit stummer Gewalt. Eine dunkle, schwere Binde lag um ihre bange Seele – 5 Unendlich war die Erde – der Götter Aufenthalt, und ihre Heimat. Seit Ewigkeiten stand ihr geheimnisvoller Bau. Über des Morgens roten Bergen, in des Meeres heiligem Schoß wohnte die Sonne, das allzündende, lebendige Licht. Ein alter Riese trug die selige Welt. Fest 10 unter Bergen lagen die Ursöhne der Mutter Erde. Ohnmächtig in ihrer zerstörenden Wut gegen das neue herrliche Göttergeschlecht und dessen Verwandten, die fröhlichen Menschen. Des Meers dunkle, grüne Tiefe war einer Göttin Schoß. In den kristallenen Grotten 15 schwelgte ein üppiges Volk. Flüsse, Bäume, Blumen und Tiere hatten menschlichen Sinn. Süßer schmeckte der Wein von sichtbarer Jugendfülle geschenkt – ein Gott in den Trauben – eine liebende, mütterliche Göttin, emporwachsend in vollen goldenen Garben – der Liebe heilger 20 Rausch ein süßer Dienst der schönsten Götterfrau – ein ewig buntes Fest der Himmelskinder und der Erdbewohner rauschte das Leben, wie ein Frühling, durch die Jahrhunderte hin – Alle Geschlechter verehrten kindlich die zarte, tausendfältige Flamme, als das höchste der 25 Welt. Ein Gedanke nur war es, Ein entsetzliches Traumbild,

Das furchtbar zu den frohen Tischen trat
Und das Gemüt in wilde Schrecken hüllte.
Hier wußten selbst die Götter keinen Rat
30 Der die beklommne Brust mit Trost erfüllte.
Geheimnisvoll war dieses Unholds Pfad
Des Wut kein Flehn und keine Gabe stillte;
Es war der Tod, der dieses Lustgelag
Mit Angst und Schmerz und Tränen unterbrach.

Auf ewig nun von allem abgeschieden,
Was hier das Herz in süßer Wollust regt,
Getrennt von den Geliebten, die hienieden
Vergebne Sehnsucht, langes Weh bewegt,
Schien matter Traum dem Toten nur beschieden, 5
Ohnmächtiges Ringen nur ihm auferlegt.
Zerbrochen war die Woge des Genusses
Am Felsen des unendlichen Verdrusses.

Mit kühnem Geist und hoher Sinnenglut
Verschönte sich der Mensch die grause Larve, 10
Ein sanfter Jüngling löscht das Licht und ruht –
Sanft wird das Ende, wie ein Wehn der Harfe.
Erinnerung schmilzt in kühler Schattenflut,
So sang das Lied dem traurigen Bedarfe.
Doch unenträtselt blieb die ewge Nacht, 15
Das ernste Zeichen einer fernen Macht.

Zu Ende neigte die alte Welt sich. Des jungen Geschlechts Lustgarten verwelkte – hinauf in den freieren, wüsten Raum strebten die unkindlichen, wachsenden Menschen. Die Götter verschwanden mit ihrem Gefolge 20 – Einsam und leblos stand die Natur. Mit eiserner Kette band sie die dürre Zahl und das strenge Maß. Wie in Staub und Lüfte zerfiel in dunkle Worte die unermeßliche Blüte des Lebens. Entflohn war der beschwörende Glauben, und die allverwandelnde, allverschwisternde 25 Himmelsgenossin, die Phantasie. Unfreundlich blies ein kalter Nordwind über die erstarrte Flur, und die erstarrte Wunderheimat verflog in den Äther. Des Himmels Fernen füllten mit leuchtenden Welten sich. Ins tiefre Heiligtum, in des Gemüts höhern Raum zog mit ihren 30 Mächten die Seele der Welt – zu walten dort bis zum Anbruch der tagenden Weltherrlichkeit. Nicht mehr war das Licht der Götter Aufenthalt und himmlisches Zeichen – den Schleier der Nacht warfen sie über sich. Die

Nacht ward der Offenbarungen mächtiger Schoß – in ihn kehrten die Götter zurück – schlummerten ein, um in neuen herrlichern Gestalten auszugehn über die veränderte Welt. Im Volk, das vor allen verachtet zu früh reif
5 und der seligen Unschuld der Jugend trotzig fremd geworden war, erschien mit niegesehenem Angesicht die neue Welt – In der Armut dichterischer Hütte – Ein Sohn der ersten Jungfrau und Mutter – Geheimnisvoller Umarmung unendliche Frucht. Des Morgenlands ahn-
10 dende, blütenreiche Weisheit erkannte zuerst der neuen Zeit Beginn – Zu des Königs demütiger Wiege wies ihr ein Stern den Weg. In der weiten Zukunft Namen huldigten sie ihm mit Glanz und Duft, den höchsten Wundern der Natur. Einsam entfaltete das himmlische Herz
15 sich zu einem Blütenkelch allmächtger Liebe – des Vaters hohem Antlitz zugewandt und ruhend an dem ahndungsselgen Busen der lieblich ernsten Mutter. Mit vergötternder Inbrunst schaute das weissagende Auge des blühenden Kindes auf die Tage der Zukunft, nach
20 seinen Geliebten, den Sprossen seines Götterstamms, unbekümmert über seiner Tage irdisches Schicksal. Bald sammelten die kindlichsten Gemüter von inniger Liebe wundersam ergriffen sich um ihn her. Wie Blumen keimte ein neues fremdes Leben in seiner Nähe. Unerschöpf-
25 liche Worte und der Botschaften fröhlichste fielen wie Funken eines göttlichen Geistes von seinen freundlichen Lippen. Von ferner Küste, unter Hellas heiterm Himmel geboren, kam ein Sänger nach Palästina und ergab sein ganzes Herz dem Wunderkinde:

30 Der Jüngling bist du, der seit langer Zeit
Auf unsern Gräbern steht in tiefen Sinnen;
Ein tröstlich Zeichen in der Dunkelheit –
Der höhern Menschheit freudiges Beginnen.
Was uns gesenkt in tiefe Traurigkeit
35 Zieht uns mit süßer Sehnsucht nun von hinnen.

Im Tode ward das ewge Leben kund,
Du bist der Tod und machst uns erst gesund.

Der Sänger zog voll Freudigkeit nach Indostan – das Herz von süßer Liebe trunken; und schüttete in feurigen Gesängen es unter jenem milden Himmel aus, daß tausend Herzen sich zu ihm neigten, und die fröhliche Botschaft tausendzweigig emporwuchs. Bald nach des Sängers Abschied ward das köstliche Leben ein Opfer des menschlichen tiefen Verfalls – Er starb in jungen Jahren, weggerissen von der geliebten Welt, von der weinenden Mutter und seinen zagenden Freunden. Der unsäglichen Leiden dunkeln Kelch leerte der liebliche Mund – In entsetzlicher Angst nahte die Stunde der Geburt der neuen Welt. Hart rang er mit des alten Todes Schrecken – Schwer lag der Druck der alten Welt auf ihm. Noch einmal sah er freundlich nach der Mutter – da kam der ewigen Liebe lösende Hand – und er entschlief. Nur wenig Tage hing ein tiefer Schleier über das brausende Meer, über das bebende Land – unzählige Tränen weinten die Geliebten – Entsiegelt ward das Geheimnis – himmlische Geister hoben den uralten Stein vom dunkeln Grabe. Engel saßen bei dem Schlummernden – aus seinen Träumen zartgebildet – Erwacht in neuer Götterherrlichkeit erstieg er die Höhe der neugebornen Welt – begrub mit eigner Hand der Alten Leichnam in die verlaßne Höhle, und legte mit allmächtiger Hand den Stein, den keine Macht erhebt, darauf.
Noch weinen deine Lieben Tränen der Freude, Tränen der Rührung und des unendlichen Danks an deinem Grabe – sehn dich noch immer, freudig erschreckt, auferstehn – und sich mit dir; sehn dich weinen mit süßer Inbrunst an der Mutter seligem Busen, ernst mit den Freunden wandeln, Worte sagen, wie vom Baum des Lebens gebrochen; sehen dich eilen mit voller Sehnsucht in des Vaters Arm, bringend die junge Menschheit, und

der goldnen Zukunft unversieglichen Becher. Die Mutter eilte bald dir nach – in himmlischem Triumph – Sie war die Erste in der neuen Heimat bei dir. Lange Zeiten entflossen seitdem, und in immer höherm Glanze regte
5 deine neue Schöpfung sich – und Tausende zogen aus Schmerzen und Qualen, voll Glauben und Sehnsucht und Treue dir nach – wallen mit dir und der himmlischen Jungfrau im Reiche der Liebe – dienen im Tempel des himmlischen Todes und sind in Ewigkeit dein.

10 Gehoben ist der Stein –
Die Menschheit ist erstanden –
Wir alle bleiben dein
Und fühlen keine Banden.
Der herbste Kummer fleucht
15 Vor deiner goldnen Schale,
Wenn Erd und Leben weicht,
Im letzten Abendmahle.

Zur Hochzeit ruft der Tod –
Die Lampen brennen helle –
20 Die Jungfraun sind zur Stelle
Um Öl ist keine Not –
Erklänge doch die Ferne
Von deinem Zuge schon,
Und ruften uns die Sterne
25 Mit Menschenzung und Ton.

Nach dir, Maria, heben
Schon tausend Herzen sich.
In diesem Schattenleben
Verlangten sie nur dich.
30 Sie hoffen zu genesen
Mit ahndungsvoller Lust –
Drückst du sie, heilges Wesen,
An deine treue Brust.

So manche, die sich glühend
In bittrer Qual verzehrt,
Und dieser Welt entfliehend
Nach dir sich hingekehrt;
Die hülfreich uns erschienen 5
In mancher Not und Pein –
Wir kommen nun zu ihnen
Um ewig da zu sein.

Nun weint an keinem Grabe,
Für Schmerz, wer liebend glaubt. 10
Der Liebe süße Habe
Wird keinem nicht geraubt –
Die Sehnsucht ihm zu lindern,
Begeistert ihn die Nacht –
Von treuen Himmelskindern 15
Wird ihm sein Herz bewacht.

Getrost, das Leben schreitet
Zum ewgen Leben hin;
Von innrer Glut geweitet
Verklärt sich unser Sinn. 20
Die Sternwelt wird zerfließen
Zum goldnen Lebenswein,
Wir werden sie genießen
Und lichte Sterne sein.

Die Lieb ist frei gegeben, 25
Und keine Trennung mehr.
Es wogt das volle Leben
Wie ein unendlich Meer.
Nur Eine Nacht der Wonne –
Ein ewiges Gedicht – 30
Und unser aller Sonne
Ist Gottes Angesicht.

6.

Sehnsucht nach dem Tode

Hinunter in der Erde Schoß,
Weg aus des Lichtes Reichen,
5 Der Schmerzen Wut und wilder Stoß
Ist froher Abfahrt Zeichen.
Wir kommen in dem engen Kahn
Geschwind am Himmelsufer an.

Gelobt sei uns die ewge Nacht,
10 Gelobt der ewge Schlummer.
Wohl hat der Tag uns warm gemacht,
Und welk der lange Kummer.
Die Lust der Fremde ging uns aus,
Zum Vater wollen wir nach Haus.

15 Was sollen wir auf dieser Welt
Mit unsrer Lieb und Treue.
Das Alte wird hintangestellt,
Was soll uns dann das Neue.
O! einsam steht und tiefbetrübt,
20 Wer heiß und fromm die Vorzeit liebt.

Die Vorzeit wo die Sinne licht
In hohen Flammen brannten,
Des Vaters Hand und Angesicht
Die Menschen noch erkannten.
25 Und hohen Sinns, einfältiglich
Noch mancher seinem Urbild glich.

Die Vorzeit, wo noch blütenreich
Uralte Stämme prangten,
Und Kinder für das Himmelreich
30 Nach Qual und Tod verlangten.

Und wenn auch Lust und Leben sprach
Doch manches Herz für Liebe brach.

Die Vorzeit, wo in Jugendglut
Gott selbst sich kundgegeben
Und frühem Tod in Liebesmut 5
Geweiht sein süßes Leben.
Und Angst und Schmerz nicht von sich trieb,
Damit er uns nur teuer blieb.

Mit banger Sehnsucht sehn wir sie
In dunkle Nacht gehüllet, 10
In dieser Zeitlichkeit wird nie
Der heiße Durst gestillet.
Wir müssen nach der Heimat gehn,
Um diese heilge Zeit zu sehn.

Was hält noch unsre Rückkehr auf, 15
Die Liebsten ruhn schon lange.
Ihr Grab schließt unsern Lebenslauf,
Nun wird uns weh und bange.
Zu suchen haben wir nichts mehr –
Das Herz ist satt – die Welt ist leer. 20

Unendlich und geheimnisvoll
Durchströmt uns süßer Schauer –
Mir däucht, aus tiefen Fernen scholl
Ein Echo unsrer Trauer.
Die Lieben sehnen sich wohl auch 25
Und sandten uns der Sehnsucht Hauch.

Hinunter zu der süßen Braut,
Zu Jesus, dem Geliebten –
Getrost, die Abenddämmrung graut
Den Liebenden, Betrübten. 30
Ein Traum bricht unsre Banden los
Und senkt uns in des Vaters Schoß.

Späte Gedichte und Entwürfe

1799–1800

[1.]

Novelle

5 Ein Mann hat seine Geliebte gefunden – unruhig wagt er eine neue Schiffahrt – er sucht Religion ohne es zu wissen – Seine Geliebte stirbt – Sie erscheint ihm im Geiste nun, als die Gesuchte – Er findet zu Haus ein Kind von ihr und wird ein Gärtner. / Schifferleben – Fremde
10 Länder – Meer – Himmel – Wetter – Sterne. Gärtnerleben.

[2.]

Novelle

Ein Gelehrter hat eine Frau, auf deren wissenschaftliche
15 und künstliche Bildung er sich viel zugute tut, und sie für sehr treu aus poetischem Enthusiasmus für treue Liebe hält; über deren nachherige Untreue er in große Betrübnis verfällt; worauf er um sich wieder zu erholen seine Zuflucht zu einem Dienstmädchen nimmt, die er durch
20 die Kraft seiner Bildung leicht zu überreden hofft, aber von ihrem Bräutigam, der sich statt ihrer ins Bette legt, übel empfangen und mit Schlägen wohl zugerichtet wird, also daß er zu seinem Schüler mit vieler Traurigkeit sagt: »Wollte Gott, daß es umgekehrt gewesen wäre,
25 und meine Frau die Bildung der Magd, die Magd aber die Bildung der Frau gehabt hätte, so würde ich kein Hahnrei sein und mir den Buckel schmieren lassen müssen,

denn ich sehe wohl, daß bei einem Frauenzimmer je ordentlicher und behender die Gedanken werden, desto unordentlicher und unbiegsamer werden die Begierden, und könnt Ihr, wertester Freund Euch meines Exempels zur heilsamen Lehre bedienen.« 5

[3.]

Novelle

Ein junger Offizier will gern heiraten und spricht darüber mit seinem Bruder, welcher ihm sein Vorhaben auszureden sucht. Er bleibt aber bei seinem Entschlusse 10 und verliebt sich erstlich in ein reiches Mädchen, was er nicht gesehn hat; alsdann da ihn diese ausschlägt und er sich darüber betrübt, in ein anderes artiges Frauenzimmer, ohne Vermögen, dann in eine reiche ältere Person, die ihn aus Gewissenszweifeln ausschlägt und 15 Herr[n]huterin wird. So gelangt er nach dreifacher Betrübnis zur Ruhe und Zufriedenheit mit seinem Stande und wird ein großer Dichter.

Zur Weinlese

5. Oktober 1799

Wir haben Weinmond, lieben Leute,
Und weil nicht immer Weinmond ist;
So sag ichs euch in Versen heute,
Damit es keiner nicht vergißt. –
5 Wenn Weinmond ist, so müßt ihr wissen,
Da gibt es Trauben, Most und Wein,
Und weil die armen Beeren müssen,
So sprützen sie ins Faß hinein.

Es gibt gar unterschiedne Beeren,
10 Von allen Farben trifft man sie,
Und manche hält man hoch in Ehren,
Und manche wirft man vor das Vieh.
Sie sind im Temprament verschieden
Und von gar mancherlei Statur;
15 Doch allen ist der Wein beschieden
Als Lieblingskindern der Natur.

Zu einem Stock will ich euch führen,
Das ist ein Stöckchen wie ein Taus,
Um seine Süßigkeit zu spüren
20 Sucht eine Traube euch heraus.
Ich lobe mir die braven Wenden,
Sie langen zu, und sind nicht faul,
Sie stecken gern mit beiden Händen
Die blauen Trauben in das Maul.

25 Nicht wahr, das schmeckt nicht herb und sauer?
Was gut schmeckt, weiß der Wende wohl,
Er ißt und geht gern auf die Dauer,
Und nimmt die beiden Backen voll.
Drum kann er auch nicht Worte machen,
30 Er steht voll Eifer da und kaut,

Doch sieht man ihn so schämig lachen
Als kaut er still an einer *Braut.*

Daß er den Trank anjetzt im ganzen
Verkauft, dafür kann ich euch stehn.
35 Oft wird er um den Stock noch tanzen
Und sich mit seinem Träubchen drehn.
Wer weiß ob er nicht aus dem Kerne
Ein neues Mutterstöckchen zieht,
Was viele Jahre in der Ferne
40 Zum Ruhm des alten Stockes blüht.

Der *alte Stock* wird blühn und wachsen,
Wenn man den Überfluß ihm nimmt
Und überall im Lande Sachsen
Sein Wein auf guten Tischen schwimmt.
45 Er hat noch manche reife Traube
Von andrer Art und ihm zur Last;
Es bitten Geier oder Taube
Vielleicht sich bald bei ihm zu Gast.

Daß er noch lange blüht, das weiß ich,
50 Obwohl er manches Jahr schon steht;
Denn dafür, lieben Leute, heiß ich
Ein Dichter oder ein Poet.
Ihr denkt wohl gar ich sei ein Träubchen,
Weil mich der Stock fest an sich schnürt?
55 Ich bins zufrieden, wenn ein Weibchen,
Ob ich gut schmecke, sacht probiert.

Drum weil nicht Weinmond alle Tage,
Kein solcher Stock nicht überall,
So denkt nicht heut an eure Plage,
60 Zieht eure Sorgen in den Stall.
Laßt unsern alten Weinstock leben!
Und seinen lieben Winzer da!

Und einen Kuß soll man ihm geben
Als Kandidat zur Großmama.

Das Gedicht

Himmlisches Leben im blauen Gewande
Stiller Wunsch in blassem Schein –
Flüchtig gräbt in bunten Sande
Sie den Zug des Namens ein –

5 Unter hohen festen Bogen
Nur von Lampenlicht erhellt
Liegt, seitdem der Geist entflogen
Nun das Heiligste der Welt.

Leise kündet beßre Tage
10 Ein verlornes Blatt uns an
Und wir sehn der alten Sage
Mächtige Augen aufgetan.

Naht euch stumm dem ernsten Tore,
Harrt auf seinen Flügelschlag
15 Und vernehmt herab vom Chore
Wo weissagend der Marmor lag.

Flüchtiges Leben und lichte Gestalten
Füllten die weite, leere Nacht
Nur von Scherzen aufgehalten
20 Wurden unendliche Zeiten verbracht –

Liebe brachte gefüllte Becher
Also perlt in Blumen der Geist
Ewig trinken die kindlichen Zecher
Bis der geheiligte Teppich zerreißt.

25 Fort durch unabsehliche Reihn
Schwanden die bunten rauschenden Wagen
Endlich von farbigen Käfern getragen
Kam die Blumenfürstin allein[.]

Schleier, wie Wolken zogen
30 Von der blendenden Stirn zu den Füßen
Wir fielen nieder sie zu grüßen –
Wir weinten bald – sie war entflogen.

An Tieck

Ein Kind voll Wehmut und voll Treue,
Verstoßen in ein fremdes Land,
Ließ gern das Glänzende und Neue,
Und blieb dem Alten zugewandt.

5 Nach langem Suchen, langem Warten,
Nach manchem mühevollen Gang,
Fand es in einem öden Garten
Auf einer längst verfallnen Bank

Ein altes Buch mit Gold verschlossen,
10 Und nie gehörte Worte drin;
Und, wie des Frühlings zarte Sprossen,
So wuchs in ihm ein innrer Sinn.

Und wie es sitzt, und liest, und schauet
In den Kristall der neuen Welt,
15 An Gras und Sternen sich erbauet,
Und dankbar auf die Kniee fällt:

So hebt sich sacht aus Gras und Kräutern
Bedächtiglich ein alter Mann,

Im schlichten Rock, und kommt mit heiterm
20 Gesicht ans fromme Kind heran.

Bekannt doch heimlich sind die Züge,
So kindlich und so wunderbar;
Es spielt die Frühlingsluft der Wiege
Gar seltsam mit dem Silberhaar.

25 Das Kind faßt bebend seine Hände,
Es ist des Buches hoher Geist,
Der ihm der sauern Wallfahrt Ende
Und seines Vaters Wohnung weist.

Du kniest auf meinem öden Grabe,
30 So öffnet sich der heilge Mund,
Du bist der Erbe meiner Habe,
Dir werde Gottes Tiefe kund.

Auf jenem Berg als armer Knabe
Hab ich ein himmlisch Buch gesehn,
35 Und konnte nun durch diese Gabe
In alle Kreaturen sehn.

Es sind an mir durch Gottes Gnade
Der höchsten Wunder viel geschehn;
Des neuen Bunds geheime Lade
40 Sahn meine Augen offen stehn.

Ich habe treulich aufgeschrieben,
Was innre Lust mir offenbart,
Und bin verkannt und arm geblieben,
Bis ich zu Gott gerufen ward.

45 Die Zeit ist da, und nicht verborgen
Soll das Mysterium mehr sein.
In diesem Buche bricht der Morgen
Gewaltig in die Zeit hinein.

Verkündiger der Morgenröte,
50 Des Friedens Bote sollst du sein.
Sanft wie die Luft in Harf und Flöte
Hauch ich dir meinen Atem ein.

Gott sei mit dir, geh hin und wasche
Die Augen dir mit Morgentau.
55 Sei treu dem Buch und meiner Asche,
Und bade dich im ewgen Blau.

Du wirst das letzte Reich verkünden,
Was tausend Jahre soll bestehn;
Wirst überschwenglich Wesen finden,
60 Und Jakob Böhmen wiedersehn.

Es färbte sich die Wiese grün
Und um die Hecken sah ich blühn,
Tagtäglich sah ich neue Kräuter,
Mild war die Luft, der Himmel heiter.
5 Ich wußte nicht, wie mir geschah,
Und wie das wurde, was ich sah.

Und immer dunkler ward der Wald
Auch bunter Sänger Aufenthalt,
Es drang mir bald auf allen Wegen
10 Ihr Klang in süßen Duft entgegen.
Ich wußte nicht, wie mir geschah,
Und wie das wurde, was ich sah.

Es quoll und trieb nun überall
Mit Leben, Farben, Duft und Schall,
15 Sie schienen gern sich zu vereinen,
Daß alles möchte lieblich scheinen.
Ich wußte nicht, wie mir geschah,
Und wie das wurde, was ich sah.

So dacht ich: ist ein Geist erwacht,
20 Der alles so lebendig macht
Und der mit tausend schönen Waren
Und Blüten sich will offenbaren?
Ich wußte nicht, wie mir geschah,
Und wie das wurde, was ich sah.

25 Vielleicht beginnt ein neues Reich –
Der lockre Staub wird zum Gesträuch
Der Baum nimmt tierische Gebärden
Das Tier soll gar zum Menschen werden.
Ich wußte nicht, wie mir geschah,
30 Und wie das wurde, was ich sah.

Wie ich so stand und bei mir sann,
Ein mächtger Trieb in mir begann.
Ein freundlich Mädchen kam gegangen
Und nahm mir jeden Sinn gefangen.
35 Ich wußte nicht, wie mir geschah,
Und wie das wurde, was ich sah.

Sie ging vorbei, ich grüßte sie,
Sie dankte, das vergeß ich nie –
Ich mußte ihre Hand erfassen
40 Und Sie schien gern sie mir zu lassen.
Ich wußte nicht, wie mir geschah,
Und wie das wurde, was ich sah.

Uns barg der Wald vor Sonnenschein
Das ist der Frühling fiel mir ein.
45 Kurzum, ich sah, daß jetzt auf Erden
Die Menschen sollten Götter werden.
Nun wußt ich wohl, wie mir geschah,
Und wie das wurde, was ich sah.

Der Himmel war umzogen,
Es war so trüb und schwül,
Heiß kam der Wind geflogen
Und trieb sein seltsam Spiel.

5 Ich schlich in tiefem Sinnen,
Von stillem Gram verzehrt –
Was sollt ich nun beginnen?
Mein Wunsch blieb unerhört.

Wenn Menschen könnten leben
10 Wie kleine Vögelein,
So wollt ich zu ihr schweben
Und fröhlich mit ihr sein.

Wär hier nichts mehr zu finden,
Wär Feld und Staude leer,
15 So flögen, gleich den Winden
Wir übers dunkle Meer.

Wir blieben bei dem Lenze
Und von dem Winter weit
Wir hätten Frücht und Kränze
20 Und immer gute Zeit.

Die Myrte sproßt im Tritte
Der Wohlfahrt leicht hervor
Doch um des Elends Hütte
Schießt Unkraut nur empor.

25 Mir war so bang zumute
Da sprang ein Kind heran,
Schwang fröhlich eine Rute
Und sah mich freundlich an.

Warum mußt du dich grämen?
30 O! weine doch nicht so,

Kannst meine Gerte nehmen,
Dann wirst du wieder froh.

Ich nahm sie und es hüpfte
Mit Freuden wieder fort
35 Und stille Rührung knüpfte
Sich an des Kindes Wort.

Wie ich so bei mir dachte,
Was soll die Rute dir?
Schwankt aus den Büschen sachte
40 Ein grüner Glanz zu mir.

Die Königin der Schlangen
Schlich durch die Dämmerung.
Sie schien gleich goldnen Spangen,
In wunderbarem Prunk.

45 Ihr Krönchen sah ich funkeln
Mit bunten Strahlen weit,
Und alles war im Dunkeln
Mit grünem Gold bestreut.

Ich nahte mich ihr leise
50 Und traf sie mit dem Zweig,
So wunderbarerweise
Ward ich unsäglich reich.

An Dora

Zum Dank für das Bild meiner Julie

Soll dieser Blick voll Huld und Güte
Ein schnell verglommner Funken sein?
Webt keiner diese Mädchenblüte
In einen ewgen Schleier ein?

5 Bleibt dies Gesicht der Treu und Milde
Zum Trost der Nachwelt nicht zurück?
Verklärt dies himmlische Gebilde
Nur Einen Ort und Augenblick?

Die Wehmut fließt in tiefen Tönen
10 Ins frohe Lied der Zärtlichkeit.
Niemals wird sich ein Herz gewöhnen
An die Mysterien der Zeit.
O! diese Knospe süßer Stunden,
Dies edle Bild im Heilgenschein,
15 Dies soll auf immer bald verschwunden,
Bald ausgelöscht auf ewig sein?

Der Dichter klagt und die Geliebte
Naht der Zypresse, wo er liegt.
Kaum birgt die Tränen der Betrübte,
20 Wie sie sich innig an ihn schmiegt.
Er heftet unverwandte Blicke
Auf diese liebliche Gestalt,
Daß er in sein Gemüt sie drücke
Eh sie zur Nacht hinüberwallt.

25 Wie, spricht die Holde, du in Tränen?
Sag welche Sorge flog dich an?
Du bist so gut, ich darf nicht wähnen,
Daß meine Hand dir wehgetan.
Sei heiter, denn es kommt soeben
30 Ein Mädchen, wie die gute Zeit.
Sie wird ein seltsam Blatt dir geben,
Ein Blatt, was dich vielleicht erfreut.

Wie, ruft der Dichter, halb erschrocken,
Wie wohl mir jetzt zumute ward.
35 Den Puls des Trübsinns fühl ich stocken,
Und eine schöne Gegenwart.

Die Muse tritt ihm schon entgegen,
Als hätte sie ein Gott gesandt
Und reicht, wie alte Freunde pflegen,
40 Das Blatt ihm und die Lilienhand.

Du kannst nun deine Klagen sparen,
Dein innrer Wunsch ist dir gewährt,
Die Kunst vermag das zu bewahren
Was einmal die Natur verklärt;
45 Nimm hier die festgehaltne Blüte,
Sieh ewig die Geliebte jung,
Einst Erd und Himmel, Frucht und Blüte,
In reizender Vereinigung.

Wirst du gerührt vor diesen Zügen
50 Im späten Herbst noch stille stehn,
So wirst du leicht die Zeit besiegen
Und einst das ewge Urbild sehn.
Die Kunst in ihrem Zauberspiegel
Hat treu den Schatten aufgefaßt,
55 Nur ist der Schimmer seiner Flügel
Und auch der Strahlenkranz verblaßt.

Kann jetzt der Liebende wohl danken?
Er sieht die Braut, er sieht das Blatt.
Voll überschwenglicher Gedanken
60 Sieht er sich ewig hier nicht satt.
Sie schlüpft hinweg und hört von weiten
Noch freundlich seinen Nachgesang,
Doch bleibt ihr wohl zu allen Zeiten
Der Freundin Glück der liebste Dank.

An Julien

Daß ich mit namenloser Freude
Gefährte deines Lebens bin
Und mich mit tiefgerührtem Sinn
Am Wunder deiner Bildung weide –
5 Daß wir aufs innigste vermählt
Und ich der Deine, du die Meine,
Daß ich von allen nur die Eine
Und diese Eine mich gewählt,
Dies danken wir dem süßen Wesen,
10 Das sich uns liebevoll erlesen.

O! laß uns treulich ihn verehren,
So bleiben wir uns einverleibt.
Wenn ewig seine Lieb uns treibt,
So wird nichts unser Bündnis stören.
15 An seiner Seite können wir
Getrost des Lebens Lasten tragen
Und selig zueinander sagen:
Sein Himmelreich beginnt schon hier,
Wir werden, wenn wir hier verschwinden,
20 In seinem Arm uns wiederfinden.

Alle Menschen seh ich leben
Viele leicht vorüberschweben
Wenig mühsam vorwärtsstreben
Doch nur Einem ists gegeben
5 Leichtes Streben, schwebend leben.

Wahrlich der Genuß ziemt Toren
In der Zeit sind sie verloren,
Gleichen ganz den Ephemeren[.]
In dem Streit mit Sturm und Wogen

Alle Menschen [illegible]
Viele [illegible]
Wenig [illegible]

Alle Menschen seh ich leben
Viele leicht vorüberschweben
Wenig müssen vorwärts streben
Doch nur einem ist gegeben
Schwebend leben, ~~[illegible]~~ [illegible]

Merklich der [illegible]
Und die Zeit [illegible]
[illegible]
[illegible] Strand mit Wind und Wogen
Wird der Weise fortgezogen
Kämpft er nur niemals [illegible]
Und so wird die Zeit betrogen
Endlich [illegible] Gott [illegible]
[illegible] des [illegible] Macht vernehmen

Doch ist Göttern nur gegeben
[illegible] Ihnen [illegible] der Überfluß
Daß [illegible] ist [illegible] leben
Macht zu üben nur Genuß.

10 Wird der Weise fortgezogen
Kämpft um niemals aufzuhören
Und so wird die Zeit betrogen
Endlich unters Joch gebogen
Muß des Weisen Macht vermehren.

15 Ruh ist Göttern nur gegeben
Ihnen ziemt der Überfluß
Doch für uns ist Handeln Leben
Macht zu üben nur Genuß.

In stiller Treue sieht man gern ihn walten
Nicht wie die Meisten, mag er sinnlos schweifen,
Er wünscht die dargebotne Rechte zu ergreifen
Der bessern Zukunft, und sie fest zu halten.

5 Reichfarbig wird sich diese Knosp entfalten,
Das Auge sich für ferne Welten schleifen
Zum Meister wird der treue Lehrling reifen
Und um sich her ein neues Reich gestalten.

Wie fröhlich kann dankbar ein Freund verkünden
10 Was seinem Geist sich längst vergnüglich zeigte
Wenn er des Jünglings Wandel still bedachte.

O! möchte jede Treue Treue finden
Und daß zu dem der Lilienstab sich neigte
Der Lust und Leben kranken Herzen brachte.

Während seiner Krankheit las er viel von geistlichen Schriften außer der Bibel besonders die Schriften von Zinzendorf und Lavater, die er von jeher geliebt hatte, auch arbeitete er noch im Anfang derselben teils in Zivil
5 teils an poetischen Arbeiten; so ist z. B. das 2. Sonett unter den vermischten Gedichten, aus seiner Krankheit; in den letzteren Wochen und Tagen glaubte er gewiß an baldige Genesung, da der Husten sich verminderte und er sich selbst außer Mattigkeit gar nicht krank fühlte;
10 wenn er nicht las, so durchdachte er seine Arbeiten, so daß er noch einige Tage vor seinem Tode sagte: *Wenn ich erst wieder besser bin, dann sollt ihr erst erfahren, was Poesie ist, ich habe herrliche Gedichte und Lieder im Kopfe.*

Carl von Hardenberg: Biographie seines Bruders Novalis [1802] (HKA IV,535).

Anhang

Zu dieser Ausgabe

Die vorliegende Edition umfaßt mit Ausnahme des Romans *Heinrich von Ofterdingen* und der im Romantext eingestreuten Gedichte sowie der Gedichte für den geplanten zweiten Teil des Romans – man ziehe dafür die Ausgabe von Wolfgang Frühwald in Reclams Universal-Bibliothek, Nr. 8939, Stuttgart 1965 [u. ö.], heran – das gesamte poetische Werk Friedrich von Hardenbergs, wie es in Drucken und Handschriften überliefert ist; lediglich das bisher nur unvollständig edierte Jugendwerk erscheint in einer Auswahl.
Wenn verschiedene überlieferte Fassungen voneinander abweichen, wird die jeweils letzte Fassung wiedergegeben. In der Handschrift gestrichene Texte sind also herausgenommen, Anweisungen zur Umstellung von Strophen befolgt. Nur in wichtigen Ausnahmen ist die Textentstehung im einzelnen dokumentiert. Die beiden Fassungen der *Hymnen an die Nacht* unterscheiden sich so stark, daß beide abgedruckt werden. Innerhalb der Texte unterbleiben erklärende und datierende Zusätze des Herausgebers.
Für die meisten von Hardenbergs Texten liegt keine authentische Fassung vor. Er hat nur ein einziges Gedicht, »Klagen eines Jünglings«, und die *Hymnen an die Nacht* selbst in Druck gegeben. Alle anderen Texte wurden beim Druck von seinen Freunden betreut, welche die ausdrückliche Erlaubnis und sogar die Aufforderung hatten, dort, wo sie es für nötig hielten, Korrekturen vorzunehmen. Wo die Handschriften verloren sind, müssen die Texte deshalb in der Fassung der nicht autorisierten Erstdrucke übernommen werden.
Bis heute gibt es keinen zuverlässigen Abdruck der Texte. Die für die neuere Forschung maßgebliche Edition: Novalis, *Schriften*, im Verein mit Richard Samuel herausgegeben von Paul Kluckhohn, Leipzig: Bibliographisches Institut, 1929, bietet alle Texte in modernisierter Rechtschreibung und Zeichensetzung. Dieses Verfahren wurde auch in der 2. Auflage des 1. Bandes der Schriften: *Das dichterische Werk*, Stuttgart: Kohlhammer, 1960, noch beibehalten. Aber diese Ausgabe enthält so viele Fehler, falsche Datierungen, Zeilenvertauschungen u. a., daß sie als Textgrundlage nicht mehr in Frage kommt. Bei der neu bearbeiteten 3. Auflage von 1977, revidiert von Richard Samuel, wurden die Erfordernisse einer historisch-kritischen Ausgabe berücksichtigt, doch ohne daß sich Zuverlässigkeit erreichen ließ; ich begnüge mich, Beispiele zu nennen, die

sich leicht überprüfen lassen (die Ausgabe wird im folgenden zitiert als: HKA, mit Band- und Seitenzahl der 3. Aufl. von Bd. 1 und Bd. 2, der 2. Aufl. von Bd. 3 und Bd. 4). Das Gedicht »Klagen eines Jünglings« erschien im April 1791 in der Zeitschrift *Der Teutsche Merkur*, S. 410–413; weitere Textzeugen sind nicht überliefert; doch gegenüber dem Erstdruck weist der Abdruck in HKA I,537–539 sechs Änderungen auf. Die Handschrift von »An Adolph Selmnitz« ist im Freien Deutschen Hochstift einsehbar, sie enthält vier Abweichungen gegenüber der in HKA I,385 f. abgedruckten Fassung. In »Das Gedicht« sind die eckigen Klammern am Schluß zu tilgen. In »Es färbte sich die Wiese grün« steht in V. 37 Komma statt Strichpunkt, in V. 47 und 48 sind ein Komma einzufügen – Beispiele dieser Art ließen sich mehren.
Der wiederum von Richard Samuel betreute 1. Band der Ausgabe: Novalis, *Werke, Tagebücher und Briefe*, München: Hanser, 1978, will »gesicherte Texte« bieten. Vergleicht man nun die Wiedergabe der Jugendgedichte, deren Handschriften zwar verloren sind, von denen es aber eine der Forschung bisher nicht zugängliche Abschrift gibt, mit der historisch-kritischen Ausgabe, so ist festzustellen, daß in fast keinem Gedicht die Zeichensetzung beider Ausgaben identisch ist (ob es in »Geschichte der Poesie« V. 15 *entströmet* oder *entströmte* heißen soll, ist nicht zu entscheiden, der Herausgeber hat beide Möglichkeiten angeboten). In »An Tieck« sind neun Änderungen gegenüber dem Erstdruck im *Musen-Almanach auf das Jahr 1802* zu verzeichnen. Selbst innerhalb der Ausgabe gibt es Abweichungen. Die Distichen »Blumen« stehen sowohl in Bd. 1, S. 125 f., als auch – wo sie eigentlich hingehören – in Bd. 2, S. 288 f.; dabei ergeben sich drei Abweichungen in der Kommasetzung, eine vierte Kommavariante findet sich in HKA II,483. Eine Reihe von Fehlern der historisch-kritischen Ausgabe wurde korrigiert. In »Der Eislauf« ist *Nach* in *Nacht* (V. 13) verbessert. In »An Friedrich Wilhelm« wird die falsche Zeilenwiederholung richtiggestellt, so daß V. 7 seinen originalen Wortlaut erhält; außerdem ist *Gespott* in *Gespött* (V. 21), *welche* in *welches* (V. 34) geändert; in V. 39 ist ein Komma eingefügt. In »An Carolinen« heißt es nun V. 16 richtig *des Schicksals* statt *das Schicksals*, in »Zur Weinlese« *Traube* statt *Taube* (V. 20). Doch gibt es auch neue Fehler, wenn z. B. am Beginn von »Der Fremdling« (die Handschrift ist in HKA I,400 abgebildet) wieder wie in der Ausgabe von 1960 steht *Müde bis du und kalt* statt *bist du*. In »Der Himmel war umzogen« heißt es nun fälschlich V. 34 *mit Freunden* statt *mit Freuden*. Die Veränderungen sind

offenbar rein zufällig, wenn man folgende Korrekturen beobachtet (die eine Fassung ist die der historisch-kritischen Ausgabe von 1977, die andere die der Ausgabe von 1978): »Elegie auf einen Kirchhof« *seyd – seid*; *tränenvoll – thränenvoll*; »Die Quelle« *Sonnett – Sonett*; »Badelied« *warlich – wahrlich*; »Ich weiß nicht was« *hat – hatt*; u. a. m.

Sicherheit in der Wiedergabe der poetischen Texte Friedrich von Hardenbergs wäre nur durch eine gründliche Revision der Texte zu erreichen. Solange diese nicht vorliegt, muß die historisch-kritische Ausgabe die Textgrundlage bleiben.

Die Gedichte und Entwürfe der vorliegenden Edition folgen dieser Ausgabe mit Ausnahme von »An einen friedlichen König«, »Das Bad« und »An meine Freunde«, die bislang nicht in die historisch-kritische Ausgabe aufgenommen sind; hier folgen die Texte ihrer Erstveröffentlichung durch Hans-Joachim Mähl im Anhang seines Buches *Die Idee des goldenen Zeitalters im Werk des Novalis* (1965). Die Texte der *Lehrlinge zu Sais*, der *Geistlichen Lieder* sowie der Prosafassung der *Hymnen an die Nacht* folgen den Erstdrucken, die jeweils auch der historisch-kritischen Ausgabe zugrunde liegen. Korrekturen des Herausgebers sind in den Anmerkungen an Ort und Stelle verzeichnet, ebenso die offensichtlichen Fehler in den Druckvorlagen, die zu verbessern waren.

Da die Werke Hardenbergs, wie dargelegt, in sehr verschiedener Gestalt überliefert sind, wurde die Orthographie sämtlicher Texte – von der Wiedergabe der handschriftlichen Fassung der *Hymnen an die Nacht* abgesehen (siehe S. 270 f.) – behutsam modernisiert; lediglich in einigen wenigen Fällen wurde ein älterer Akkusativ in den schon zu Hardenbergs Zeit gebräuchlichen Dativ geändert, wobei auch diese Änderungen in den Anmerkungen verzeichnet sind. Anführungszeichen wurden bei direkter Rede ergänzt, soweit sie in den Vorlagen nicht schon gesetzt waren. Nach dem handschriftlichen Befund – und auch der historisch-kritischen Ausgabe folgend – wurde ein Apostroph nur gesetzt, wo eine mißverständliche grammatische Form sonst möglich schien. Sperrungen in den Drucken erscheinen kursiv. Die Interpunktion folgt mit Ausnahme der verzeichneten Korrekturen den angegebenen Druckvorlagen. Zusätze in eckigen Klammern stammen, falls in den Anmerkungen nichts anderes vermerkt ist, vom Herausgeber der historisch-kritischen Ausgabe.

Anmerkungen

Dichtungen aus der Schulzeit (1788–1791)

Georg Philipp Friedrich von Hardenberg wurde am 2. Mai 1772 in Oberwiederstedt bei Mansfeld geboren, einem Schloß, das sich seit 1634 im Besitz seiner Familie befand und das angebaut war an ein säkularisiertes Augustinerinnenkloster (heute im Bezirk Halle, Landkreis Hettstett). Sein Geschlecht ist seit dem 12. Jh. nachgewiesen, die Ruinen der Stammburg Hardenberg in Nörten, nördlich von Göttingen, sind noch immer eindrucksvoll. Friedrich von Hardenberg wuchs in einem streng herrnhutisch ausgerichteten Elternhaus auf. Der Vater, Heinrich Ulrich Erasmus von Hardenberg (1738–1814), hatte nach dem Tod seiner ersten Frau (1769) eine »heftige Erschütterung« erlebt und Gott gelobt, »durch einen strengen Wandel« das wiedergutzumachen, was er in seiner Jugend »versäumt« habe (Sophie v. Hardenberg, 1873, S. 5). 1770 hatte er ein zweites Mal geheiratet, die zwölf Jahre jüngere Auguste Bernhardine von Bölzig (1749–1818), die einer verarmten Adelsfamilie entstammte und im Haus seiner Mutter aufgenommen worden war. Die ungleiche Ehe bewirkte ein übriges, daß Friedrichs Kindheit im Zeichen des herrischen väterlichen Bußeifers stand, der die ganze Familie einbezog.
Er war ein eher stilles und träumerisches Kind, das erst, wie Bruder Carl und Hauslehrer berichten (vgl. HKA IV,568), mit neun Jahren nach einer schweren Krankheit ungewöhnlich »empfänglich, selbsttätig, originell und phantasiereich« (HKA IV,568) wurde. Weil der Vater ihn fördern wollte, aber auch wegen einer schweren Erkrankung der Mutter kam der Junge 1783 zu seinem Onkel Gottlob Friedrich Wilhelm von Hardenberg (1728–1800), Landkomtur des Deutschritterordens auf Schloß Lucklum (zwischen Braunschweig und Helmstedt gelegen). Dies brachte ihm die Begegnung mit der Adelskultur des 18. Jh.s; er traf dort Männer, u. a. Mitglieder des Braunschweiger Hofes, die »an den Vorzügen des Standes und der Geburt« hingen; er sah »fremde Leute«, die an der Tafel über »vieles« sprachen (HKA IV,568); man machte dem intelligent wirkenden Jungen die »angenehmsten Hoffnungen eine Rolle in der Welt zu spielen« (HKA IV,309).
Zwei wichtige Bildungselemente des deutschen Geistes im 18. Jh.

finden sich somit nebeneinander: die religiöse Flucht vor der Welt und die aufgeklärte, weltfreudige Rokokogeselligkeit. Vom Vater gibt es ein Bild des Malers Anton Graff; auffällig ist der wuchtige, kahle Schädel und ein schlichtes schwarzes, bürgerliches Gewand. Ein anonymes Porträt des Onkels zeigt diesen dagegen in einer im Licht blitzenden Ritterrüstung, über die elegant der Mantel des Ordens fällt, er trägt Perücke und Zopf des Kavaliers. Die beginnende Romantik erweist sich hier tief in den Lebensformen des 18. Jh.s verwurzelt.
1785 gab der Vater das Leben des adeligen Gutsbesitzers und den Wohnsitz im Schloß auf. Er wurde Direktor der Salinen Dürrenberg, Kösen und Artern und damit kursächsischer Beamter. Die Familie übersiedelte nach Weißenfels. Die deutsche Kleinstadt und – auf die persönliche Lebensführung bezogen – das Denken in den sicheren Kategorien einer Beamtenkarriere wurde Friedrich von Hardenbergs Lebensraum, aus dem er sich nur im Verkehr mit seinen Romantiker-Freunden entfernte.
Bei Hofmeistern und in der örtlichen Lateinschule begann seine Ausbildung. Nur für wenige Monate kam er 1790 in ein Gymnasium nach Eisleben, dessen Rektor Christian David Jani eine lateinische Poetik verfaßt und Horaz herausgegeben hatte und als wissenschaftliche Kapazität galt. Hardenbergs Immatrikulation an der Universität Jena am 23. Oktober 1790 beendete eine Jugend, die ganz außerhalb der großen Zentren und der großen Schulen ablief. Dennoch finden wir ihn erstaunlich belesen und mit den wichtigsten zeitgenössischen Ideen vertraut. Der etwa Achtzehnjährige notierte sich 1790 seine Ausgaben – der größte Posten sind Bücherkäufe auf Auktionen in Naumburg und Weißenfels. Offenbar funktionierte bereits der literarische Markt, auf dem auch einfachen Leuten und interessierten Schülern aktuelle Literatur zugänglich wurde (vgl. HKA IV,4).
Schon in seinem »12ten Jahre« – so später Carl von Hardenberg in der Biographie des Bruders (1802; HKA IV,531) – begann der junge Hardenberg auf die Bildungswelt mit eigenen Versen zu reagieren. Das war nicht ungewöhnlich. Gedichte als Gaben für Gönner und Verwandte gehörten zum guten Ton. Übersetzungen und Nachahmungen der lateinischen und griechischen Klassiker wurden in den Schulen angeregt. Von den allerfrühesten Versuchen des Schülers ist nichts erhalten, doch erstaunt die Intensität, mit der sich Hardenberg zwischen seinem 17. und 19. Lebensjahr in allen literarischen Gattungen erprobte, in Gedichten unterschiedlichster Art; in Ent-

würfen, die gleichermaßen Märchen, Epos, Roman und Drama einbezogen. Erstaunlich auch die Sorgfalt, mit der er seine zahlreichen Versuche aufbewahrte, obwohl er sicher Friedrich Schlegels Urteil von 1792 teilte: »äußerste Unreife der Sprache und Versification, beständige unruhige Abschweifungen von dem eigentlichen Gegenstand, zu großes Maaß der Länge, und üppiger Ueberfluß an halbvollendeten Bildern, so wie beym Uebergang des Chaos in Welt« (HKA IV,572); Hardenberg selbst sprach schon 1791 von »buntem Jahrmarktsgewühl«, von »herrenloser Fantasie«, wenn er an seine Anfänge dachte (HKA IV,92). Trotzdem fand er sie des Aufhebens wert. Noch sein Bruder Carl schrieb als Nachlaßverwalter auf die beiden Mappen mit dem Frühwerk: »Papiere von Fritzens eigener Hand, die aufgehoben werden müssen« (HKA I,439).
Man kann sich bis heute kein vollständiges Bild von der Vorgeschichte des Dichters Novalis machen (zur Namensform »Novalis« siehe S. 270 und 316 f.). Der 1930 versteigerte Nachlaß kam zum großen Teil in die Deutsche Staatsbibliothek Berlin, wurde während des Zweiten Weltkriegs ausgelagert und ist seitdem verschollen. Es existieren zwar sorgfältige Abschriften, die bis heute aber nur stückweise und in je anderen Zusammenstellungen mitgeteilt wurden: im Anhang der 2. und 3. Auflage des 1. Bandes der historisch-kritischen Ausgabe (1960 und 1977), im Anhang des Buches von Hans-Joachim Mähl, *Die Idee des goldenen Zeitalters im Werk des Novalis* (1965), in der von Mähl und Richard Samuel herausgegebenen Ausgabe (1978) sowie im *Jahrbuch des Freien Deutschen Hochstifts 1981* in der Arbeit von Margot Seidel, »Friedrich von Hardenberg (Novalis). Die unveröffentlichte religiöse Jugendlyrik«. Die unveröffentlichten Blätter enthalten sicher keine ›Meisterwerke‹. Ein Gesamtbild zu gewinnen wäre jedoch ebenso wichtig für die Beurteilung des Autors und seiner Entwicklung wie der deutschen Literatur um 1790.
Die Fülle der Niederschriften zeigt bereits Hardenbergs Arbeitsweise. Er schreibt rasch, auf einem Blatt sammeln sich vielerlei Notizen. Es wird kein Ringen um den Stoff erkennbar, keine Mühe um die dem Stoff gemäße Form. Dabei ist die Poesie schon jetzt für ihn keine beliebige ›Nebenbeschäftigung‹; das Jugendwerk umfaßt 234 Blätter mit 460 beschriebenen Seiten (HKA I,439). Das verweist auf rege Produktion, die neben der Schule wohl die ganze Kraft des jungen Autors in Anspruch nahm. Der Hinweis, das Frühwerk enthalte nur Fingerübungen des späteren Meisters, darf über die Energie, mit der hier gearbeitet wurde, nicht hinwegtäuschen. Frei-

lich, neben vielem, was Fragment geblieben ist, kommen auch die großen Entwürfe über Ansätze nicht hinaus; es erscheint als der persönliche Stil schon des jungen Dichters, daß er immer wieder abbricht, alles liegenläßt, ganz Neues beginnt.
Trotz seiner großen Vertrautheit mit der zeitgenössischen Literatur hat Hardenberg offenbar nicht das Bedürfnis, Dichtung aus Erlebnissen, Stimmungen und Erfahrungen herauswachsen zu lassen; das Werk Goethes liegt ihm völlig fern, obwohl er gelegentlich auch Goethe und vor allem dessen *Werther* bedichtet. Sein Schaffen folgt noch den Maximen der Aufklärungspoetik, für die Dichtung nicht persönliches Bekenntnis, sondern das Ausfüllen vorgegebener Muster war. Auffällig ist aber die Sicherheit, mit der er sich seinen vielen Vorbildern nähert. Er ist zur Anregung seiner Phantasie immer auf Vorbilder angewiesen, aber er geht frei damit um, verändert sie, und oft gelingen ihm wesentliche Verbesserungen. Die Vielzahl seiner Muster zeigt, wie reich die deutsche Literatur um diese Zeit war. Ein wichtiger Aspekt dessen, was wir deutsche Klassik nennen, ist die Fülle der Ausdrucksmöglichkeiten, die Qualität der Sprachbehandlung nicht nur bei den führenden Köpfen der Zeit; sie erlaubt auch einem Anfänger in seinen besten Momenten ein erstaunliches dichterisches Niveau (was Hardenberg nicht hindert, auch sehr hölzerne Verslein des Aufhebens für wert zu halten).
Charakteristisch schließlich sowohl für den jungen Autor wie für die zeitgenössische Literatur ist die thematische Unausgeglichenheit des Werkes. Die Mentalität des Elternhauses beherrscht die erhaltenen Papiere keineswegs. Zwar versucht sich Hardenberg in den verschiedenen Formen religiöser Dichtung; er plant sogar, Klopstocks *Messias* nachahmend, ein Epos »Die Geburt Jesu«, für das er immerhin 132 Hexameter zustande bringt (abgedr. in: Seidel, 1973, S. 316–320, sowie in: Seidel, 1981, S. 267–272). Daneben aber gibt es Verse, welche die erlernte Christlichkeit verlassen und beinahe freireligiöse Positionen übernehmen, und es fehlt auch nicht eine Vielzahl von anakreontisch-frivolen Gedichten, die sich mit Behagen im Irdischen einrichten. Auf seine Weise vollzieht Hardenberg jenen Weg nach, den das 18. Jh. im ganzen gegangen war. Seine Übergangsstellung zwischen Aufklärung und Romantik macht ihn zu einer auch historisch interessanten Figur und läßt ein genaues Studium der Anfängerarbeiten, für das es bisher nur Ansätze gibt, lohnend erscheinen.
Ein vollständiger Abdruck des bisher bekannten Jugendwerkes

würde die Proportionen der vorliegenden Ausgabe sprengen. Unsere Auswahl versucht, gerade die Vielzahl von Ausdrucksformen zu berücksichtigen und die Menge der Einflüsse zu dokumentieren. Fast alle Texte entstanden 1788 und 1789, nur in Ausnahmefällen ist eine exakte Datierung innerhalb dieses Zeitraums möglich. Deshalb werden Entstehungsdaten nur dort angegeben, wo sie zweifelsfrei sind.

3 *An die Muse*

Das Vorbild, die Ode »Quem tu, Melpomene ...« von Horaz (*Carmina* IV,3), wurde im 18. Jh. öfter nachgeahmt, u. a. beginnt das früheste erhaltene Gedicht Friedrich Gottlieb Klopstocks von 1747: »Wen des Genius Blick, als er gebohren ward, / Mit einweihendem Lächeln sah [...]« (»Der Lehrling der Griechen«; F. G. K., *Oden*, Hamburg 1771, S. 75). Hardenberg kannte Horaz seit der Schulzeit in Eisleben und machte auch später immer wieder Übersetzungsversuche (vgl. HKA I,552 ff. und Mähl, 1965, S. 429 ff. und 447 ff.). Hier ersetzt er die Odenstrophe durch einfache Jamben, die Reime geraten nicht immer rein. Auch der Inhalt ist vereinfacht. Während der junge Klopstock, Horaz folgend, auf die Unsterblichkeit als Dichter hofft, wird nun das Gedicht zum Preis genügsamen Lebens.

22 Eigennutz] Eigennüz
38 ihm] ihn
42 f. Und ruft [...] herunter,] *Hs.; fehlt in HKA I,511*

11 *Kabalen:* Kabale: heimtückischer Anschlag; abgeleitet von *Kabbala*, der jüdischen Mystik des Mittelalters, die in ihrer Spätzeit in phantastische magische Zauberlehren ausartete.
21 *was Sina zollt:* was aus China kommt.
27 *Silbersaitenleier:* Weiterbildung einer typisch Klopstockschen Formulierung.
42 f. *Und ruft ... herunter:* Die beiden Verse der Hs. sind im Text der HKA weggelassen, so daß fälschlicherweise der Eindruck eines abgeschlossenen Gedichts entsteht.
43 *Merkur:* römischer Gott, hier dem griechischen Gott Hermes gleichgesetzt; dieser ist nicht nur der Götterbote und der Gott des Handels, er geleitet auch die Toten in die Unterwelt.

4 [*Gottlob! daß ich auf Erden bin*]

Die hier benützte Strophenform taucht in volkstümlichen Liedern der Zeit öfter auf. Originell ist aber, wie der z. B. bei Matthias Claudius übliche Ton des Bescheidens (»Gottlob, daß ich ein Bauer bin . . .«; *Asmus omnia sua secum portans, oder Sämmtliche Werke des Wandsbecker Bothen*, Tl. 5, Hamburg 1789, S. 112) sich zu einem ironischen Lob des Leibes wandelt.

5 *An mein Schwert*

Die Verse wirken naiv, und man hat sich angewöhnt, derartige Naivität dem Autor persönlich anzukreiden (vgl. auch Gedichte wie »An meine Schwester«, HKA I,463 f.; das »Gedicht zum [. . .] Tage des Gartenkaufs« u. a.). Es handelt sich hier aber um ein Rollengedicht: ein »Jüngling« bedichtet sein erstes »Schwert«. Auch später sind die besonders hölzern wirkenden Verse immer Texte, die in eine bestimmte kleinbürgerliche Szenerie hineingesprochen sind – inwieweit es sich da um einen gezielt auf die Situation eingehenden Ton handelt, wurde bislang nie diskutiert. Das Gedicht könnte angeregt sein durch das »Lied eines deutschen Knaben« (1774) von Friedrich Leopold Stolberg: »Mein Arm wird stark, und groß mein Muth; / Gieb, Vater, mir ein Schwert! / Verachte nicht mein junges Blut! / Ich bin der Väter werth.« (Göttinger *Musen-Almanach auf das Jahr 1775*, S. 83.) In Stolbergs Gedicht gibt es allerdings keine Sorge um die Hilfsbedürftigen, und auch die Wendung gegen die Tyrannen fehlt. Das gilt auch für Stolbergs »Lied eines alten schwäbischen Ritters an seinen Sohn. Aus dem 12ten Jahrhundert« (Göttinger *Musen-Almanach auf das Jahr 1775*, S. 19–24).

5 *Elegie auf einen Kirchhof*

Im Gefolge von »An Elegy written in a Country Churchyard« (1749) von Thomas Gray, deutsch zuerst im Göttinger *Musen-Almanach auf das Jahr 1771*, entstand eine reichhaltige Friedhofsliteratur, zu der Hardenberg einen späten Beitrag lieferte. Auffällig ist der Schluß. Anderswo, etwa in Friedrich Matthissons »Elegie, auf einem Gottesacker geschrieben« – erstmals unter dem Titel »Elegie«

1781 im 2. Band der Zeitschrift *Deutsches Museum*, Einlage mit Melodie nach S. 570, erschienen –, ist es nämlich gebräuchlich, von der Jugend als »seliger«, »sorgenfreier« Zeit zu reden; Hardenberg behauptet in einem Tagebuchblatt von 1790, seine Jugend sei »leider« anders gewesen, er habe an sich selbst jene »traurigste Lage« erfahren, »sich unterdrückt, mißhandelt und von Eigensinn und Laune gefesselt [. . .] und in elende, drückende menschliche, bürgerliche Verhältnisse sich gespannt zu sehn« (HKA IV,3).

8 vereint?] vereint
14 dahin,] dahinn

9 *Trauermyrten:* Myrte: eine immergrüne Pflanze, die als Brautschmuck verwendet wird (vgl. Anm. zu »Geschichte der Poesie«, V. 8), aber auch bei der Beerdigung Unverheirateter.

6 *Die Kahnfahrt*

Variiert wird »Die Kahnfahrt« (1777) von Friedrich Matthisson; die beiden letzten Strophen lauten dort (F. M., *Gedichte*, hrsg. von Gottfried Bölsing, Bd. 1, Tübingen 1912, Bibliothek des Literarischen Vereins in Stuttgart, Bd. 257, S. 17 f.):

Flügle rascher den Kahn, nervichter Jünglingsarm!
Daß uns Feld und Gebüsch schneller vorüberflieh'!
Jenes grünende Eiland
Winkt zum fröhlichen Traubenmahl!

Seht! wir fliegen heran! Nachtigallton entbebt
Allen Zweigen umher! Auf! den Pokal bekränzt!
Tiefer funkelt im Westen
Schon der freundliche Abendstern!

Die viel genauer gesehene Landschaft ist ebenso Hardenbergs eigene Zutat wie die erotische Wendung, die auf den starken erotischen Einschlag vieler späterer Dichtungen vorausweist.

3 *Grazien:* von lat. *gratia* ›Anmut, Liebreiz‹; antike Göttinnen, bei den Griechen *Charites*, bei den Römern *Gratiae* genannt. »Den Grazien [*Aglaja*, *Thalia* und *Euphrosyne*] waren allenthalben Tempel und Altäre errichtet; – um ihre Gunst flehte jedes

Alter und jeder Stand; – ihnen huldigten Künste und Wissenschaften; – auf ihren Altären zündete man täglich Weihrauch an; – bei jedem frohen Gastmahl waren sie die Losung, und man nannte mit Ehrfurcht ihre Nahmen.« (Karl Philipp Moritz, *Götterlehre oder mythologische Dichtungen der Alten*, Berlin 1791; 2., unveränd. Ausg. 1795, S. 239.)

4 *Apollos:* Apollon, der Sohn des Zeus und der Leto, einer der großen griechischen Götter, der mit seinen Pfeilen die Frevel der Menschen sühnt und der den Tod bringt, gleichzeitig heilt er aber auch die Wunden und weissagt den Ratlosen; er ist ein Gott des Lichtes und als Gott der schönen Künste Anführer der Musen; sein Name wird in der neueren Literatur zum bloßen Versatzstück für ›Gott der Poeten‹.

11 *Hesperus:* griech. *Hesperos*, Bezeichnung für den Planeten Venus, den »Abendstern«.

6 *Bei dem Falkenstein*

Falkenstein, »eine der eindrucksvollsten und besterhaltenen Burgen des Harzes« (Georg Dehio, *Handbuch der deutschen Kunstdenkmäler. Der Bezirk Halle*, bearb. von der Abt. Forschung des Instituts für Denkmalpflege, Darmstadt ²1978, S. 101), liegt in der Nähe von Hardenbergs Geburtsort Oberwiederstedt. Die Burg wird gefeiert unter reichhaltiger Benutzung von Klopstockschen Vokabeln (»Tuiskons Enkel«; »Stimme des Vaterlandes«, »die herrlichem Tode / Sie entgegenriß«; »Greise mit schneeigem Haupthaar« u. a.). Im Vossischen *Musen-Almanach auf das Jahr 1787* (Hamburg), S. 3, stand ein Gedicht von Friedrich Matthisson auf die Heidelberger Schloßruine: »Elegie in den Ruinen eines alten Bergschlosses geschrieben«, das oft nachgeahmt wurde. Um zu sehen, wie in Hardenbergs Hexametergedicht Klopstocks Odenstil zur Formel erstarrt, ist Hölderlins 1788 vollendetes, ebenfalls in Hexametern geschriebenes Gedicht »Die Teck« beizuziehen. Hölderlin beschwört mit der Stammburg der württembergischen Herzöge zwar ebenfalls »Trümmer der Vorzeit«, begibt sich dabei aber auf seinen eigenen, völlig neuen poetischen Weg. In dem öfter zum Vergleich beigezogenen Gedicht von Friedrich Leopold Stolberg: »Hellebeck, eine Seeländische Gegend« (1776), senden zwar einige »fromme Seelen« der Vorzeit dem Dichter »Empfindungen« und dichterische »Begeistrung« (*Deutsches Museum*, 1776, S. 766 und

769), erst bei Hardenberg und Hölderlin aber wird die Erinnerung an die Vergangenheit zum Ansporn, sich der Gegenwart aktiv zuzuwenden.

12 schneeigem] schneeigen
13 himmlischem] himmlischen

2 *silbernen Zeiten:* Seit Hesiods Epos *Werke und Tage* (8./7. Jh. v. Chr.) gibt es eine durchgängige Tradition, welche die Geschichte der Menschheit als beständigen Abstieg versteht: Das goldene Geschlecht des Beginns war noch eine direkte Schöpfung der Götter, sorglos lebend, ohne Arbeit und ohne zu altern. Im silbernen Geschlecht, das ebenfalls noch von den Göttern abstammt, bricht Streit unter den Menschen aus; weil diese den Göttern Opfer verweigern, werden sie in die Erde entrückt. Am Ende der Entwicklung steht das fünfte, das eiserne Geschlecht, das böse ist, grausam und lieblos. Diese Vorstellung geht in vielfältigen Variationen durch die abendländische Literatur.
3 *Thuiskons:* Der von Tacitus »Tuisto« genannte ›erdgeborene‹ Gott der Germanen (»celebrant [. . .] Tuistonem deum terra editum«; *Germania* II) wird als »Thuiskon« von Klopstock in seiner gleichnamigen Ode von 1764 wieder in die Literatur eingeführt.
11 *Schwans:* Schwan: Vogel des Apollon. Horaz hatte in einem im 18. Jh. oft aufgegriffenen Bild seine eigene Unsterblichkeit verkündet, indem er sich als »singenden Schwan« über die Welt fliegen ließ (*Carmina* II,20).
Läufer des Eises: Schlittschuhläufer; vgl. Anm. zu »Der Eislauf«.

7 *Der Harz*

Die Ode preist nach dem Vorbild Klopstocks, der aus Quedlinburg stammt, den Harz als Heimat. Sie folgt Friedrich Leopold Stolbergs Ode »Der Harz« (1772), von der sie zahlreiche Stichworte übernimmt (z. B. rühmt auch Stolberg in der vorletzten Strophe »Klopstocks mächtige Harfe«), deren Strophenform sie allerdings vereinfacht. Zu vergleichen ist etwa Str. 6–9 mit Stolbergs Str. 6: »Dein wohlthätiger Schooß, selten mit goldenem / Fluche schwanger, verleiht nützendes Eisen uns, / Das den Acker durchschneidet, / Und das Erbe der Väter schützt.« (Göttinger *Musen-Almanach auf das Jahr 1774*, S. 176.) Hardenberg scheidet allerdings alle bardischen Namen (der Harz als »Cheruskaland«, als »Land Teuts« usw.) aus, ebenso Stolbergs moralische Anwendung im Preis »teutonischer Keuschheit« und im Lob der »silbernen Greise«. Statt dessen spricht er ausführlich von den Bergwerken. Sein Vater hatte ihn früh auf Dienstreisen zu den Salinen mitgenommen. Daß die Nützlichkeit der Natur so betont wird, erinnert nochmals an Naturgedichte der frühen Aufklärung, etwa an Carl Friedrich Drollingers »An sein Vaterland« (C. F. D., *Gedichte*, Basel 1743, S. 81–90).

8 Deutschen] Deutscher

1 *die andre Schar:* die Kuppen und Bergzüge des Gebirges.
10 *Lasten:* Geröll.

9 *Der Eislauf*

Klopstock war ein begeisterter Schlittschuhläufer und hatte diesen Sport privat und in Gedichten so lebhaft empfohlen, daß er bei vielen jungen Leuten zur Mode wurde, vgl. Goethe, *Dichtung und Wahrheit*, 3. Teil, 12. Buch. Hardenberg übernimmt nicht nur die Überschrift einer Klopstock-Ode von 1764, er ahmt auch die Strophenform und einzelne Formulierungen nach. Dennoch bleibt ihm der feierliche Odenklang völlig fern. Er schreibt einfache, klare Sätze, die eher in ein anakreontisches Gedicht als in eine Ode passen.

13 Nacht] Nach

5 *Flügel:* Klopstock nennt die Schlittschuhe »Flügel am Fuß« und spricht vom »Flügelschwunge des Stahls« (F. G. K., *Oden*, Hamburg 1771, S. 200 und 249).
6 *Hermes:* Der griechische Götterbote wird mit Flügelschuhen dargestellt.

9 *An den Tod*

Kaum einmal sonst hat sich Hardenberg so eng an Klopstock angeschlossen wie in diesem Gedicht, das pietistische Vorstellungen vom Sterben ausschreibt. Zu verweisen wäre etwa auf den

11. Gesang des *Messias*. Nach dem Tod des mit Jesus gekreuzigten Räubers, der Buße getan hat, heißt es von dessen Engel (V. 847–853): »Abdiel hielt sich nicht mehr. Er hatte die Seele des Jünglings, / Wie sie mit himmlischem Glanze bekleidet wurde, gesehen. / Und er kam ihr, strahlend vor Wonne der innigsten Liebe, / Strahlend vor höherer Wonne, daß sie erlöst sey! entgegen. / Thränen rannen vom Auge des Himmlischen, als ihm der Sünder, / Welcher Buße gethan, und Gott sich geheiliget hatte, / Auch entgegen eilte [. . .].« (F. G. K., *Der Messias* [1748–73], Ausg. Altona 1780, S. 327.) Im Gedicht bauen zwei Vergleiche die über mehrere Strophen fortgesponnene Argumentation auf: Wie den Seraph Lust erfüllet – So werd ich mich freuen; Gleich der Puppe des Schmetterlings – wird auch die Seele fliehen.

1 Wie den] Wie der
4 Bunde,] Bunde.

1 *Seraph:* von Klopstock mit Vorliebe zur Bezeichnung der Erzengel gebraucht, z. B. *Messias* I,55 f.: »Und der Seraph, der Jesus auf Erden zum Dienste gesandt war, / Gabriel nennen die Himmlischen ihn [. . .].« (Ebd., S. 3.)

10 [*Allmächtiger Geist, Urquell aller Wesen*]

Ein sprachlich und metrisch eher dürftiges Gedicht, das in einer Auswahl aber nicht fehlen sollte, denn es gibt einen Hinweis auf die persönliche Entwicklung des jungen Autors, der sich am Beginn der neunziger Jahre offenbar weit von seinen pietistischen Anfängen entfernte und einer radikalen Aufklärung näherte. Das Gedicht könnte, wie Samuel vermutet (HKA I,737), angeregt sein durch Karl Wilhelm Ramlers »Allgemeines Gebet. Eine Rhapsodie« (K. W. R., *Lyrische Gedichte*, Berlin 1772, S. 368 f.). Ramler beginnt: »Zu dir entfliegt mein Gesang, o ewige Quelle des Lebens! / O du, von den Lippen danksagender Weiser Jehova gegrüßet / Und Oromazes und Gott!«

4 bist du] bis du
29 stählt den Mann, der] stählt, den Mann der
35 schwachem] schwachen

2 *Zeus:* als auf dem Olymp thronender ›Vater des Himmels‹ höchster griechischer Gott, der die Himmelskörper ordnet, Gesetze gibt und die Eide garantiert.
Oramazes: Ormuzd, moderne Namensform von *Ahura Mazda* (altiran., ›der weise Herr‹), der höchsten Gottheit Zoroasters.
Brama: in den indischen Religionen das Absolute; die Kraft, welche die Welt hervorbringt und erhält; schon in vorbuddhistischer Zeit wird Brahma auch als Schöpfergott verehrt.
Jehova: der Gott des Alten Testamentes; der gebräuchliche Name geht zurück auf eine falsche Lesung des Wortes *Jahve*, das im hebräischen Text mit den Vokalzeichen von *Adonai* versehen wird, da der Name Gottes nicht niedergeschrieben werden durfte.

3 *Äon:* Zeitalter, hier als Epoche der Menschheitsgeschichte. Vgl. Goethes *Faust* II,11583 f.: »Es kann die Spur von meinen Erdentagen / Nicht in Äonen untergehn.«

6 *Elysium:* im griechischen Mythos der Ort der Seligen innerhalb der Unterwelt, abgegrenzt durch Lethe, den Strom des Vergessens.

7 *Tempe:* vom Fluß Peneios geschaffenes enges Tal in Nordgriechenland, zwischen hohen Felswänden findet sich eine üppige Vegetation; schon im Altertum wird »Tempe« zum Topos für eine besonders schöne Landschaft.

10 *Sirius:* der hellste Stern im Sternbild Canis Major, schon von den Ägyptern benützt, um die Zeitrechnung festzulegen.

11 *Myriaden:* von griech. *myrias* ›zehntausend‹, Myriade; unzählige.

24 *Fülle der Empfindung in das Herz:* Hardenberg greift die pietistische Weiterbildung der biblischen Formel von der *abundantia cordis* (Mt. 12,34) auf, die in der Empfindsamkeit des 18. Jh.s das überströmende Liebesgefühl von Mensch zu Mensch bezeichnet; in Goethes *Werther* diente sie zur Formulierung des »pantheistischen Natur- und Weltgefühls des beginnenden Sturm und Drang«; in dem Aufsatz »Über die Fülle des Herzens« von Friedrich Leopold Stolberg im *Deutschen Museum* (1777) wird damit der »Naturoptimismus des von der Herrschaft der Vernunft und sentimentaler Reizbarkeit freien, starken und genialen Einzelmenschen« ausgedrückt. »Der eigentliche Dichter der ›Fülle des Herzens‹ ist Novalis.« Funktion des Topos in der Romantik ist es, »das Natur- und Liebesgefühl ins Trunken-Ekstatische und ins Kosmisch-Unendliche zu entgrenzen und als

solches zugleich die Lebensform und das Werk des Dichters zu bestimmen«. (Max L. Baeumer, »›Fülle des Herzens‹. Ein biblischer Topos der dichterischen Rede in der romantischen Literatur«, in: *Jahrbuch der Deutschen Schillergesellschaft*, Bd. 15, Stuttgart 1971, S. 133–156, hier S. 140, 155, 147, 156.)

40 *finstern Augustin:* Gemeint ist der Kirchenlehrer Augustinus. Platonische Vorstellungen, wie sie durch Augustinus in die christliche Anthropologie eingeführt wurden, hat Hardenberg in seinem Gedicht »An den Tod« ausdrücklich übernommen.

12 *Die Quelle*

Der Name »Molly« (V. 9) zeigt den Zusammenhang, in den das Gedicht gehört. Unter diesem Namen bedichtete Gottfried August Bürger seine Schwägerin und spätere Frau Auguste Leonhard (gest. 1786), von der er schon 1783, noch zu Lebzeiten seiner ersten Frau, ein Kind hatte, das in der Nähe von Weißenfels, in Langendorf, aufwuchs. Bürger galt als einer der interessantesten deutschen Autoren seiner Zeit. Schillers berüchtigte Kritik, die Bürger als Dichter und als Mensch vernichtete und auch Hardenberg von seiner ersten Begeisterung abbrachte (vgl. HKA IV,100), erschien erst im Januar 1791. Im Mai 1789 weilte Bürger für einige Zeit in Langendorf. Hardenberg suchte seine Bekanntschaft und richtete insgesamt 6 Gedichte an ihn. Auch die Sonettform scheint auf die Anregung Bürgers zurückzugehen; die im Frühjahr 1789 erschienene 2. Auflage von Bürgers *Gedichten* enthielt mehrere Sonette (vgl. Anm. zu »Das süßeste Leben«).

5 *Philomele:* im 18. Jh. übliche Bezeichnung für die Nachtigall. Daß Hardenberg der mythologische Hintergrund bewußt war, möchte man bezweifeln. Samuel weist zwar darauf hin, daß Philomele »von dem Mann ihrer Schwester Prokne vergewaltigt und in eine Nachtigall verwandelt« wurde (HKA I,718) – doch eine Anspielung dieser Art, noch dazu in Verbindung mit dem Namen Molly, wäre wohl eher geschmacklos zu nennen.

13 *An Agathon*

Anspielung auf die Hauptfigur des Romans *Geschichte des Agathon* (1766/67) von Christoph Martin Wieland. Das Gedicht liegt noch in vier anderen Fassungen vor (vgl. »An Filidor«, HKA I,499 f. und 720).

13 *Das süßeste Leben*

Es handelt sich um eines der wenigen genauer datierbaren Gedichte. Es steht auf der Rückseite eines Briefes an Gottfried August Bürger vom 27. Mai 1789 und muß um diese Zeit entstanden sein. Bürger hatte in der Vorrede der im Frühjahr 1789 ausgelieferten 2. Auflage seiner *Gedichte* die Sonettform empfohlen und erklärt, besonders sein »junger vortrefflicher Freund, August Wilhelm Schlegel«, habe »Sonnette verfertigt, die das eigensinnigste Ohr des Kenners befriedigen müssen« (G. A. B., *Gedichte*, Bd. 1, Göttingen 1789, S. 26).

8 *Hütte:* Der Gegensatz zwischen »Hütte« und »Palast« ist ein weit verbreiteter Topos. »Palast« steht dabei für Öffentlichkeit, Verdorbenheit, rücksichtslosen Kampf; »Hütte« für Abgeschiedenheit und Ruhe, Vertrautheit, Freundschaft.

10 *Ruinen:* Seit etwa 1760 vermehren sich in Mitteleuropa die mit großer Raffinesse natürlich gehaltenen englischen Parks, im Unterschied zu den streng geometrisch angelegten französischen Parkanlagen; einer ihrer wichtigsten Bestandteile sind künstliche Ruinen.

11 *Karolinen:* Hardenbergs Schwester hieß Caroline – ob sie gemeint ist, bleibt unklar.

12 *Oberon:* 1780 erschienene Verserzählung von Christoph Martin Wieland. Dieser galt jüngeren Literaten der Zeit, besonders dem Göttinger Hainbund, als Verkörperung von Frivolität; so wurde er gegenüber Klopstock entschieden abgelehnt. Dem jungen Hardenberg fehlt jede Einseitigkeit, er folgt je nach Gelegenheit Wieland ebenso wie Klopstock.

13 *milchgefüllten Schale:* Die recht nüchternen jugendlichen Sänger der Zeit schwärmten zwar mit Vorliebe vom Wein, bei den eigenen Treffen aber berauschten sie sich an Milch und Kaffee. Johann Heinrich Voß berichtet am 20. September 1772 seinem Freund und Mentor Ernst Theodor Johann Brückner von der

Gründung des Göttinger Hainbundes: »Wir überließen uns ganz den Empfindungen der schönen Natur. Wir aßen in einer Bauerhütte eine Milch, und begaben uns darauf ins freie Feld. Hier fanden wir einen kleinen Eichengrund, und sogleich fiel uns allen ein, den Bund der Freundschaft unter diesen heiligen Bäumen zu schwören.« (Zit. nach: *Der Göttinger Hain*, hrsg. von Alfred Kelletat, Stuttgart 1967 [u. ö.], Reclams Universal-Bibliothek, Nr. 8789 [5], S. 349.)

14 *An He[rrn August Wilhelm] Schlegel*

Das Gedicht hat August Wilhelm Schlegel nie erreicht; erst Friedrich Schlegel schrieb im Januar 1792 an seinen Bruder: »Die schöne Heiterkeit seines Geistes drückt er [Hardenberg] selbst am besten aus da er in einem Gedicht sagt, ›die Natur hätte ihm gegeben immer freundlich himmelwärts zu schauen‹. Dieses Gedicht ist ein Sonett welches er an Dich gemacht, weil er Deine Gedichte sehr liebt. – Es ist aber schon vor einigen Jahren gemacht« (HKA IV,572). In der im Frühjahr 1789 erschienenen 2. Auflage seiner *Gedichte* hatte Bürger nicht nur Schlegels Sonette gelobt, sondern auch selbst ein Sonett »An August Wilhelm Schlegel« geschrieben (G. A. B., *Gedichte*, Bd. 1, Göttingen 1789, S. 262). Hardenberg benützt in seinem Gedicht in den Quartetten gekreuzte Reime, wie sie Schlegel in seiner im Herbst 1789 ausgelieferten Petrarca-Übersetzung im Göttinger *Musen-Almanach auf das Jahr 1790* verwendet hatte. Um diese Zeit wird das Gedicht also entstanden sein. Freundschaftsgedichte solcher Art waren vor allem im Göttinger Hainbund weit verbreitet; alle Gedichtbände der Zeit sind voll davon. Die Freundschaft der Dichter mußte oft genug die fehlende Resonanz des Publikums ersetzen; der zwischen Unbekannten – die Anrede »Herr« deutet darauf hin – überraschend vertraut klingende Ton braucht deshalb nicht zu verwundern.

1 [Nr. 2] leise] leise,
4 [Nr. 4] süßen, freundlichen Genuß] süßen freundlichen, Genuß

1 [Nr. 1] *Arkadien:* Der Anfang variiert Schillers Gedicht »Resignation«, erschienen 1786 in der Zeitschrift *Thalia*: »Auch ich war in Arkadien geboren, / Auch mir hat die Natur / An meiner Wiege Freude zugeschworen [. . .].«

11 [Nr. 1] *uns gebar:* Schlegel stammt wie die Familie Hardenberg aus dem Gebiet von Hannover. Besser erklärt wird die Stelle aber durch die Vermutung Minors (1911) S. 61, das erste Sonett sei ursprünglich an Bürger gerichtet gewesen; »dann wäre natürlich der Harz gemeint, die Geburtsorte von Bürger und Novalis (Oberwiederstedt und Molmerswende/Harz) liegen ja nur vier Wegstunden auseinander«. So läßt sich auch die Ähnlichkeit des 1. und 4. Sonetts erklären, letzteres ist eine Neufassung des Bürger-Gedichts für August Wilhelm Schlegel.

9 [Nr. 3] *Ehrenhold:* Nach Jacob und Wilhelm Grimm, *Deutsches Wörterbuch*, Bd. 3, Leipzig 1862, Sp. 61, ist das Wort »offenbar entstellt« aus *Herold*; besonders in der frühneuhochdeutschen Sprache wird es öfter benützt und gelegentlich auch im 18. Jh., z. B. bei Hamann, aufgegriffen.

16 *Armenmitleid*

Im poetischen Werk Hardenbergs hat das Gedicht keine Parallele. Gedichte wie »Der Harz« oder »Rundgesang zum Neuen Jahre« (HKA I,477–479) verurteilen nur beiläufig die verderbliche Wirkung des Goldes. Daß der Dichter zum Sachwalter der Armen wird, könnte angeregt sein durch »Das Mangeljahr« von Johann Heinrich Voß, der den Dichter auffordert: »Zerschmettere der Speicher Schloß und Riegel, / Und zwäng' hervor des Labsals Überfluß: / Wie aus zerbliztem Fels dem starren Hügel / Entströmt der Quell' Erguß.« (J. H. V., *Sämtliche Gedichte*, Tl. 4, Königsberg 1802, S. 10.)

1 Sange] Sange,

16 *An Friedrich II.*

Friedrich II. starb am 17. August 1786. Er hatte 1785 den Fürstenbund ins Leben gerufen zur Abwehr der Hausmachtpolitik Josephs II., der Bayern gegen die österreichischen Niederlande tauschen wollte. Joseph verzichtete daraufhin auf diese Gebietsabrundung. In dem Gedicht folgt Hardenberg mit einiger Verspätung dem Beispiel Karl Wilhelm Ramlers, des wichtigsten Lobsängers des preußischen Königs; während Ramler aber meist antike Strophen benützt, bleibt Hardenberg bei gereimten Jamben.

23 f. *leihe / Mir deinen Geist:* Bei Ramler heißt es, nachdem er sich gewünscht hat, für Friedrich »den Großen« (1766) die gleiche Funktion haben zu dürfen, die Horaz für Kaiser Augustus hatte: »Götter! wäre doch ich dieser beneidete / Barde! selber zu schwach, aber durch meinen Held, / Und die Sprache gestärkt [...].« (K. W. R., *Oden*, Frankfurt/Leipzig ²1781, S. 5.)

17 *Cäsar Joseph*

Hardenberg präzisiert meist literarische Vorbilder, doch seine politischen Gedichte bleiben unverbindlich. Der Beginn von Klopstocks Ode auf Joseph II., »An den Kaiser« (Hamburger *Musen-Almanach*, 1783, S. 60–62), nennt z. B. die ersten Reformdekrete des Kaisers, Hardenberg begnügt sich mit eher allgemeinen Formulierungen. Bei Klopstock ist auch die strikt antipapistische Haltung und die Klage über die Knechtung freier Deutscher durch Rom stärker ausgebildet. Hardenberg dagegen interessiert sich weniger für einen bestimmten Kaiser und seine Reformpolitik als für die eigene Idee, die er von diesem Kaiser hat.

8 Grazien.] Grazien
22 welchem] welchen

5 *Theresia:* Maria Theresia starb 1780. Joseph II. regierte 1765–90, zunächst als Mitregent seiner Mutter, nach deren Tod wurde er einer der wichtigsten Vertreter des aufgeklärten Absolutismus.
6 *Smintheus Denis:* eine etwas unglückliche Formulierung. Smintheus ist ein Beiname des Apollon. Johann Nepomuk Michael Denis (1729–1800), Wiener Dichter und Übersetzer Ossians, hat sich aber vor allem als »deutscher Barde« verstanden und versucht, in der Nachfolge Klopstocks die griechischen Götternamen durch »germanische« zu ersetzen. Er selbst nannte sich »der Barde Sined« (Anagramm aus: Denis).

18 *Auf Josephs Tod*

Eines von mehreren Gedichten, die auf den Tod Josephs II. am 20. Februar 1790 begonnen, aber nicht vollendet wurden. Bemerkenswert ist die Höherbewertung des Kaisers gegenüber Friedrich II.

1 *Pierinnen:* Pieriden, ein Beiname der Musen nach der in Makedonien am Fuß des Olymp gelegenen Landschaft Pierien; die hier gebrauchte Form des Namens ist nach Minor (1911) S. 54 die im 18. Jh. übliche.

5 *Aberglauben:* Hardenberg macht sich später selbst lustig über die Strenge, mit der er im Stil der Berliner Aufklärung in seiner Jugend gegen den »Aberglauben« und gegen »der Schwärmerey Brut / Die Mönche« (zit. nach: Samuel, 1930, S. 21) gekämpft hat. Das Gedicht »Ans Kloster in Ruinen« (HKA I,469) ereifert sich in ähnlicher Weise (Str. 2 und 3):

Wie gut ists daß du Ungeheuer
Doch endlich einst gefallen bist
Wo einst bestritt mit Schwerdt und Feuer
Die Wahrheit Finsterniß und List.

Wo stolze Priester unterdrückten
Die Jugend und auch die Natur
Und das verdammte Schwerd auch zückten
Auf jede Klugheits Weisheitsspur.

19 *An Friedrich Wilhelm*

Das Gedicht an Friedrich Wilhelm II., den Neffen und Nachfolger Friedrichs II. auf dem preußischen Thron (reg. 1786–97), ist ein Dokument einer im ausgehenden Jahrhundert öfter zu beobachtenden Wende. Frühere Fürstendichtung ist allein preisender Natur. Karl Wilhelm Ramler, der sich wünschte, zum Vergil Friedrichs II. werden zu können, lobte seinen König unbedenklich als »den Eroberer, den Großen« (K. W. R., *Oden*, Frankfurt/Leipzig [2]1781, S. 4). Besonders seit den Anfängen Klopstocks aber wird Fürstendichtung zum kritischen Entwurf eines neuen Herrscherbildes; der König soll »Menschenfreund« sein, der Eroberungen verachtet, »keines Höflings bedarf« und nur geliebt werden will »vom glückseligen Volk« (F. G. K., *Oden*, Hamburg 1771, S. 121 f.). Hardenberg folgt nicht Ramler, dem preußischen Hauspoeten, sondern Klopstock.

7 Und mit Weihrauch empfängt von Gott,] Und den Ehrenbezeugungen *falsche Wiederholung von Z. 5; hier und im folgenden verbessert nach Mähl (1965) S. 443*

21 Gespött] Gespott füllt;] füllt
34 welches] welche
39 delphischen,] Delfischen

8 *auf der Waagschal wog:* vgl. in Klopstocks Ode auf »Friedrich den Fünften« (1750), König von Dänemark: »Wie das ernste Gericht furchtbar die Wage nimmt / Und die Könige wägt« (F. G. K., *Oden*, Hamburg 1771, S. 122).

18 f. *Lorbeerkränze, gerühmt ... nur von Törichten:* Johann Friederich von Cronegk dichtete in diesem Sinn von Friedrich II.: »Ihr könnt von Friedrichs Lorbeern singen, / Erhabne Dichter künft'ger Zeit! / Ihn trägt der Ruhm auf ew'gen Schwingen / Zum Tempel der Unsterblichkeit.« (J. F. v. C., *Sämtliche Schriften*, Bd. 2, Karlsruhe 1776, S. 207.)

25 *Ägide:* Ägis: »ein Thier von abscheulicher und ungeheurer Gestalt, so von der Erden war hervorgebracht worden [...] [und] alles verwüstete [...]. Dieses schädliche Ungeheuer ward von der Minerva durch ihre Stärcke und Klugheit erleget, und umgebracht, und nachdem sie ihm die Haut abziehen lassen, machte sie sich daraus einen Brust-Harnisch, überzog auch damit ihren Schild, welche Waffen alle Gewalt abhielten« (Johann Heinrich Zedler, *Großes Vollständiges Universal-Lexicon Aller Wissenschafften und Künste*, Bd. 1, Halle/Leipzig 1732, Sp. 633). In der *Ilias* (4,167; 17,593) ist die Ägis die Waffe des Zeus, die der Schmiedegott Hephaistos angefertigt und mit Bildern geschmückt hat; wenn Zeus sie im Kampf schüttelt, hüllt sich alles in Wetterwolken.

26 *Palmen:* Schon im griechischen Altertum, in der Theseus- und Herakles-Sage, taucht die Palme als Siegeszeichen auf. Nach Joh. 12,13 wird Jesus beim Einzug in Jerusalem mit Palmzweigen begrüßt, so daß die Palmsymbolik auch im Christentum eine bedeutende Rolle spielt.

28 *vom Vater:* Friedrich Wilhelms II. Vater war August Wilhelm, Prinz von Preußen, der jüngere Bruder Friedrichs II. Er diente als Offizier in den beiden Schlesischen Kriegen und erhielt zu Beginn des Siebenjährigen Krieges ein eigenes Kommando als General der Infanterie, in dem er aber völlig versagte.

29 *der Buhlerin Reiz verschmäht:* Die Bemerkung ist im historischen Rückblick nicht ohne pikanten Reiz. Friedrich II. störten am Thronfolger vor allem dessen ausgeprägte erotische Bedürfnisse; neben der offiziellen gab es später noch zwei morganati-

sche Ehen, dazu ein lebenslanges Verhältnis mit Wilhelmine Rietz, der Tochter eines Trompeters und Frau eines Kammerdieners, die zur Gräfin in Lichtenau erhoben wurde.

39 *delphischen [Kränze]:* Ein Kranz von Lorbeerblättern aus dem Tempetal war der Siegespreis in den alle acht Jahre stattfindenden pythischen Spielen zu Ehren Apollons in Delphi.

42 *Friedrichs Wetteiferer:* Friedrich Wilhelm II. möge seinen Onkel Friedrich II. (d. Gr.), der sich vor allem im Krieg auszeichnete, nun als Friedensfürst übertreffen.

20 *An einen friedlichen König*

Die fast schon pazifistisch anmutende Haltung des Gedichts ist ein Erbe Klopstocks. – Der Text, nicht in HKA I aufgenommen, folgt Mähl (1965) S. 440.

4 betrübt,] betrübt
8 bewußt,] bewußt

11 *Bilde des Eroberers:* vgl. in Klopstocks Ode auf »Friedrich den Fünften«: »Niemals weint' er am Bild eines Eroberers, / Seines gleichen zu seyn!« (F. G. K., *Oden*, Hamburg 1771, S. 121.)

23 *von Orionen:* Auch Klopstock benützte das Sternbild des Orion, um die Größe des Weltalls zu bezeichnen. In »Die Frühlingsfeyer« (2. Fass. 1771) preist er die Erschaffung der Welt, die er als einen Tropfen im »Ozean der Welten« sieht: »Als ein Strom des Lichts rauscht', und unsre Sonne wurde! / Ein Wogensturz sich stürzte wie vom Felsen / Der Wolk' herab, und Orion gürtete, / Da entrannst du, Tropfen! der Hand des Allmächtigen!« (Ebd., S. 32.)

21 *Die Erlen*

Aus den anakreontischen Gedichten Hardenbergs wurden vier ausgewählt. In der Dissertation von Wolf (1928) über Hardenbergs Jugendgedichte, der einzigen größeren Darstellung dieses Komplexes, die es bis heute gibt, war noch zu lesen, »daß die Fahrt durch diese Untiefen nicht nur langweilig, sondern, gerade wegen der Seichtigkeiten, auch mühsam ist« (S. 90). Man wird diesen Eindruck nicht mehr teilen, doch es fehlt bis heute eine genauere Untersuchung, die ohne vollständige Edition sämtlicher Anakreontika auch nicht möglich ist. Ob die Wertung von Mähl (1965) S. 447: »Natürlich ist der dichterische Wert – wie bei den Jugendarbeiten überhaupt – gering«, Bestand haben wird, bleibt zu prüfen – nach den bisher vorliegenden Proben möchte man es eher bezweifeln. Auf jeden Fall sind diese Gedichte eine wichtige Brücke zwischen der Anakreontik der siebziger Jahre und den in der romantischen Dichtung so zahlreich auftauchenden anakreontischen Motiven, von denen auch das spätere Werk Hardenbergs voll ist (vgl. Alfred Anger, *Literarisches Rokoko*, Stuttgart 1962, S. 38–42).

9 Erlen,] Erlen

22 *Badelied*

Verwendet sind ausschließlich gängige Motive, die aber auf charakteristische Weise weitergebildet werden. Samuel hat, um Hardenbergs »Überlegenheit« zu zeigen, auf Gedichte von Stolberg und Jacobi verwiesen (HKA I,722). Doch das »Badelied zu singen im Sunde« (1777) von Friedrich Leopold Stolberg ist kein anakreontisches Gedicht, sondern tatsächlich eine Aufforderung zum Baden: »Auf, Jünglinge, tauchet / Die Glieder ins Meer! / [...] / O rühmliche Wonne, / Mit Mond und mit Sonne / Zu baden im Meer!« (*Gesammelte Werke der Brüder Christian und Friedrich Leopold Grafen zu Stolberg*, Bd. 1, Hamburg 1827, S. 160). Wichtiger ist der Vergleich mit Johann Georg Jacobis »Venus im Bade« (J. G. J., *Sämtliche Werke*, Bd. 1, Karlsruhe 1780, S. 109), dessen letzte Verse lauten: »Kömmt ein Mädchen, sich zu kühlen, / An den Teich: so wird es fühlen, / Was kein Mädchen noch empfand.« Hardenberg hört mit diesem Mädchenbild nicht auf, sondern schließt die Vorstellung des eigenen Entkleidens und der eigenen »Lust« an. Im *Ofterdingen* wird er diese Badeszene breit ausführen (vgl. HKA I,196 f.). Offenbar lagen Hardenberg gerade die gewagten Stücklein. Minor (1911) S. 42 berichtet von einem bis heute nicht veröffentlichten Text: »In einer höchst lasziven Ballade probieren die Liebenden die Ehe, nach dem 20ten Mal entsteht ein Streit, ob 20- oder 21mal? also beginnen sie von vorn.«

4 von neuem] von neuen

23 *Das Bad*

Das Gedicht ist zweiteilig. Acht Verse erzählen von Amor und den Nymphen, acht weitere Verse bringen die Anwendung auf »die Mädchen« und den Dichter selbst. Auffällig ist die Beherrschung des Enjambements, das eine enge Verschlingung der daktylischen Verse ermöglicht und die Sinnschritte klar hervortreten läßt. – Der Text, nicht in HKA I aufgenommen, folgt Mähl (1965) S. 461.

7 hellem] hellen

23 *Ich weiß nicht was*

Im letzten Drittel des 18. Jh.s meint der Begriff »Ballade« meist im Anschluß an Gottfried August Bürger und Thomas Percy »ein ungewöhnliches, oft handlungsreiches, vielfach dämonisch-spukhaftes und meist tragisches Geschehen aus Geschichte, Sage oder Mythos« (Gero von Wilpert, *Sachwörterbuch der Literatur*, Stuttgart [5]1969, S. 64). Hardenberg hält sich dagegen an die romanische Tradition. *Ballata* (*ballada*) meint da ein Tanzlied. Refraingedichte dieser Art gibt es in der zeitgenössischen Literatur öfter. Bei Johann Friederich von Cronegk, *Sämtliche Schriften*, Bd. 2, Karlsruhe 1776, finden sich z. B. die Gedichte »Ich weis nicht was« (S. 245 f.), »Ich weis nicht wie« (S. 247 f.), »Das weis ich schon« (S. 280 f.). Nirgends wird die witzige Zweideutigkeit so eindeutig gemacht wie hier bei Hardenberg.

24 *An meine Freunde*

Nach einer allgemeinen Einleitung sprechen vier Strophen von den Unterdrückungen, denen die »Freunde« in Deutschland ausgesetzt sind: durch Tyrannen, stolze Priester, Kriege, den Zwang zur Unterwürfigkeit. Vier weitere Strophen fordern zur Flucht nach Tahiti und zur Gründung eines Natur-Staates auf. Winfried Volk, *Die Entdeckung Tahitis und das Wunschbild der seligen Insel in der deutschen Literatur*, Heidelberg 1934, und Horst Brunner, *Die poetische Insel. Inseln und Inselvorstellungen in der deutschen Literatur*, Stuttgart 1967, ist zu entnehmen, daß im Anschluß an Georg Forsters Bericht von seiner Weltreise mit dem englischen Kapitän

James Cook die Vorstellung von »Tahiti« als paradiesischer Insel, zu der die »Europamüden« fliehen konnten, um ihre Utopie zu verwirklichen, weit verbreitet war. Originell in diesem Gedicht ist allerdings die enge Verbindung von Fürstenkritik und Auswanderungsplänen. Dies ist doch ein sehr anderer Ton, als man ihn z. B. bei Friedrich Wilhelm Gotter findet: »Und o! die Kunst, bey ländlichrohen Speisen / Der Fürstentafeln eitlen Überfluß / Froh zu entbehren; wie die alten Weisen, / Sich gleich zu bleiben im Genuß.« (F. W. G., *Gedichte*, Bd. 1, Gotha 1787, S. 3). Auffällig ist auch die Wertung der Südseevölker: Wilde, bei denen sich die Europäer ungestört zivilisierend entfalten dürfen – der Imperialismus des 19. Jh.s war im allgemeinen Bewußtsein längst vorbereitet. – Der Text, nicht in HKA I aufgenommen, folgt Mähl (1965) S. 452. Ein zweites Gedicht »An meine Freunde« siehe HKA I,516.

32 nützt.] nüzt

23 *Taiti:* Tahiti.
26 *Orpheus:* thrakischer Sänger, dessen Kunst auch die Tiere, die Pflanzen, die Steine und sogar die Götter der Unterwelt verzauberte.

25 *Geschichte der Poesie*

Seit Herbst 1790 studierte Hardenberg in Jena und lernte nun Schiller, mit dessen Werk er längst vertraut war, auch persönlich kennen. Drei Briefe an Schiller zeigen, wie sehr er beeindruckt war. »Sein Blick warf mich nieder in den Staub und richtete mich wieder auf«, schrieb er am 5. Oktober 1791 an Karl Leonhard Reinhold (HKA IV,94). Das Gedicht liegt noch in einer anderen, kürzeren Fassung vor. Es hat, ebenso wie das folgende Gedicht »Klagen eines Jünglings«, Metrum und Strophenform von Schillers »Die Götter Griechenlands« (1788), und es übernimmt eine Vorstellung, die Schiller in »Die Künstler« (1799) so formuliert hatte: »Die Auswahl einer Blumenflur, / Mit weiser Wahl in einen Strauß gebunden, / So trat die erste Kunst aus der Natur.«

8 *Myrte:* der Aphrodite (Str. 4) heilige Pflanze, die seit dem Altertum als Brautschmuck verwendet wurde.
Zephir: griech. *Zephyros*, der Westwind, im griechischen My-

thos Sohn des Titanen Astraios und der Göttin Eos, der Morgenröte; erscheint öfter in der anakreontischen Dichtung.

13 *Philomele:* die Nachtigall (vgl. Anm. zu »Die Quelle«, V. 5).

18 *Huldin:* kann sich auf die Nachtigall (Str. 2) oder schon auf die Poesie (Str. 4) beziehen – beides geht in der griechischen Dichtung und Philosophie ineinander über. Die Nachtigall, der Frühlingsbote (»So wie die Nachtigall [. . .] / Dasitzt, grünlich fahl, in den dichten Blättern der Bäume / Mit ihrem schönen Gesang, wenn der Frühling eben sich einstellt«; Homer, *Odyssee* 19,518–520; übers. von Roland Hampe), gilt auch als Erfinderin des Gesangs, gelegentlich der Musik überhaupt: »Die Menschen sind in den wichtigsten Dingen Schüler der Tiere geworden [. . .], [so] die Nachtigall im Gesang, und zwar auf dem Wege der Nachahmung« (Demokrit B 154; übers. von Hermann Diels). Der Dichter Bakchylides bezeichnet sich selbst als »honigsüße Nachtigall von Keos«.

27 *Aphrodite:* Nach Hesiod, *Theogonie* 194 f., entsteht Aphrodite, die Göttin der Liebe, aus dem Meerschaum (griech. *aphros*), der den abgeschnittenen Phallos des Uranos einhüllt; in Paphos auf Zypern steigt sie ans Land: »Aus stieg dort die Göttin, die hehre, herrliche; Blüten / Sproßten unter den Schritten der Füße [. . .]« (übers. von Hermann Diels).

26 *Klagen eines Jünglings*

Vom gesamten poetischen Werk wurde außer den *Hymnen an die Nacht* nur dieses eine Gedicht schon zu Hardenbergs Lebzeiten publiziert. Wieland veröffentlichte es im April 1791 im *Neuen Teutschen Merkur*, S. 410–413, gezeichnet »v. H***g.«. Es entstand im Februar/März 1791 und schließt damit die Jugendlyrik ab.

9 Röte] Röte, *HKA; verbessert nach Erstdr.*
12 Im beseeltern] Im beseelterm
22 herunter haucht] herunterhaucht *HKA; verbessert nach Erstdr.*
39 Glanze] Glanze, *HKA; verbessert nach Erstdr.*

20 *Ganymeda:* Der Name und das Metrum des Gedichts sind von Schiller übernommen, der in den Anmerkungen zu »Die Götter Griechenlands« (1788) erläutert: »Hebe. Ihr älterer Nahme war Ganymeda sagt Pausanias.« Hebe: die Göttin der Jugend.

25 *Zypris Tauben:* Weil sie in Paphos auf Zypern (griech. *Kypros*) geboren ist (vgl. Anm. zu »Geschichte der Poesie«, V. 27), dient *Kypris* als Beiname der Aphrodite; sie wird häufig abgebildet auf einem mit Tauben gezogenen Wagen.

29 *Grazien:* vgl. Anm. zu »Die Kahnfahrt« (V. 3).
Musen: im griechischen Mythos Töchter des Zeus und der Mnemosyne, Göttinnen der Künste und Wissenschaften, angeführt durch Apollon Musagetes; gewöhnlich werden neun Musen genannt.

38 *Eines edlen Dulders:* Gemeint ist Schiller. Dieser mußte im Januar 1791 seine Vorlesung über »Europäische Staatengeschichte« abbrechen, weil er schwer erkrankt war. In Norddeutschland kursierte schon das Gerücht, er sei gestorben. Hardenberg war ihm auch persönlich nahe genug gekommen, um weiter in seinem Haus zu verkehren. Er übernahm Nachtwachen bei dem Schwerkranken – sie dienten ihm zur Reflexion seines ganzen bisherigen Lebens. Paul Kluckhohn hat die wichtigsten Dokumente der Begegnung beider gesammelt (P. K., »Schillers Wirkung auf Friedrich von Hardenberg«, in: *Euphorion* 35, 1934, S. 507–514).

57 *Parze:* Parzen, die antiken Schicksalsgöttinnen. »*Klotho* hält den Rocken, *Lachesis* spinnt den Lebensfaden, und *Atropos* mit der furchtbaren Scheere schneidet ihn ab.« (Karl Philipp Moritz, *Götterlehre oder mythologische Dichtungen der Alten*, Berlin 1791; 2., unveränd. Ausg. 1795, S. 34.)

29 *Der Teufel*

»Als Beispiel für eine Reihe kleinerer Verserzählungen, die sich im Nachlaß finden, gelte die Geschichte in Versen, ›Der Teufel‹. Hier verbindet sich Bürgers Stil mit dem von Rost [. . .], Hagedorn und Langbein und dem der Franzosen Dorat und Lafontaine. Hardenberg hat auch auf dies Stückchen besonderen Wert gelegt, da es in verschiedenen, leicht geänderten Abschriften vorliegt. Ebenso sind Ton und Genremalerei nicht vorübergehend, sie werden fast ein Jahrzehnt später im Gartenkaufgedicht [. . .] wieder aufgenommen« (Samuel; HKA I,453). Das »Gartenkaufgedicht« siehe S. 51–53.

32 kein] ein
35 manchem] manchen

8 *Avertissement:* (frz.) Ankündigung.
27 *männiglichen:* nach Grimms *Deutschem Wörterbuch* (Bd. 6, Leipzig 1885, Sp. 1591–93) ein altertümliches Wort, zurückgehend auf ahd. *mannalîh*, nur gelegentlich noch in der neueren Literatur belegt, so besonders bei Christoph Martin Wieland in der Bedeutung von ›Mann für Mann, jeder‹.
31 *Auditoren:* Zuhörer.
35 *hocus-pocus:* abgeleitet wahrscheinlich von der von fahrenden Schülern gebrauchten, im 16. Jh. bezeugten (pseudolateinischen) Zauberformel »Hax, pax, max, Deus adimax«; Bezeichnung für die von unverständlichen Reden begleiteten Tricks der Taschenspieler.
39 *bel esprit:* (frz.) Schöngeist.

31 *Fabeln*

Auch mit diesen Texten greift Hardenberg auf eine im 18. Jh. weit verbreitete Form zurück. Die Fabel stellt mit Hilfe von Tier- und Naturwesen menschliche Eigenschaften satirisch dar, so daß der Leser daraus allgemeine Lehren ziehen kann. Hardenberg besaß Lessings *Fabeln. [...] Nebst Abhandlungen mit dieser Dichtungsart verwandten Inhalts* (1759) in seiner Bibliothek (vgl. HKA IV,694, Nr. 83). Lessing hatte in seinen Abhandlungen über die Fabel eine besondere »epigrammatische Zuspitzung« verlangt, um die sich auch Hardenberg bemüht. Seine Fabeln sind ein wichtiges Verbindungsglied zwischen der Aufklärungsdidaktik und jener »Rehabilitation der Fabel« (Sengle), die während der Biedermeierzeit zu beobachten ist. Eine spätere Notiz Hardenbergs korrigiert seine frühere Vorliebe für die Fabel: »Fabel – Maximum der poetischen, populairen Darstellung der Philosophie der Ersten Periode – oder der Philosophie im Naturstand – der vereinzelten Philosopheme der Ersten Kultur oder *Formation* – nicht reine ursprüngliche Poesie – sondern künstliche – zur Poesie gewordne Philosophie. Zur schönen Kunst gehört sie nicht« (HKA II,570 f.).

34,5 [Nr. 10] Sache.] Sache

34,19 f. *ehgestern:* ehegestern, vorgestern; Belege für dieses in der neuhochdeutschen Sprache kaum mehr verwendete Wort gibt Grimms *Deutsches Wörterbuch* (Bd. 3, Leipzig 1862, Sp. 42) vor allem aus der mittelhochdeutschen und frühneuhochdeutschen Literatur.

35,6 *Ephemeris:* Bezeichnung für ein Lebewesen, das nur einen Tag lebt.

35 *Giasar und Azora*

Die Erzählung ist wichtig als früher Entwurf des Märchens von Hyazinth und Rosenblüte (S. 77 ff.). Ein Vorbild hat sich bisher nicht nachweisen lassen, doch entsprechen die Namen, die Einzelheiten der Handlung und der Erzählstil Christoph Martin Wielands *Dschinnistan, oder Auserlesene Feen- und Geister-Mährchen*, 3 Bde., Winterthur 1786–89, wo übrigens auch gelegentlich Druiden auftauchen, so Bd. 2, S. 95 ff. und 150 ff.

36,28 hatte] hätte
37,36 unendlichem] unendlichen
38,21 bei weitem] bei weiten

35,19 *Druid:* keltischer Priester, auch Wahrsager, Sterndeuter, Richter, Erzieher, Heilkundiger; im 18. Jh. wurden fälschlicherweise auch den germanischen Völkern solche Druiden zugeschrieben.

35,27 *sich ... Rats erholten:* sich Rat holen; in Verbindung mit dem Genitiv in der neueren Literatur nur selten verwendet, so z. B. bei Gellert: »aus einem alten Fabelbuche / aus dem ich mich rats zu erholen suche« (Jacob und Wilhelm Grimm, *Deutsches Wörterbuch*, Bd. 3, Leipzig 1862, Sp. 854).

36,36 *Contes:* (frz.) Erzählungen; angespielt wird auf Buchtitel wie die in Deutschland beliebten *Contes de ma mère l'Oye* (1697) von Charles Perrault oder *Contes et nouvelles en Vers* (1665–85) von Jean de La Fontaine.

37,36 *Fibern:* Fasern.

38,15 *Grazien:* vgl. Anm. zu »Die Kahnfahrt« (V. 3).

Gedichte aus der Tennstedter und Freiberger Zeit (1794–1799)

Hardenbergs Jugenddichtung endete mit »Klagen eines Jünglings« und der Bitte um mehr »Energie des Geistes« (ebd., V. 64); aber zur richtigen Konzentration fand er in den nächsten Jahren nicht. Das Studium der Jurisprudenz, das er im Herbst 1790 in Jena aufnahm, sollte eine höhere Beamtenlaufbahn eröffnen. Er hoffte aber lieber auf Protektion und »eine reiche Parthie« und glaubte, »ein tiefes Studium [...] nicht eben sehr nöthig zu haben« (HKA IV,309). Schiller war es, der ihn auf Bitten der Familie eines Besseren belehrte und zu intensiver Arbeit aufforderte. So wechselte er im Oktober 1791 voll guter Vorsätze an die Universität Leipzig. Seit er in Jena Friedrich Schiller kennengelernt hatte, damals Geschichtsprofessor, und Karl Leonhard Reinhold (1728–1823), der als erster in Deutschland Vorlesungen über die Philosophie Kants hielt, weiteten sich seine Interessen. Philosophie und Geschichte begannen ihn zu fesseln, und das Selbstbewußtsein stieg. Auf einem Notizblatt vom Herbst 1793, in dem er verzeichnet, wer in den verschiedenen Wissensgebieten wichtig ist, heißt es lakonisch: »Philosophie: Schiller, Herder, Lessing, Ich selbst, Kant. [...] Geschichte: Schiller, Tacitus, Ich« (HKA IV,4).

In Leipzig lernte Hardenberg den entscheidenden Freund seines Lebens kennen. Friedrich Schlegel war nur zwei Monate älter, aber geistig noch erregter und anregender, ein scharfer Kritiker von Gedanken und Menschen, ein Mann, dem pausenlose »Progression« wichtiger war als systematische Ausarbeitung. Hardenberg wirkt daneben bedächtiger, ist auch stärker religiös bestimmt. Das Verhältnis der beiden Männer geriet oft in Spannungen, aber vor allem in ihrem – nicht immer regelmäßigen – Briefwechsel und in ihren Gesprächen bildete sich das Lebensgefühl und die Kunstauffassung der frühen Romantik.

Das Fachstudium stand für Hardenberg auch in Leipzig nicht an erster Stelle, und zum geistigen Umherschweifen kam anderes. Eine wirre Liebesgeschichte und Schulden führten im Frühjahr 1793 zum Streit mit dem angeblich über alle Standesdünkel erhabenen Vater, den die Möglichkeit einer Mesalliance in heftige Wut brachte. Friedrich widersprach zunächst, gab aber dann nach. Auflehnung lag ihm nicht. Er konnte sich weder im persönlichen noch im wissenschaftlichen Bereich in ungeordneten Verhältnissen einrichten. So ging er an die kleine Universität Wittenberg, wo er rasch sein Studium beendete und im Sommer 1794 – anders als viele Literaten seiner Generation – Examen machte. »Mich treibt eine Sehnsucht nach einer Anstellung«, schrieb er dem Vater (HKA IV,136) und hatte dabei den preußischen Staatsdienst im Auge. Der Weg ins Enge war gebahnt, als er zur Vorbereitung eine Verwaltungslehre im sächsischen Bergwerksamt Tennstedt antrat. Die Ausflüge ins Weite, Vielfältige schienen beendet. Er wurde ein emsiger, gewissenhafter Lehrling, nicht unbedingt auf dem Weg nach Sais.

Mehr als drei Jahre einer intensiv gelebten Studienzeit haben im poetischen Werk keine Spuren hinterlassen. Es gibt Hinweise, daß er auch jetzt weiterschrieb, aber sie sind vage; jedenfalls blieb kein einziges Blatt erhalten. Nach der ungehemmten Schreiblust der Schulzeit also ein längeres Verstummen. Dichtung als große Konfession der eigenen Mühen, Wirren und Glücksgefühle – das gibt es bei diesem Autor nicht. Persönliche Erlebnisse waren kein unmittelbarer Anstoß für seine Phantasie.

Neue Gedichte entstanden erst seit September 1794, in den Ferien zwischen Examen und Dienstantritt – es ist nicht erst die Begegnung mit Sophie von Kühn, die ihn wieder zum Sprechen bringt. Von dem Gedicht »Walzer« an enthält die vorliegende Ausgabe das gesamte poetische Werk (vgl. S. 190 f.). Den ersten Abschnitt bilden jene Gedichte, die zwischen September 1794 und Frühjahr 1799 entstanden sind. Es ist die Zeit vom zweiten Aufbruch aus dem Elternhaus in Weißenfels bis zur endgültigen Rückkehr dorthin (im Mai 1799); es ist die Zeit vom Beginn der Lehrzeit in der Salinenverwaltung bis zum Ende des Studiums an der Bergakademie, also die Jahre der eigentlichen Berufsausbildung; und es ist die Zeit kurz vor der ersten Begegnung mit der zwölfjährigen Sophie von Kühn, in die er sich verliebt, die er heiraten will, die aber bereits 1797 stirbt und ihn in eine große Krise stürzt, bis zu jenem Augenblick, in dem er ein anderes junges Mädchen kennenlernt und sich ausdrücklich in der Welt zurückmeldet: »Der müde Fremdling ist verschwunden . . .«

Hardenbergs Werk aus dieser Zeit sieht anders aus als die Biographien, die über ihn geschrieben wurden. Die Liebe des großäugigen Romantikers zu der kindlichen Braut, die er so liebte, daß er ihr am liebsten nachsterben wollte, regte den Wortreichtum an. Doch wo die Biographen üppig sind, da bleibt der Autor selbst bemerkenswert karg. Es gibt kein einziges an die Freundin persönlich gerichtetes Liebesgedicht. Er reflektiert zwar über seine Liebe, aber er

schreibt dann wieder keine Gedichtzeile über ihren Tod (die Verse im Totenbuch von Grüningen, die in den meisten Novalis-Ausgaben stehen, wurden in die vorliegende Edition nicht aufgenommen; es gibt keinen Hinweis, daß sie von Hardenberg stammen). Auch die zahlreichen Begegnungen mit Ideen und Personen, mit Fichte und Hölderlin, mit August Wilhelm und Caroline Schlegel, mit Friedrich und Dorothea Schlegel, mit Goethe, Schiller, Jean Paul und vielen anderen schlagen sich nicht direkt im Werk nieder. Hardenberg ist ein Mann des Gesprächs, der begeisternd zu diskutieren versteht und vor allem redend seine Ideen entwickelt. Sprechen sei ihm zum Denken fast unentbehrlich, schreibt er in einem seiner letzten Briefe – vielleicht gerade deshalb finden die Entwicklungsjahre zwischen 1794 und 1797 ihren literarischen Niederschlag nicht in poetischen, sondern in philosophischen und naturwissenschaftlichen Schriften. In diesen Schriften vollzog sich nach Abschluß des Universitätsstudiums die eigentliche geistige Ausbildung. Es ist nötig, dies wenigstens im Umriß zu skizzieren, um den Weg zu verfolgen, der zu den späteren Dichtungen führt.
Obwohl Hardenberg sich vorgenommen hatte, sich »nicht, wie ein Spießbürger, allzu enge Gränzen« zu machen (am 1. August 1794 an Friedrich Schlegel; HKA IV,140), dauerte es ein volles Jahr, ehe er mit den »Einleitungsstudien« für sein »ganzes künftiges Leben« begann (am 12. November 1795 an den Bruder Erasmus; HKA IV,159). Seit Herbst 1795 las er die Werke Fichtes, den er zusammen mit Hölderlin im Mai 1795 auch persönlich kennenlernte. In den folgenden Monaten, während die Krankheit der Braut in ein entscheidendes Stadium trat, füllte er Hunderte von Seiten mit Fichte-Studien. Der »aufstrebende Selbstdenker« (am 14. Juni 1797 an Friedrich Schlegel; HKA IV,230) bildete sich, indem er den wichtigsten philosophischen Ansatz dieser Jahre schreibend nachzuvollziehen versuchte. In der philosophischen Reflexion sollte ein absoluter Grund gefunden werden für das »künftige Leben«. Erst im Sommer 1797, nach dem Tod Sophies, als er nach zweijähriger Pause den Kontakt mit Friedrich Schlegel neu knüpfte und intensiv Goethe las, kam es zur Abkehr von Fichte. Vor allem der holländische Philosoph Frans Hemsterhuis (1721–90) führte ihn heraus aus dem »furchtbaren Gewinde von Abstractionen« (an Friedrich Schlegel, ebd.) und lehrte ihn, seine eigentliche Aufgabe zu formulieren. Denn bei Hemsterhuis fand er ausgesprochen, »daß im Innern des Menschen Fähigkeiten und Organe schlummern, die durch die einseitige Kultur der Verstandeskräfte verschüttet sind, die es aber

zu entwickeln gilt, um das wahre Wesen der Welt, ihre unsichtbare Ordnung und Harmonie zu erfassen und in Beziehung zu ihr zu treten« (Mähl; HKA II,313 f.). Und Hardenberg wurde zurückverwiesen an die Poesie, der Hemsterhuis die Kraft zusprach, als höheres Erkenntnisorgan die in der äußeren Erscheinungswelt verborgene Einheit aller Dinge wieder erfahrbar zu machen.
Seit Herbst 1797 änderte sich auch die Form der Niederschriften. Aus Lektürenotizen wurden romantische Fragmente, »Sämereyen« (HKA II,463), die einen Gedankengang nicht abschließend dokumentieren, sondern vorläufig festhalten und zum Weiterdenken auffordern. Philosophie, Religion, Politik und Physik waren Themen, die ihn beschäftigten. Aus dem umfangreichen Material, das sich sammelte, machte er im Frühjahr 1798 eine Auswahl, die, bearbeitet durch Friedrich Schlegel, unter dem Titel *Blütenstaub* im April im ersten Heft der von den Brüdern Schlegel herausgegebenen Zeitschrift *Athenaeum* erschien. Der erste Satz schon zeigt das Problem: »Wir suchen überall das Unbedingte, und finden immer nur Dinge« (HKA II,413) – beides zu vermitteln, zu lernen, wie man die »Dinge« nicht überfliegt, sondern *in* ihnen die Spuren des Unbedingten entdeckt, das wurde zum Thema von Hardenbergs Werk. Eine zweite Publikation vom Sommer 1798 versuchte direkt, Wirklichkeit zu poetisieren, d. h. in den Horizont des Unendlichen zu stellen: *Glauben und Liebe* (mit Distichen, die Friedrich Schlegel von Hardenbergs Manuskript trennte und separat im Juniheft der *Jahrbücher der Preußischen Monarchie* unter dem Titel *Blumen* veröffentlichte, während *Glauben und Liebe* im Juliheft erschien). Preisend angeredet wird der neue preußische König Friedrich Wilhelm III. und seine Frau Luise, entworfen wird dabei aber das Ideal einer republikanischen Monarchie, in der alle Bürger thronfähig sind und der König nur das »Urbild« (HKA II,493, Nr. 30) des »vollständigen Menschen« (HKA II,497, Nr. 38) darstellt, nach dem sich alle bilden. Inwieweit solche Fragmente von ihrer Form her zum poetischen Werk gehören, weil sie selbst in Bildern denken, eher assoziativ als argumentativ vorgehen, ist hier nicht zu erörtern, doch muß auf diesen Aspekt wenigstens hingewiesen werden.
So viel Unstetigkeit, Flüchtigkeit, Unrast die Biographie Hardenbergs auch haben mag, der seinen Aufenthaltsort ebenso oft wechselt wie die Gegenstände, denen er sich zuwendet, so bürgerlich fest bleibt sie dennoch. Der geistige Aufbruch des Romantikers Novalis, der sich in diesen Jahren vollzieht, die Produktion jener »Sämereien«, die seitdem immer wieder fruchtbar geworden sind, ge-

schieht mitten in einem sorgfältig und gewissenhaft erledigten Arbeitsleben, zunächst in der Salinenverwaltung, dann im Studium an der Akademie. Es ist ein Leben, in dem Hardenberg, auch wenn er wie jeder andere manchmal seine Lage beklagt, sich ›fixiert‹ fühlt und das er nie in Frage stellt. Das Thema seines Denkens ist zugleich die persönliche Leistung seines Lebens.

Hier schreibt kein »freier Schriftsteller«, der ein organisches Ganzheitsdenken entwickeln müßte, weil er sich von der Gesellschaftsordnung seiner Zeit distanziert (so Hans-Joachim Heiner, *Das Ganzheitsdenken Friedrich Schlegels. Wissenssoziologische Deutung seiner Denkform*, Stuttgart 1971); hier entsteht Romantik nicht aus der Abwehr einer als unerträglich empfundenen Alltagswelt, aus »Ungenügen an der Normalität« (so Lothar Pikulik, *Romantik als Ungenügen an der Normalität. Am Beispiel Tiecks, Hoffmanns, Eichendorffs*, Frankfurt a. M. 1979), sondern in bewußter Hinnahme, geistiger Überwindung, Öffnung des bürgerlichen Alltags.

Die Gedichte, die in diesen Aufbruchsjahren entstanden, spiegeln nur wenig von der Entwicklung des Autors. Oft fehlt jeder besondere Höhenflug. Selten dienen sie der ganz persönlichen Standortsicherung. Sie sind ausnahmslos an andere gerichtet, also Gelegenheitsgedichte, die auf den Ton der Zuhörer und Adressaten eingehen und das, was begabte Dilettanten leisten, oft kaum übersteigen. Solche Gedichte auszulassen würde das Bild Hardenbergs verfälschen, der mit seiner ganzen poetischen Existenz eingebettet bleibt in die Banalität des Alltags. Erst in einem späteren Abschnitt seines Werks, als er die Wanderjahre hinter sich hat, beginnen auch in der Lyrik die großen Sinndeutungen.

39 *Walzer*

Entstanden im September 1794, als die Brüder Hardenberg ausgelassene Ferienwochen in Weißenfels verbrachten. Das Gedicht mit seinem Preis der Liebe und der Geselligkeit knüpft unmittelbar an die frühen Gedichte an, führt Hardenbergs anakreontische Dichtung aber zu einem Höhepunkt und Abschluß. Das Metrum ist vom Inhalt bestimmt, die Daktylen ahmen den Walzerschritt nach. »Die Aufforderung [. . .], die Mädchen fester ans klopfende Herz zu drücken, hatte ihre revolutionären Untertöne. Denn der Walzer, der damals gerade erst recht in Mode kam, war kein Gesellschaftstanz höfischer Provenienz mehr, sondern hier bildeten zwei Tänzer eine kleine Welt für sich, aneinander gepreßt und im Wirbel verbunden. Kein Wunder, daß die ältere Generation abweisend auf solche Intimität blickte und sie als obszön verurteilte.« (Schulz, 1969, S. 42.) Wolf vermutete – das wurde seitdem oft zitiert –, Hardenberg habe hier »vielleicht das erste deutsche Loblied auf den Walzer« geschrieben (Wolf, 1928, S. 135). Doch schon im Göttinger *Musen-Almanach auf das Jahr 1776*, S. 45 f., steht ein »Walzlied«, das beginnt: »Welch Entzücken! wie ein Ring, / Um mein Mädchen mich zu drehen! / Welch Entzücken! wie ein Ring; / Daß mir Hören, daß mir Sehen, / Daß mir jeder Sinn vergieng.«

39 *An Adolph Selmnitz*

Entstanden Ende 1794, in den ersten Wochen der Liebe zu Sophie von Kühn. Aber nicht sie wird angeredet, sondern ein Freund aus diesen Tagen. Die beginnende Liebe läßt sich nur als Teil einer umfassenden brüderlichen Verbindung begreifen. Die im Werk des jungen Dichters bisher noch nicht erreichte strenge sprachliche Ordnung unterstreicht jene enge geistige Verknüpftheit, von der das Gedicht spricht. Dieses kann gleichzeitig als Beispiel dienen, wie wenig gesichert viele Einzelheiten von Hardenbergs Biographie sind. Ritter (1967) S. 25 f. erklärt, Hardenberg habe durch Selmnitz die Familie Rockentien und damit seine künftige Braut kennengelernt; nach Samuel (HKA I,662) vermittelten umgekehrt die Rokkentiens den Kontakt mit Selmnitz; Samuel steuert aber an anderer Stelle die Information bei, Selmnitz sei »Leutnant der Garde in Dresden« gewesen (Samuel, 1930, S. 30). Schulz schreibt neutral: »Adolph Carl Ludwig von Selmnitz (1769–1814) war ein Freund von Novalis; das Rittergut der Familie Selmnitz befand sich in Westgreußen bei Grüningen« (Novalis, *Werke*, S. 605).

14 ziehen] ziehen, *HKA; verbessert nach Hs.*

40 *Anfang*

Am 17. November 1794 lernte Hardenberg in Grüningen die damals zwölfjährige Sophie von Kühn kennen. Wenige Tage später schrieb er seinem Bruder Erasmus, eine Viertelstunde habe über sein Leben entschieden (der Brief ist verloren, erhalten hat sich nur die Antwort von Erasmus). Dieser antwortete am 28. November ausführlich; er wollte den plötzlichen Liebhaber herabstimmen, sah in dem Vorgang nur die übliche »Leidenschaft, den ewigen Scharwenzel« (HKA IV,367). Das Gedicht »Anfang« könnte eine Antwort auf diesen Vorwurf sein. Der »Stern« (V. 2) ist Sophie, die in der Schlußstrophe auch genannt wird. Aber nicht an sie richtet sich das Gedicht. In Form einer alkäischen Ode sucht Hardenberg mit Hilfe von Begriffen aus der philosophischen Diskussion des 18. Jh.s seine Liebe gedanklich zu fassen. Zwischen den Gegensätzen »Rausch« und »Bewußtsein« vermittelt der Begriff »sittliche Grazie«, den Hardenberg schon früher in bezug auf Schiller verwendete; er stammt von Johann Georg Jacobi (1740–1814) – von Hardenberg viel gelesen – und meint eine Schönheit, die zugleich moralisch ist. Der Wechselbezug von außen und innen, der sich so ergibt, macht die Gestalt der Freundin zur Symbolfigur. Die Liebe zu ihr schafft ein »Vorgefühl« dessen, was die Menschheit im ganzen in einem »höheren Sein«, einer »künftigen Vereinigung« erreichen wird. Der Gedanke weist voraus auf die Mittlerrolle, die Hardenberg später seiner verstorbenen Braut zuweisen wird (»Sophie – Christus« als Vermittlung einer höheren Welt), und zeigt, wie hoch schon jetzt der Blickpunkt des Liebhabers der zwölfjährigen Sophie von Kühn gegenüber angesetzt ist.

25 *Genius:* »Die Genien oder Schutzgötter der Menschen waren es vorzüglich, wodurch in der Vorstellung der Alten, die Menschheit sich am nächsten an die Gottheit anschloß.« (Karl Philipp Moritz, *Götterlehre oder mythologische Dichtungen der Alten*, Berlin 1791; 2., unveränd. Ausg. 1795, S. 231.)

42 *Am Sonnabend Abend*

Entstanden im Frühjahr 1795. Die ersten drei Strophen enthalten Absagen, die drei anderen beschreiben das neue Glück recht biederbürgerlich. Das sollte hindern, den Beginn allzu ernst zu nehmen.

13 *Kampf der neuen Elemente:* Gemeint ist die Französische Revolution. In Jena habe ihn »die Mode der damaligen Democratie abtrünnig von dem alten aristocratischen Glauben« gemacht, berichtet Hardenberg später (Ende Januar 1800; HKA IV,310).

14 *ça va:* (frz.) es geht; Anspielung auf das von deutschen Revolutionsanhängern oft variierte Revolutionslied »Ça ira!« (»Es wird gehen!«), vgl. z. B. Hans Werner Engels, *Gedichte und Lieder deutscher Jakobiner*, Stuttgart 1971, S. 87.
15 *Konvente:* Der Konvent, die französische Nationalversammlung, als handelndes Organ einer göttlichen Welterneuerung – diesen Gedanken gibt es nicht nur bei Robespierre, sondern auch bei deutschen Revolutionsfreunden.
17 f. *Der schlauer noch, als ein Berliner, / In Mädchen Jesuiten spürt:* Anspielung auf die Jesuitenfeindschaft des Berliner Aufklärers Christoph Friedrich Nicolai (1733–1811); mit Str. 1 paßt diese angebliche Mädchenfeindschaft natürlich nicht zusammen.
24 *Elftausend Jungfern:* Auf die Legende der hl. Ursula, die in Köln mit 11 000 Gefährtinnen den Märtyrertod erlitten haben soll, spielt auch ein Gedicht »Der Himmel hängt voller Geigen« in *Des Knaben Wunderhorn* (1805–08) in parodistischer Weise an: »Elftausend Jungfrauen / Zu tanzen sich trauen, / Sankt Ursula selbst dazu lacht [. . .].«
27 *Morgenseite:* Grüningen liegt im Osten von Tennstedt.
29 *vierzehn Jahre:* Sophie feierte in Wirklichkeit am 17. März 1795 ihren 13. Geburtstag; Hardenberg kannte ihr wahres Alter also immer noch nicht.
29 f. *vierzehn Jahre . . . 7 Wochen:* Ritter (1967) S. 40 zitiert den volkstümlichen Spruch »Vierzehn Jahr und sieben Wochen / Ist der Backfisch ausgekrochen«; einen ähnlichen Spruch findet man bei Heinrich von Kleist, »Die Verlobung in St. Domingo« (1811): »ein Mädchen von vierzehn Jahren und sieben Wochen [wäre] bejahrt genug, um zu heiraten«.
33 f. *Sieben Weisen . . . in die Tasche steckt:* vgl. dazu die S. 214 zitierte Notiz (HKA IV,4).

44 *An Carolinen*

Mit dem voranstehenden Gedicht im Frühjahr 1795 entstanden. Hardenberg sollte sich in Tennstedt bei dem Kreisamtmann Just in die Verwaltungspraxis einführen lassen und wohnte auch im Hause Justs. Dieser war Junggeselle, den Haushalt versah seine Nichte Caroline Just (geb. 1768). Sie war also nur wenige Jahre älter als Hardenberg. Zwischen beiden entstand rasch eine »einzige Freundschaft«: »Sie erhalten mich, ohne daß Sie es wissen, durch Ihre bloße

Nähe, aufrecht« (wohl Ende November 1794 an Caroline; HKA IV,148). Hardenbergs Bruder Erasmus gefiel das Verhältnis nicht: »ich wollte wetten, das wäre ein empfindsames Mädchen, die die Großmütige spielen will, indem sie Deine Liebe zu einer Dritten begünstigt, dabei aber Koketterie genug besitzt, um einzusehen, daß sie sich gerade dadurch Deine Freundschaft und Achtung erwirbt« (am 28. November 1794 an Friedrich; HKA IV,368). Vielleicht war Friedrich dadurch doch irritiert. Caroline erhielt zwar als erste das Gedicht »Am Sonnabend Abend«, das festhält, wie tief der Einschnitt in seinem Leben war, den die Grüninger Begegnung bewirkt hatte. Mit einem Begleitgedicht sucht er sich aber ausdrücklich ihrer Loyalität zu versichern.

16 des Schicksals] das Schicksals

9 *Mir der größte Wurf gelungen:* Anspielung auf Schillers Lied »An die Freude« (1785), in dem allerdings nur von einem »großen Wurf« die Rede ist.

44 *M. und S.*

Die Datierung ist ungewiß, es gibt recht unterschiedliche Vorschläge. »S.« ist Sophie von Kühn, die künftige Braut (geb. 1782). »M.« steht für deren ältere Schwester Friederike von Mandelsloh (geb. 1774). »Sophie und Fritzchen sind ›das Rätsel neben der Lösung‹; Sophie ist das Rätsel, die junge Frau von Mandelsloh die Lösung. Hardenberg fühlt sich vor allem durch das Rätsel angezogen, aber er spricht diesen Vorzug nicht offen aus. Beide Töchter ähneln der Mutter und geben eine Vorstellung von ihrer Erscheinung in der Jugend, Sophie als knospendes Mädchen, Fritzchen als erblühte Knospe« (Ritter, 1967, S. 27).

45 *Zu Sophiens Geburtstag*

Gemeint ist Sophies 13. Geburtstag am 17. März 1795, den Hardenberg damals noch für ihren 14. hielt (vgl. Anm. zu »Am Sonnabend Abend«, V. 29). Zwei Tage vorher, am 15. März, hatte ihm Sophie das Jawort gegeben – die Feststellung, ihm sei ein »Wurf« gelungen, spielt direkt darauf an. Das Gedicht ist für den geselligen Kreis in Grüningen bestimmt, entsprechend einfach und formelhaft ist die Diktion. Der Beginn mit seinem ungenauen Zitat aus Schillers »An die Freude« (1785) zeigt, daß Schiller schon sehr früh Material liefern mußte für festliche Familiengedichte. Gerade die banale 6. Strophe bedarf der Erläuterung: Sophies Mutter, Sophie Wilhelmine von Rockenthien (verw. von Kühn), stand kurz vor der Entbindung ihres jüngsten Sohnes. Friedrich von Hardenbergs Bruder Carl und Sophies Bruder George waren Offiziere, man erwartete in Kürze einen Friedensschluß zwischen Preußen und Frankreich (er wurde dann am 5. April 1795 in Basel besiegelt). Die »Lolly«, der ein Mann gewünscht wird, ist wohl Sophies Schwester Caroline. Kaum einmal so deutlich wie in Str. 5 hat Hardenberg ausgesprochen, weshalb er sich auf die frühe Verlobung – die an sich nicht ungewöhnlich war – einließ. Er hoffte auf jene innere Beruhigung, die er seit Jahren vergeblich suchte. Der zuerst sehr skeptische Bruder Erasmus (am 28. November 1794 an Friedrich: »Leidenschaft, *Brüderchen*, bleibt es doch, [. . .] Deine Seele [ist] immer gierig nach neuer Beschäftigung und daher an Veränderung gewöhnt«; HKA IV,365 f.) hatte am 12. Dezember 1794 schon bestätigt, er glaube jetzt an die Ernsthaftigkeit von Friedrichs Entschluß und billige ihn (HKA IV,373).

29–32 Wenn ich [. . .] hin.] *In HKA I,390f. sind Z. 29/30 mit Z. 31/32 vertauscht; Druckfehler*

47 *Antwort an Carolinen*

Die Datierung ist ungewiß, die Vorschläge reichen von Frühjahr 1795 (Ritter, 1967, S. 40) bis April 1796 (Samuel; HKA I,668). Es leuchtet aber nicht ein, daß Hardenberg, der am 10. April 1796 ausführlich an Caroline schreibt, wie gut es ihm gehe (HKA IV,179–181), gleichzeitig dichten soll, er sei oft hoffnungslos und entbehre Trost. Der frühe Ansatz, als Caroline die Vertraute seiner schwierigen Werbung war (vgl. Anm. zu »An Carolinen«), scheint glaubhafter.

19 süßem] süßen

48 *Lied beim Punsch*

Entstanden um den 20. September 1795. Das für den Aufenthalt in Tennstedt vorgesehene Jahr ging zu Ende. Hardenberg rechnete damit, nach Weißenfels zurückzukehren (er bekam aber erst am 30. Dezember 1795 eine Anstellung und blieb noch so lange bei Just). So bereitete er einen »Abend der Trennung« vor. Dafür schrieb er sein wohl eigenartigstes Gedicht aus dieser Zeit. Es beginnt in vier Strophen mit recht konventionellen Formeln. Dann folgen fünf Strophen, in denen jeder der Anwesenden sein Verschen bekommt, angefertigt in einer Diktion, wie man sie von kulturbeflissenen Bergbaustudenten eben erwartet. Dann deuten vier weitere Strophen, behutsam die Szene immer mehr erweiternd, die Situation aus und stellen sie unvermerkt in einen weiten Horizont. Es war nicht erst der Tod der Sophie von Kühn nötig, um zu dieser Perspektive (vgl. dazu im *Ofterdingen*, HKA I,252, das Bild von der Kathedrale, die Heinrich an sein eigenes »kleines Wohnzimmer« angebaut sieht) zu kommen.

33 diesem] diesen
36 blüht,] blüht.
72 jedem] jeden
99 langem] langen

6 *Der Menschheit Genius:* Das »unwillkürliche halb gläubige verhalten zu den antiken göttern« (Jacob und Wilhelm Grimm, *Deutsches Wörterbuch*, Bd. 4,1.2, Leipzig 1897, Sp. 3401) führt im ausgehenden 18. Jh. dazu, daß öfter Ideen personifiziert und wie Götter angeredet werden; bei Hardenberg scheint Bacchus, der nach dem griechischen Mythos den Menschen den Wein geschenkt hat, so angeredet zu werden.
9 *in ihnen:* in diesen Augenblicken.
19 *Herzensfülle:* vgl. Anm. zu »Allmächtiger Geist, Urquell aller Wesen« (V. 24).
26 *an sie:* die Augenblicke.
40 *Solenn:* Feierlich.
41–69 *Dem Vater und der Mutter ... Dem Bruder dort am Rheine:* »Es ist die gesamte Familie von Rockenthien – von Kühn, die hier angesprochen wird. Der Vater und die Mutter [Johann Rudolph von Rockenthien und seine Frau Sophie Wilhelmine, verw. von Kühn]; Minchen = Wilhelmine von Thümmel, geb. von Kühn (29 J.); Fritz und Fritzchen, das liebenswerte Paar =

Friedrich und Friederike von Mandelsloh, geb. von Kühn (20 J.); Lili, das Haushaltungsgenie = Karoline von Kühn (18 J.); Söffgen [Söffchen] = Sophie von Kühn (13 J.); Danscour = Jeanette Danscour, die Erzieherin; Hannchen = Tochter eines Gutsbeamten in Grüningen; Der Bruder fern am Rheine = George von Kühn (21 J.), Offizier. Es ist eine klare Reihenfolge: erst die ältere Generation, dann die Weiblichkeit, zunächst die der Familie, dem Alter nach, dann die zugehörigen weiblichen Wesen, dann der Bruder, wie es der Etikette entspricht.« (Ritter, 1967, S. 52.)

62 *Sansjüpon:* Sansjupon (frz., ›ohne Unterrock‹), scherzhafte Analogiebildung zu: Sansculotte (frz., ›ohne [Knie-]Hose‹), Anhänger der radikalen Partei der Französischen Revolution; die Revolutionäre trugen Pantalons (lange Hosen), nicht Culotten (kurze, bis unter das Knie reichende Hosen) wie die Aristokratie.
Klub: Jakobinerklub.

86 *der Schlüssel:* in übertragenem Sinn alles, was das richtige Verstehen einer unklaren, auch geheimen Sache ermöglicht. Der Begriff hat ebenso eine theologische wie philologische Tradition. Vom Schlüssel der Erkenntnis spricht z. B. Luther im Anschluß an Lk. 11,52: »Wehe euch, ihr Schriftgelehrten, die ihr den Schlüssel der Erkenntnis habt«; das Buch von Johann August Ernesti, *Clavis Ciceroniana* (1739), regt später Jean Paul zu seiner *Clavis Fichtiana seu Leibgeberiana* (1800) an.

51 *Gedicht. Zum [...] Tage des Gartenkaufs*

Neben der verlorenen Originalhandschrift gab es weitere Abschriften mit teilweise abweichendem Text, die noch heute im Privatbesitz sind. Offenbar gefielen die Verse so gut, daß man sie abschrieb und privat weitergab – bei keinem anderen Gedicht Hardenbergs ist das der Fall. Er war nach Sophies Tod öfter wieder im Hause des Amtmanns Just in Tennstedt. Just hatte inzwischen geheiratet, von einem wichtigen Ereignis seiner Familiengeschichte berichtet ohne jede Spur gedanklicher Überhöhung Hardenberg in einer Manier, die an Vorstellungen vom Dichter erinnert, wie sie etwa Johann Christoph Gottsched in seiner *Critischen Dichtkunst* (1730) entwikkelt: »Wenn ein muntrer Kopf, von gutem Naturelle, sich bey der Mahlzeit, oder durch einen starken Trunk, das Geblüt erhitzet und die Lebensgeister rege gemacht hatte: so hub er etwa an, vor Freuden zu singen [...].« (J. Ch. G., *Versuch einer Critischen Dichtkunst vor die Deutschen*, Leipzig [4]1751, S. 82.) Wäre das Datum der Entstehung nicht gesichert, kein Herausgeber würde es erraten. Das Tagebuch berichtet am 29. April 1797 zuerst von Studien in Goethes *Wilhelm Meister*, dann von »alchymistischen Papieren«. »Dann kam Anton [gemeint ist der Bruder Anton von Hardenberg]. Wir giengen in den neugekauften Garten. Bis Abends sehr munter – Ein Gedicht auf den Gartenkauf. Sonst recht gut. Abends etwas zu lebhaft gestritten während des Essens. Herzliche Errinnerungen zuweilen« (HKA IV,32). Die »Erinnerung« ist die an die kurz vorher verstorbene Braut, die Hardenberg in diesen Tagen immer entschiedener zur mystischen Figur zu stilisieren begann. Nur zwei Wochen später entstand jene berühmte Notiz, die zur Keimzelle der *Hymnen an die Nacht* werden sollte (vgl. S. 266 f.).

30 halbem] halben
36 zartem] zarten
38 jedem] jeden
47 offnem] offnen
53 vielem] vielen
54 diesem] diesen

1 *Saeculo:* (lat.) Jahrhundert.
15 *Konfraternität:* Bruderschaft; Angehörige der gleichen Berufs- oder Interessengruppe.
28 *Kuratoris:* Kurator: Testamentsvollstrecker.
31 *Kurandin:* die Witwe (V. 5) des verstorbenen Advokaten (V. 2), für die der Testamentsvollstrecker ›Sorge‹ (lat. *cura*) zu tragen hat.
34 *Pharsalus:* Stadt in Thessalien; 48 v. Chr. war hier die Entscheidungsschlacht zwischen Cäsar und Pompejus.
35 *Rahel:* Rahel Just, seit 1796 die Frau des Kreisamtmanns.
38 *Präliminariter:* Anfänglich.
44 *Tobias Hündchen:* Als der junge Tobias mit dem Engel seine Wanderung beginnt, heißt es Tob. 5,17: »Da zogen sie beide dahin, und der Hund des Jünglings begleitete sie.«
51 *Berenicens Haar:* Die Frau des ägyptischen Königs Ptolemaios III. Euergetes (246–222) gelobte, Aphrodite ihr schönes Haar zu opfern, wenn ihr Gatte heil aus dem Krieg zurückkommen würde. Die abgeschnittene Locke wurde von den Göttern an den Himmel versetzt.

58 *Seraphinen-Orden:* »hohe schwedische Auszeichnung« (Samuel; HKA I,672).
60 *Hirschfelds Almanach:* Gemeint ist der seit 1782 regelmäßig erscheinende *Gartenkalender* von Christian Cajus Lorenz Hirschfeld (1742–92), der auch Kapitel enthält wie »Nachrichten von neuen Gartenanlagen« (1789) und »Neueste Gartenberichte aus verschiedenen Ländern« (1787).
61 *Kapp und Schellen:* die Zeichen des Narren.

54 *Der Fremdling*

Die Figur des Fremdlings spielt eine wichtige Rolle in Hardenbergs Werk. Fremdlinge erscheinen in den *Lehrlingen zu Sais*, den *Hymnen an die Nacht*, den *Geistlichen Liedern*, im *Ofterdingen*. Es sind jene, »die die Erinnerung an eine vergangene Zeit der Eintracht in sich tragen und den Glauben an ihre Wiederkehr haben« (Schulz; Novalis, *Werke*, S. 611). Nicht genügend beachtet wurde, daß der »Fremdling« in diesem genau zu datierenden Gedicht von Mitte Januar 1798 (»1797« ist eine offensichtliche Verschreibung) erstmals auftaucht. Hardenberg kommt – er ist erst wenige Wochen in Freiberg – tatsächlich noch als »Fremdling« zur Familie Charpentier und bringt der Frau von Charpentier zum Fest ihres Geburtstages am 22. Januar ein Gedicht als Geschenk mit. Er kennt die Familie bereits aus Dresden (Minor, 1911, S. 64) und wird deshalb zu der eher intimen Feier eingeladen. In einer asklepiadeischen Odenstrophe, in griechischem Gewande also (die bisherigen Gelegenheitsgedichte hatten einfachere Formen), stilisiert er sich in den ersten vier Strophen zum Bewohner des untergegangenen Atlantis, er komme aus der Ferne und finde nun gleichgestimmte Freunde. Der Hinweis auf die »warmeren Lüfte« der »Heimat« lenkt von Beginn an von einer persönlich-biographischen Deutung ab. Formulierungen wie »blühte [!] / Dort nicht ewig, was einmal wuchs« weisen auf einen Geschichtsmythos, der vertraut war und auch in vielen anderen Gedichten der Zeit, besonders bei Hölderlin, erscheint. Die fünf Mittelstrophen machen die Geburtstagsfeier zu einem Fest der Eingeweihten, wobei der Hinweis auf den »Frühling, / Der so frisch um die Eltern blüht«, ungeniert mit den Töchtern des Hauses kokettiert. Die vier Schlußstrophen reden dann direkt die Freunde an, und erst hier kommt behutsam eine zweite Ebene ins Spiel, die den

Dichter als Person betrifft. Inwieweit der Bericht Carl von Hardenbergs in dessen Biographie des Bruders (1802), »N[ovalis] blieb [im Frühjahr 1797 nach dem Tod Sophie von Kühns und seines Bruders Erasmus von Hardenberg] einige Wochen in Thüringen und kam getröstet und wahrhaft verklärt zu seinen Geschäften zurück, diese betrieb er eifriger als je, da er sich von nun an nur als ein Fremdling auf Erden betrachtete« (HKA IV,533), wörtlich genommen werden darf, wäre im Licht sämtlicher Textstellen zu prüfen.

[Widmung] *Frau Bergrätin von Charpentier:* Gemeint ist die Frau des Freiberger Berghauptmanns Johann Friedrich Wilhelm von Charpentier, Johanna Dorothea Wilhelmine; mit beider Tochter Julie verlobte sich Hardenberg ein Jahr später.

7 *Weben:* Gewebe.

14 *Flut:* »Indem aber in späterer Zeit gewaltige Erdbeben und Überschwemmungen eintraten, [...] wurde auch die Insel Atlantis durch Versinken in das Meer den Augen entzogen« (Platon, *Timaios* 25d; übers. von Hieronymus Müller).

24 *Vaterland:* Während sich gegen Ende des 18. Jh.s der Gedanke vom deutschen Vaterland ausbildet – im Gegensatz zu den Vorstellungen vom Weltbürgertum –, ist bei Hardenberg eine Gegenströmung zu beobachten. In Übernahme pietistischer Vorstellungen sucht er das »eigentliche« Vaterland am Beginn der Geschichte in einem paradiesischen goldenen Zeitalter und am Ende der Geschichte in dessen Wiederkehr.

40 *Führer:* Im griechischen Mythos geleitet Hermes die Toten in den Hades. Im Zusammenhang mit der christlichen Deutung des Wortes »Vaterland« läßt sich auch an Christus als Führer denken.

52 *Geburtstag:* Die Ambivalenz des Begriffs hat eine lange theologische Tradition. Die griechischen Kirchenväter übernehmen antike Vorstellungen, nach denen am Gedenktag der Geburt der persönliche Genius, der Begleiter durchs Leben, gefeiert und um Hilfe gebeten wird; das Christentum macht daraus die Feier von Gottes Erlösungswerk. Demgegenüber begeht die katholische Kirche als »dies natalis« den Gedenktag des *Todes* eines Heiligen, d. h. seinen »Geburtstag« für den Himmel.

56 [*Eins nur ist, was der Mensch zu allen Zeiten gesucht hat*]

Das Gedicht – in den Novalis-Ausgaben meist mit dem Titel »Kenne dich selbst« (vgl. V. 16 und Anm.) – erschien postum am 30. März 1811 im *Morgenblatt für gebildete Stände* mit der Überschrift »Ein Fragment von Novalis«. Eine Handschrift ist nicht vorhanden. Das Datum des 11. Mai 1798 ist insofern bedeutsam, als Hardenberg an diesem Tag das Manuskript von *Glauben und Liebe* an Friedrich Schlegel schickte und einen Roman ankündigte – er arbeitete gerade an den *Lehrlingen zu Sais*. Am 22. Juni 1798 notiert er sich eine Reihe von Büchern, die er zum Studium der Alchimie aus der Bibliothek der Bergakademie Freiberg entliehen hatte (»Libavius De Alchymia. Meyers Alchymistische Briefe. Wedels Einleitung zur Alchymie [...]«; vgl. HKA III,35). Was Hardenberg ihnen für seinen *Sais*-Roman entnahm, ist noch immer nicht genügend erforscht. Der Inhalt des Gedichts aber verweist auf Hardenbergs grundlegende Haltung zur Alchimie. Er lehnt alle magischen Praktiken strikt ab. Entscheidend nicht nur für das Gedicht, sondern für das gesamte Werk ist V. 13 f.: die Vernunft ist allen möglichen »Elixieren« übergeordnet.

6 *Schloß:* vgl. dazu das *Ofterdingen*-Gedicht »Ich kenne wo ein festes Schloß« (HKA I,248–250).

7 *Chiffre:* nicht deutbares Zeichen; vgl. dazu den Beginn von *Die Lehrlinge zu Sais*, Anm. zu 61,7.

13 f. *verwandelt / Alles in Leben und Gold:* Die Alchimie als »autonome Naturphilosophie« verfolgt vor allem zwei Ziele: »die Transmutation, d. h. die Verwandlung unedler Metalle wie Kupfer oder Blei in Gold und Silber, und die Herstellung der ›Panacee‹, der Universalmedizin. Der ›Stein der Weisen‹, vielleicht der bekannteste Begriff aus der Alchimie, ist entweder gleichbedeutend mit der ›Panacee‹, oder er ist das Mittel, mit dem Metalle verwandelt werden, er kann also Teil- oder Endziel des Prozesses sein.« (Emil E. Ploss [u. a.], *Alchimia. Ideologie und Technologie*, München 1970, S. 121.) Hardenberg spielt mit den Begriffen »Leben« und »Gold« auf diesen doppelten Aspekt der Alchimie an.

14 Elixiere: die Präparate zur Transmutation.

15 *der heilige Kolben:* die Retorte zur Transmutation.
König: in der alchimistischen Sprache das Gold.

16 *Delphos:* Die Inschrift im Vorraum des Apollon-Tempels zu Delphi lautete: Γνῶθι σεαυτόν – ›Kenne dich selbst‹. Schon 1791 behauptete Hardenberg, er habe diese Devise sich zum »Memento mori« gemacht (Brief an Karl Leonhard Reinhold vom 5. November; HKA IV,97).

57 *Letzte Liebe*

Die Handschrift des Gedichts ist verschollen, es erschien erstmals 1846 im 3. Band der Werkausgabe von Tieck und v. Bülow. Datierungs- und Beziehungsversuche beruhen also auf den Mutmaßungen der Interpreten. Ritter (1967) S. 37 setzt das Gedicht ins Jahr 1794 und bezieht es auf Sophie von Kühn. Samuel erklärt das als »völlig abwegig« und führt als Begründung an, die Form des Distichons, die »gedämpfte Stimmung« und die »verschlüsselte Ausdrucksweise« füge das Gedicht in die Freiberger Zeit ein, es könne sich also nur auf Julie von Charpentier beziehen und sei in den Sommer 1798 zu datieren (HKA I,675). Und Paul Kluckhohn (*Die Auffassung der Liebe in der Literatur des 18. Jahrhunderts und in der deutschen Romantik*, Halle ²1931, S. 490) deutet diese »Letzte Liebe« Hardenbergs: »Seine Empfindung für Julie war mehr die zu einer Schwester [...]. Julie ist ihm ›ein freundlicher Blick am Ende der Wallfahrt‹, ein ›Zeichen der treuen Begleiterin Liebe‹, Sophie sein ›Schicksal‹, durch die er die Welt erfuhr und sich selber fand« – hier sind persönlicher Eindruck des Interpreten und Textzitat kaum noch unterscheidbar. Für die Datierung des Gedichts auf den Sommer 1798 gibt es ebensowenig einen Beleg wie für die Datierung auf 1794. Zu beachten ist, daß nicht ein bestimmtes Mädchen angeredet wird, sondern die »treue Begleiterin Liebe« (V. 3) in ihren unterschiedlichen Erscheinungsformen (ähnlich im Widmungssonett des *Ofterdingen*; vgl. HKA I,193). Deshalb, nicht wegen der vermeintlichen biographischen Information, die das Gedicht enthält, scheint der späte Ansatz berechtigter.

10 *Sonntagskind:* Der 2. Mai 1779, Hardenbergs 7. Geburtstag, war ein Sonntag.

58 *An die Fundgrube Auguste*

Am 5. Oktober 1798 war der 49. Geburtstag von Hardenbergs Mutter Auguste Bernhardine. Der Bergbaustudent zeigt in dem kleinen Gedicht, was er im Laufe des letzten Jahres gelernt hat. Die Erklärung der bergmännischen Fachausdrücke folgt Schulz (Novalis, *Werke*, S. 618).

1 *Fundgrube:* allgemein eine neue Grube mit guter Ausbeute.
3 *edle Geschicke:* gold- und silberhaltige Erze.
4 *Wetter:* die Luftverhältnisse im Bergwerk.
5 *Gang:* die mit Mineralien gefüllte Spalte im Gestein, »streichen« bezeichnet ihre Richtung.
6 *Geschart mit:* zusammen mit anderen erzhaltigen Gängen im (tauben) Gestein.

58 [*Der müde Fremdling ist verschwunden*]

Das Gedicht ist ein Fragment. Es entstand im Januar 1799 und ist eine förmliche Rücknahme des genau ein Jahr früher entstandenen Geburtstagsgedichts »Der Fremdling«. Angesprochen ist die Familie Charpentier, mit Julie von Charpentier war Hardenberg seit Dezember 1798 verlobt (»Auf immer nun mit euch verbunden«, V. 5).

16 *Blinder Knabe:* nicht deutbar; am nächsten liegt die Erklärung, daß hier auf etwas angespielt wird, das nur die angesprochenen Mädchen verstehen – solche ganz persönlichen Anspielungen gibt es in Hardenbergs Gelegenheitsgedichten ja öfter.
17 *Eine von euch beiden:* Julie oder deren ältere Schwester Caroline.

59 [*Wohin ziehst du mich*]

Schon in seiner Schulzeit hatte Hardenberg begonnen, antike Autoren zu übersetzen, einige Versuche sind erhalten (Mähl, 1965, S. 429–432). Später hat er, wie das Tagebuch vom Mai 1797 zeigt, sich vor allem mit Horaz beschäftigt (vgl. HKA IV,34). Die vorliegenden Verse sind die Übertragung einer Horazischen Ode (*Car-*

mina III,25) in freie Rhythmen, die Übersetzung, soweit sie handschriftlich erhalten ist, geht bis zur ersten Hälfte von V. 14 (vgl. Quintus Horatius Flaccus, *Oden und Epoden*, lat./dt., übers. und hrsg. von Bernhard Kytzler, Stuttgart 1978 [u. ö.], Reclams Universal-Bibliothek, Nr. 9905 [4], S. 170/171) und ist wohl im Februar 1799 entstanden. Nach Curt Sigmar Gutkund (»Novalis als Übersetzer«, in: *Germanisch-Romanische Monatsschrift* 20, 1932, S. 437–445) ist die Übersetzung der Ode, obwohl sie »so unantik wie möglich« erscheint, »die beste, die wir in der deutschen Literatur besitzen« (S. 445). Kluckhohn hat festgestellt, nie sei Hardenberg »den Hymnen Hölderlins so nahe« gekommen (Novalis, *Schriften*, Bd. 1, S. 374).

5 fremdem] fremden

2 *Fülle meines Herzens:* vgl. Anm. zu »Allmächtiger Geist, Urquell aller Wesen« (V. 24).
15 *Hebrus:* Hebros, Fluß in Thrakien (heute: Marica), in seinem Unterlauf östlich das Rhodope-Gebirge (vgl. V. 17) begrenzend.
17 *Rhodope:* Gebirgsmassiv in Thrakien (heute: Rodopi).

Die Lehrlinge zu Sais (1798–1799)

In den ersten Dezembertagen des Jahres 1797 war Hardenberg nach Freiberg gereist, einer Kleinstadt in der Nähe von Dresden. Ein Fachstudium an der dortigen Bergakademie sollte die Tennstedter Verwaltungslehre ergänzen und ihn schließlich für den höheren Dienst in der kursächsischen Salinenverwaltung qualifizieren. Er wurde demnach selbst zum »Lehrling« der Natur.
Seit dem Tod der Sophie von Kühn glaubte er, er gehöre »nicht mehr hieher« (HKA IV,45), er fühlte sich einer unsichtbaren Welt verbunden, in der er die Braut wußte und zu der die »Sehnsucht« (HKA IV,31) ihn trieb. Aber schon in den Tagebuchaufzeichnungen vom Frühjahr 1797 stellte er fest, daß die »Sinnlichkeit«, die »Lüsternheit« (HKA IV,35 u. ö.) ihn nicht losließ. Zunächst schloß sich beides aus, nur in Überwindung der Zeit im Gedanken an Sophie suchte er sein Glück. Die naturwissenschaftlichen Studien

dienten höchstens als »Opiate«, die den Schmerz betäuben und eine geistige Freistätte bieten sollten vor »so manchen Verdrießlichkeiten« (HKA IV,202). Inzwischen aber setzte sich Hardenbergs kräftiger Wirklichkeitssinn durch. Nicht in der Abwendung vom Sinnlich-Empirischen, sondern in der Zuwendung zu ihm suchte er nach einem höheren Zusammenhang hinter den Dingen. Die entscheidenden Ideen lieferte im Herbst 1797 die Lektüre von Schriften des Philosophen Hemsterhuis (vgl. S. 216 f.), der davon ausging, daß es einen Zusammenhang zwischen Körper und Geist, zwischen Metaphysik und Physik gebe, weil das Universum eine verborgene Einheit besitze, die zwar vom Verstand des Menschen nicht begriffen werden könne, wohl aber von einem »moralischen Organ«, das als Anlage im Menschen vorhanden sei und entwickelt werden müsse. Für Hardenberg ließ sich demnach das persönliche zum sachlichen Problem umformulieren. Es galt, Diesseits und Jenseits zusammenzusehen und ihre verborgene Einheit zu begreifen. Was bisher nur ihn persönlich bewegte, ließ sich objektivieren in der Sprache und in literarischen Figuren. Am Beginn des Freiberger Aufenthalts entstanden erste Entwürfe für einen Roman.

Bereits der Titel des geplanten Werkes zeigt, wie sehr Hardenberg den Anregungen der zeitgenössischen Literatur verbunden blieb, denn er zitiert die beiden führenden Literaten des Jahrzehnts. 1795/96 waren *Wilhelm Meisters Lehrjahre* von Goethe erschienen. Hardenberg hatte das Buch schon früher gründlich studiert und in Freiberg erneut vorgenommen. Der Titel *Die Lehrlinge zu Sais* spielt auf Goethes Erfolgswerk an, nimmt aber eine entscheidende Änderung vor: Die Lehrlinge bleiben anonym; es ist ein allgemeiner menschlicher Prozeß, der geschildert wird, nicht ein individueller Bildungsgang. Und: Der Schauplatz wird verlegt aus der deutschen Umwelt in eine geheimnisvolle Ferne. Den Namen für diese Ferne bezog Hardenberg von Schiller; dessen Gedicht »Das verschleierte Bild zu Sais« stand 1795 im 9. Stück der Zeitschrift *Die Horen*. Schon 1790 hatte Schiller in einem Aufsatz »Die Sendung Moses« den Mysterienkult von Sais und dessen Auswirkung in der antiken Welt ausführlich beschrieben – Hardenberg kannte den Aufsatz sicher, denn er stand gerade zu dieser Zeit in enger persönlicher Beziehung zu Schiller (vgl. HKA IV,89–91). Charakteristisch ist auch da seine Änderung. Er übernimmt zwar den Namen und die Idee des verschleierten Bildes, alles Historische aber, das sich mit dem Namen »Sais« verbindet, bleibt außer Betracht und wird in keiner Weise benützt. Ob unter dieser Voraussetzung das Buch

Ägyptische Merkwürdigkeiten aus alter und neuer Zeit, 2 Bde., Leipzig 1786–87, das Hardenberg besaß (vgl. Bücherliste HKA IV,1051, Nr. 77), für den Roman große Bedeutung hatte, wäre ebenso zu prüfen wie die Frage nach dem Einfluß der alchimistischen Literatur, die er in diesen Wochen studierte. Vielleicht ist der Verzicht auf alles Historisch-Konkrete auch die Basis, daß Hardenberg – ähnlich wie Friedrich Schlegel – die Wertung Schillers umdreht. Bei Schiller führte der Blick des Lehrlings hinter den Vorhang, mit dem sich die Göttin verbirgt, zur Verstörung und zum Verstummen. Schiller sagt von dem neugierigen Schüler (*Die Horen*, Jg. 1, 9. Stück, 1795, S. 98):

> So fanden ihn am andern Tag die Priester
> Am Fußgestell der Isis ausgestreckt.
> Was er allda gesehen und erfahren
> Hat seine Zunge nie bekannt. Auf ewig
> War seines Lebens Heiterkeit dahin,
> Ihn riß ein tiefer Gram zum frühen Grabe.
> »Weh dem«, dieß war sein warnungsvolles Wort,
> Wenn ungestümme Fragen in ihn drangen,
> »Weh dem, der zu der Wahrheit geht durch Schuld,
> Sie wird ihm nimmermehr erfreulich seyn.«

Hardenberg dagegen ist optimistisch: der Vorhang darf gehoben werden, hinter ihm erscheint die Braut als Mutter der Menschen.

Der überlieferte Text war in dieser Form nicht für den Druck bestimmt. Seine Abschnitte sind nicht im Zusammenhang entstanden. Den ersten Teil »Der Lehrling« begann Hardenberg im Januar/Februar 1798; am 24. Februar schrieb er an August Wilhelm Schlegel, er habe »einen Anfang, unter dem Titel, der Lehrling zu Sais – ebenfalls Fragmente – nur alle in Beziehung auf Natur« (HKA IV,251). Dieser Brief begleitete die *Vermischten Bemerkungen*, eine Fragmentsammlung, aus der Hardenbergs erste Veröffentlichung, der *Blütenstaub*, hervorging (wenn man von den »Klagen eines Jünglings« absieht, die Wieland 1791 abdruckte; vgl. S. 26–29). Der Brief ist bedeutsam, weil Hardenberg darin bittet, daß die Sammlung mit der »Unterschrift *Novalis*« publiziert werden solle. Der »Anfang« des Romans gehört mithin in den Anfang des neuen Dichters, niedergeschrieben in jenen Tagen, in denen Hardenberg sich als »Fremdling« der Familie Charpentier präsentierte.

Im Juli oder August 1798 skizzierte er während eines Kuraufenthalts

in Teplitz das Märchen von Hyazinth und Rosenblüte. Es war kurze Zeit, bevor er sich entschloß, um Julie von Charpentier zu werben, als er notierte: »Sein Vaterland und seine Geliebten verließ er und achtete im Drange seiner Leidenschaft auf den Kummer seiner Braut nicht. Lange währte seine Reise. Die Mühseligkeiten waren groß. Endlich begegnete er einem Quell und Blumen [...]. Sie verrieten ihm den Weg zu dem Heiligtume. [...] Er trat ein und sah – seine Braut, die ihn mit Lächeln empfing.« (S. 99.) Das Märchen selbst ist vielleicht erst im November oder Dezember 1798 ausgeführt. Sicher erst vom Dezember 1798 – in der gleichen Zeit wurde die Verlobung mit Julie abgesprochen – stammt der Abschnitt mit den Gesprächen der Fremden. Dann blieb das Manuskript liegen. Es war langsam und in großen Pausen entstanden in jenem Jahr, in dem auch die Verbindung mit Julie von Charpentier entstand, und es befand sich, anders als die Mehrzahl der übrigen Schriften, die von der Familie Hardenberg aufbewahrt wurden, auch später in Julies Besitz (es ist heute verloren). Sie war noch nicht einmal bereit, sich 1802 für die Drucklegung davon zu trennen, und bestand darauf, daß nur eine Abschrift nach Berlin weitergegeben wurde.
Seit Ende 1799 gibt es mehrere Belege, daß Hardenberg den Stoff weiter verfolgte. Er machte Notizen für eine mögliche Fortsetzung (S. 100f.). Am 31. Januar 1800 versprach er Friedrich Schlegel, nach Vollendung des *Ofterdingen* komme der andere Roman »sogleich in die Arbeit« (HKA IV,318). Am 23. Februar 1800 schrieb er an Ludwig Tieck, er gewinne aus der Lektüre Jacob Böhmes ein völlig neues Naturbild: »Ein ächtes Chaos voll dunkler Begier und wunderbaren Leben – einen wahren, auseinandergehenden Microcosmus« (HKA IV,322f.). Die neue Einsicht in das Wesen der Natur sollte ihm helfen, den Roman auf eine »ganz andre Art« zu Ende zu schreiben: »Es soll ein ächtsinnbildlicher, Naturroman werden« (HKA IV,323). Dazu kam es nicht mehr. Der Text liegt uns vor als Dokument der Entwicklung, die Hardenberg selbst in der Zeit seiner Naturstudien machte, als Sinndeutung des eigenen »Anfangs«. Um sich hineinzuarbeiten, bedarf es noch immer elementarer Entzifferung, oft ist nicht einmal unbestritten, ob aufeinanderfolgende Sätze einander widersprechen oder sich fortführen.
Trotz der ungleichen Länge haben die beiden Teile eine deutliche Ordnung. Striedter (1955) S. 5–23 hat die doppelte Dreiteilung herausgearbeitet. Aber damit nicht genug, auch im einzelnen gibt es klar organisierte Abläufe. Das sei in einer genaueren Darstellung des zweiten Teils gezeigt, der bei Striedter entschieden zu kurz kommt.

1. Abschnitt: Reflexion über die *Natur*: Erst im Verlauf der Geschichte und indem man rastlos »nachspürt, nachfrägt, auf alles achtet«, entsteht ein einheitliches Bild der Natur.

Vier mögliche Ansichten der Natur:

(1) »Einige«: Die Natur ist ein Chaos, das dem Menschen feindlich ist.
(2) »Mutigere«: Die Natur wird gezähmt durch die menschliche Freiheit.
(3) »Mehrere«: Nur im menschlichen Innern offenbart sich die Natur.
(4) »Ein ernster Mann«: »Der Sinn der Welt ist die Vernunft«.

Der *Lehrling* reflektiert seine Empfindungen angesichts der Stimmen, reagiert verwirrt.

2. Abschnitt: Das Märchen von Hyazinth und Rosenblüte. Vorwegnahme einer endgültigen Offenbarung im Märchen, in dem möglich ist, worauf die Redner noch hoffen. Voraussetzung der Offenbarung ist die Abkehr von den »Büchern«, der Aufbruch aus der vertrauten Wirklichkeit, die Suche nach »Sais«. Die Märchenhandlung führt zu jenem Ort, an dem die Handlung des Romans spielt. Sie geht den umgekehrten Weg als den, den die Lehrlinge zu gehen haben: Die Göttin selbst offenbart sich und zeigt, daß sie sich seit je im naheliegenden verborgen hat – die Lehrlinge ihrerseits haben hinter den einzelnen Naturerscheinungen die verborgene Göttin zu suchen.

3. Abschnitt: Die *Natur* selbst spricht und sucht die verlorene Einheit mit den Menschen.

»Einige Reisende« überlegen, wie sich der Mensch der Natur nähern kann.

(1) Der erste: Wir lernen die Natur kennen nach dem Maß unseres eigenen Körpers.
(2) Der zweite: Die Natur ist der Vereinigungspunkt vieler Welten.
(3) Der dritte: Die Natur wird verstehbar aus ihrer Geschichte.
(4) Ein schöner Jüngling: Nur der vollkommenste Mensch, der Künstler, befindet sich in völliger Einheit mit der Natur.

Pause der Betrachtung; es wird Abend; nach langer Stille beginnen die gleichen Redner erneut:

(1) Der erste: Die wahre Theorie der Natur findet, wer diese innerlich in ihrer ganzen Folge entstehen läßt.
(2) Der zweite: Die Natur wird erfahren als großes Zugleich.
(3) Der dritte: Die Annäherungen an die Natur sind beim Künstler, beim Denker, beim Kinde verschieden.
(4) Der Jüngling: Die Offenbarung des innersten Lebens der Natur geschieht durch das Versinken in ihrem lockenden Schoß.

Lehrer, Lehrlinge und Reisende vereinigen sich. Die Rede wird zum Gesang, der tief in das Innerste der Natur eindringt und es »zerlegt«.
Der *Lehrer* spricht das Schlußwort: Der Verkündiger der Natur bildet sich selbst in unablässigem Fleiß.

Angesichts dieser Gliederung wirkt es unbefriedigend, immer wieder von einer »offensichtlich unvollendeten Fassung« (Heinisch, 1966, S. 98) reden zu hören. Hardenberg schreibt gerade keine »poetischen Fragmente« (Küpper, 1959, S. 40), er konstruiert eine klare gedankliche Folge (das gilt auch angesichts der Tatsache, daß manche der hier vorgenommenen Zusammenfassungen bestreitbar bleiben; so eindeutig ist der Text nicht). Für das Verständnis wichtig ist die Beobachtung, daß am Schluß des vorliegenden Textteils recht deutlich eine Synthese versucht wird. Das letzte Wort hat nicht der schwärmerische Jüngling, der sich auflösen will im »Schoß« der Natur, sondern der Lehrer, der auffordert, durch »unablässigen Fleiß« und durch »unermüdliche Geduld« die vorhandenen Anlagen auszubilden. Für den den Gesprächen lauschenden »Lehrling« – und damit auch für den Leser – zeichnet sich die persönliche Aufgabe ab, im eigenen Lebensgang beide Momente zu verbinden.

61 *Text*

Der Text folgt dem Erstdruck in der Werkausgabe von Schlegel und Tieck (1802), Bd. 2, S. 159–246, der auch der historisch-kritischen Ausgabe zugrunde liegt. Verbessert und nachfolgend verzeichnet sind offensichtliche Druckfehler sowie Stellen, die auch in der 2. bis 5. Auflage dieser Ausgabe (1805–37) bereits korrigiert waren (61,27;

69,5; 69,10; 74,16; 78,2; 93,18). Abweichungen der historisch-kritischen Ausgabe gegenüber der Druckvorlage sind ebenfalls verzeichnet.

61,16 f. derselben,] derselben; *HKA*
61,27 könne] könnte
67,18 Vorstellung] Vorstellnng
69,4 unendlich] nnendlich
69,5 Liegt nun] Nun liegt
69,10 verhüllen,] verhalten,
70,29 freundlichen] freuudlichen
72,2 f. wollen.] wollen,
74,16 zusehn,] zu sehn,
76,28 alle] all *HKA*
76,33 f. in dein] iu dein
77,10 Totlachen.] Totlachen,
78,2 kicherten] kickerten
79,17 Lande‹,] Lande;
82,33 Fühlen,] Fühen,
85,10 genau] genan
86,28 sein,] seyn *HKA*
86,31 Menschheit] Menschheit, *HKA*
87,15 bestätigen, und] bestätigen. und
93,18 ihrer] seiner
95,34 dessen] desseu
96,4 Welterscheinungen] Welterscheinnngen

85,27 Fall] *1.–5. Aufl.; Samuel (HKA I,594) vermutet einen nicht korrigierten Druckfehler und setzt dafür:* [B]all
90,1 Wissens und Wachens] *1.–5. Aufl.; Samuel (ebd.) nimmt mit Mähl (vgl. Anm. zu 90,1) auch hier einen Druckfehler an und setzt die Konjektur:* Wissens und [Machens]

61,7 *Chiffernschrift:* Noch im 18. Jh. wurde »Chiffer« als Bezeichnung für Zahlzeichen verwendet, die in Buchstaben übersetzt werden können; erst zu Beginn des 19. Jh.s in allgemeiner Bedeutung als ›geheimes Zeichen‹. Hans Schulz (*Deutsches Fremdwörterbuch*, Bd. 1, Berlin 1913, S. 112) verweist auf eine Bemerkung von August Wilhelm Schlegel von 1801: »Kant spricht einmal von der Chifferschrift, wodurch die Natur in ihren schönen Formen figürlich zu uns spricht« – diese Vorstellung wurde zum Allgemeingut der Romantik.

61,13 *Scheiben von Pech und Glas:* Das Buch des Physikers Ernst Florens Friedrich Chladni, *Entdeckungen über die Theorie des Klanges*, Leipzig 1787, befand sich in Hardenbergs Besitz (vgl.

Bücherliste HKA IV,1067, Nr. 81). Chladni beschreibt Figuren, die auf bestreuten Scheiben entstehen, wenn diese mit einem Violinbogen in Schwingungen gebracht werden (›Chladnische Klangfiguren‹) – übrigens ist bei Chladni, S. 21–26, nicht von Pech-, sondern von Blechscheiben die Rede.

61,14 f. *Konjunkturen:* Verknüpfungen. Als synonyme Neubildung zu »Konjunktion« (von lat. *coniunctio* ›Verbindung‹) ist »Konjunktur« auch ein astrologischer Terminus, der die Verbindung von Gestirnen zu einem Tierkreiszeichen und die sich daraus ergebenden Einflüsse bezeichnet.

61,16 *Schlüssel:* In seinem Aufsatz »Die Sendung Moses« (1790) erzählt Schiller von den Einweihungsriten, denen sich die Schüler unterwerfen mußten, um Zugang zu den ägyptischen Mysterien zu erhalten. Im Inneren der Tempel hätten die heiligen Geräte und die verschiedenen dort aufgestellten Tiergestalten »einen geheimen Sinn« ausgedrückt. Den »Schlüssel« für all diese mystischen Gestalten hätten nur die Eingeweihten gehabt. (F. Sch., *Sämtliche Werke*, hrsg. von Herbert Fricke [u. a.], Bd. 4, München ^{5}1976, S. 793.)

61,19 *Alkahest:* in der Alchimie das für alle Stoffe gesuchte universelle Lösungsmittel; da die Alchimisten die Natur aus wenigen Grundelementen zusammengesetzt glaubten, mußte es ein Mittel geben, um alle Materie wieder zu lösen und durch das ›Große Magisterium‹ der Transmutation neu zusammenzusetzen (vgl. Anm. zu »*Eins* nur ist, was der Mensch zu allen Zeiten gesucht hat«, Z. 13 f.).

61,29 *die echte Sanskrit:* Für die Romantik galt Sanskrit als die Ursprache der Menschheit. Mähl (1965) S. 355 hat gezeigt, daß die Anregung für die Idee einer solchen Ursprache nicht nur aus Georg Forsters Übersetzung von Kalidasas *Sakontala* (1791), sondern auch aus den Schriften von Hemsterhuis stammt.

62,6 *unserm Lehrer:* Beschrieben wird im folgenden die Naturerkenntnis des reinen Empirikers; Hardenberg hatte, als er den Abschnitt schrieb, in dem Freiberger Professor Abraham Gottlob Werner (1749–1817), der an der Akademie Bergbaukunde und Mineralogie lehrte, einen solchen Empiriker täglich vor sich; über ihn notierte er: »Bearbeitung des wissenschaftlichen Systems, nach Wernerscher Art, aber viel universeller« (HKA III,340). Zu beachten ist, daß dieser »Lehrer« am Schluß das letzte Wort behalten wird.

63,1 *Fremdlinge:* vgl. Anm. zu »Der Fremdling«.

63,7 *Gängen:* »Überhaupt wird allem nichtmenschlichen, das sich selbst bewegt, ein menschliches gehn beigelegt, alle selbstbewegung, wirkliche oder scheinbare, als ein gang aufgefaßt, so im gebiete der kunst. töne, z. b., die sich melodisch bewegen, machen gänge.« (Jacob und Wilhelm Grimm, *Deutsches Wörterbuch*, Bd. 4,1.1, Leipzig 1878, Sp. 1233.)

63,16 *ein Kind:* Neben der empirischen Naturerkenntnis des Lehrers steht jene, die allein auf Intuition beruht. Das Kind, bei dessen Beschreibung erstmals jenes »Blau« auftaucht, das dann im Symbol der »blauen Blume« wichtig wird (vgl. *Heinrich von Ofterdingen*, HKA I,197), kommt nur für einen Augenblick; sein endgültiges Erscheinen bedeutet zugleich das Ende der »Lehrstunden« und den Beginn der Goldenen Zeit.

63,25 *Einen schickte er:* In der dritten Gestalt, dem ungeschickten und traurigen Schüler, vereinigen sich Empirie und Intuition; der Text ist bis hierher als Steigerung angelegt: der Lehrer anerkennt die Überlegenheit dessen, der im unscheinbaren Steinchen das zentrale Bindeglied aller bisher empirisch gefundenen einzelnen »Reihen« entdeckt.

64,12 *Ich werde dieser Augenblicke nie fortan vergessen:* Erst hier wird deutlich, daß die ganze Zeit offenbar der in der Überschrift genannte »Lehrling« als Erzähler anzunehmen ist. Striedter hat auf die komplizierte temporale Struktur dieses Vergangenheit, Gegenwart und Zukunft verknüpfenden Satzes hingewiesen.

64,22 *Sälen:* Zu denken ist an die Naturalienkabinette des 18. Jh.s, in denen, anders als in heutigen Museen, die unterschiedlichsten Gegenstände nebeneinander gesammelt wurden.

64,24–27 *ein göttlich Wunderbild ... die Jungfrau:* das Bild der Göttin von Sais.

65,20 f. *nach jener Inschrift dort:* »Unter einer alten Bildsäule der Isis las man die Worte: ›Ich bin, was da ist‹, und auf einer Pyramide zu Sais fand man die uralte merkwürdige Inschrift: ›Ich bin alles, was ist, was war und was sein wird, kein sterblicher Mensch hat meinen Schleier aufgehoben.‹« (Schiller, »Die Sendung Moses«; *Sämtliche Werke*, Bd. 4, S. 792.) Der Text der Inschrift ist von Plutarch überliefert. In *Ägyptische Merkwürdigkeiten aus alter und neuer Zeit*, Bd. 1, Leipzig 1786, S. 280, wird eine »andere Inschrift« zitiert: »Ich Isis bin die Herrscherin der ganzen Welt, eine Schülerin des Hermes. Meine Gesetze kann niemand aufheben. Ich bin die älteste Tochter des Kronos [. . .].« Über die von Plutarch berichtete Inschrift heißt es ausdrücklich, man habe sie »im Tempel der Neith« gefunden: »Ich bin alles was da war, was ist, und was seyn wird. Kein Sterblicher hat mein Gewand aufgehoben.«

66,7 f. *den alten einfachen Naturstand:* Im Sommer 1797 studierte Hardenberg Friedrich Wilhelm Joseph Schellings *Ideen zu einer Philosophie der Natur als Einleitung in das Studium dieser Wissenschaft*, die in diesem Jahr erschienen waren. Auf der Fahrt nach Freiberg begegnete Hardenberg Anfang Dezember in Leipzig Schelling zum erstenmal. Schelling spricht am Anfang der Einleitung seiner *Ideen zu einer Philosophie der Natur* vom »philosophischen Naturstande« des Menschen, da dieser »noch einig mit sich selbst und der ihn umgebenden Welt« war (F. W. J. Sch., *Sämtliche Werke*, hrsg. von K. F. A. Schelling, Bd. 2, Stuttgart/Augsburg 1856, Nachdr. u. d. T. *Schriften von 1794–1798*, Darmstadt 1975, S. 336).

66,33 f. *Ahndung [des Schlüssels dieses wundervollen Gebäudes] im Flüssigen, im Dünnen, Gestaltlosen:* Anspielung auf die Naturphilosophie der Vorsokratiker des 7./6. Jh.s v. Chr. Thales sah den einheitlichen Weltstoff im Wasser, Anaximenes in der Luft, Herakleitos im Feuer.

67,1 *ein grübelnder Kopf:* Gemeint ist Demokritos oder Leukippos (5. Jh. v. Chr.), beide entwickelten die antike Atomlehre. Danach erfüllt die Materie nicht in gleichmäßiger Ausdehnung den Raum, sondern sie ist aufgebaut aus kleinsten, unteilbaren und unveränderlichen Teilchen.

67,8 *mitwirkender Gedankenwesen:* Bei Empedokles (5. Jh. v. Chr.) sind es Liebe und Haß, die die Mischung und Entmischung der verschiedenen Elemente bewirken. Seine Philosophie wird mit der der Atomisten gleichgesetzt.

67,11 *Märchen und Gedichte:* Auch die Entwicklung Heinrich von Ofterdingens ist so angelegt, daß erst in Märchen und Gedichten gezeigt wird, was Dichter bewirken können, bevor es in Kap. 6–8 zur eigentlichen »Erklärung« kommt.

67,28–30 *die Dichtkunst das liebste Werkzeug der eigentlichen Naturfreunde:* Die Vorstellung, daß die dichterische Einbildungskraft die verlorengegangene Harmonie und Einheit des Universums ahnen und wiederherstellen könne, hat Hardenberg von Frans Hemsterhuis übernommen, dessen Werke er im Oktober/November 1797 ausführlich studierte; vgl. besonders den Dialog *Alexis, ou de l'âge d'or* (1787), dt. *Alexis oder vom goldenen*

Zeitalter, in: F. H., *Vermischte philosophische Schriften*, Tl. 3, Leipzig 1797, S. 1–120.

68,9 *tote, zuckende Reste:* In dem Buch von Johann Wilhelm Ritter, *Beweis, dass ein beständiger Galvanismus den Lebensprocess in dem Thierreich begleite*, Weimar 1798, das Hardenberg besaß (vgl. Bücherliste HKA IV,1071, Nr. 120), wurde S. 107 ff. beschrieben, daß Froschschenkel auch »einige Zeit, z. B. eine Viertel- bis halbe Stunde«, nachdem sie vom Körper abgeschnitten waren, als Teil einer galvanischen Kette in Zuckungen geraten konnten. Vgl. Anm. zu 100,24.

70,30 *die alte goldne Zeit:* nach Hesiod das erste von fünf Zeitaltern, in dem die Menschen noch ohne Leid, und ohne sterben zu müssen, auf einer sie üppig beschenkenden Erde lebten. Diese Vorstellung prägt seitdem in den verschiedensten Gestaltungen das Nachdenken über die Geschichte, und sie wird ergänzt durch eine andere: daß am Ende der Zeit das Goldene Zeitalter wiederkehre in einer innigen Durchdringung von Gott, Mensch und Natur. Hardenbergs ganzes Denken wird von dieser triadischen Sicht der Geschichte bestimmt. Dazu ausführlich Mähl (1965).

70,36–71,1 *legt die Sonne ihren strengen Zepter nieder:* Eine ähnliche Vorstellung von der Erneuerung der Welt durch Auflösung der hierarchischen Strukturen gibt es auch im Klingsohr-Märchen des *Ofterdingen*.

74,4 *geöffneten Abgrund:* Anspielung auf Marcus Curtius, eine der legendären Gestalten der römischen Geschichte. »Als sich auf dem Forum in Rom i. J. 362 ein tiefer Spalt geöffnet hatte, der sich laut einem Orakel erst nach dem Opfer von Roms höchstem Gut wieder schließen sollte, deutete Curtius das auf die kriegerische Tapferkeit und sprang bewaffnet zu Pferde in den Spalt, der sich darauf wieder schloß.« (*Lexikon der Alten Welt*, hrsg. von Carl Andresen [u. a.], Zürich/Stuttgart 1965, S. 678.)

74,9 *jenen feuerspeienden Stier:* nicht eindeutig erklärbar. Schulz und Samuel vermuten mythologische Reminiszenzen: an den von Theseus bezwungenen marathonischen Stier, der Feuer spie (Schulz; Novalis, *Werke*, S. 682), oder an die beiden feueratmenden Stiere, mit denen Jason pflügen mußte, bevor er das Goldene Vlies erwerben konnte (Samuel; HKA I,595).

74,13 *Sternenrad:* der Sternkreis.

74,15 *Dschinnistan:* Der Begriff ist übernommen von Wielands *Dschinnistan* (vgl. Anm. zu »Giasar und Azora«) und bezeichnet ganz allgemein ein Reich der Freiheit und der Phantasie.

75,11–23 *ein ernster Mann ... Er fühlt sich Herr der Welt, sein Ich schwebt ... und wird in Ewigkeiten über diesem endlosen Wechsel erhaben schweben:* Mähl (1965, S. 356) verweist zu dieser Stelle auf Johann Gottlieb Fichtes Jenenser *Vorlesungen über die Bestimmung des Gelehrten* (1794), wo es am Ende der 3. Vorlesung heißt: »Ich habe zugleich mit der Übernehmung jener großen Aufgabe die Ewigkeit an mich gerissen. Ich hebe mein Haupt kühn empor zu dem drohenden Felsengebirge, und zu dem tobenden Wassersturz, und zu den krachenden in einem Feuermeere schwimmenden Wolken, und sage: ich bin ewig, und ich trotze eurer Macht! Brecht alle herab auf mich, und du Erde und du Himmel, vermischt euch im wilden Tumulte, und ihr Elemente alle, – schäumet und tobet, und zerreibet im wilden Kampfe das lezte Sonnenstäubchen des Körpers, den ich mein nenne; – mein Wille allein mit seinem festen Plane soll kühn und kalt über den Trümmern des Weltalls schweben [...].« (J. G. F., *Einige Vorlesungen über die Bestimmung des Gelehrten*, Jena/Leipzig 1794, S. 70.) – Zum Begriff des »Schwebens« notierte Hardenberg in den Fichte-Studien unter der Überschrift »Bemerkungen zur Wissenschaftslehre«: »Frey seyn ist die Tendenz des Ich – das Vermögen frey zu seyn ist die productive Imagination [...] *des Schwebens*, zwischen Entgegengesezten. [...] Alles Seyn, Seyn überhaupt ist nichts als Freyseyn – *Schweben* zwischen Extremen« (HKA II,266).

77,30 f. *Rosenblüte ... Hyazinth:* »Während der Name *Rosenblüthe* sich selbst erklärt, ist der des *Hyacinth* wohl untergründiger. Auf der einen Seite gibt es einen Edelstein Hyazinth, ein hellroter bis rötlich brauner und honiggelber Korund aus Burma und Ceylon, auf der anderen die Blume Hyákinthos, ursprünglich die blaue Schwertlilie. An die letztere schließt sich die griechische Sage von dem schönen Jüngling Hyakinthos aus Amyclae bei Sparta, der von Apollo und Zephyr gleichzeitig geliebt und durch Zephyrs Machenschaften versehentlich beim Spiel von Apollos Wurfscheibe getötet wurde. Aus seinem Blut entquoll eine Blume, eben die Hyazinthe.« (Samuel; HKA I,596.)

86,3 f. *die gut ausgeführten Systeme:* Über die Möglichkeiten und die Formen eines solchen »Systems« der Naturlehre handelt Schelling in seinen *Ideen zu einer Philosophie der Natur* (vgl. Anm. zu 66,7 f.), S. 353 ff.

86,25–28 *Alles Göttliche hat eine Geschichte und die Natur ... sollte ... so gut wie der Mensch in einer Geschichte begriffen sein:*

»Diese Philosophie also muß annehmen, es gebe eine Stufenfolge des Lebens in der Natur [...]. Solange ich selbst mit der Natur identisch bin, verstehe ich was eine lebendige Natur ist so gut, als ich mein eigenes Leben verstehe; begreife, wie dieses allgemeine Leben der Natur in den mannichfaltigsten Formen, in stufenmäßigen Entwicklungen, in allmählichen Annäherungen zur Freiheit sich offenbaret.« (Schelling, *Ideen zu einer Philosophie der Natur*, S. 370 und 371.)

86,29 f. *Die Natur wäre nicht die Natur, wenn sie keinen Geist hätte:* »Das System der Natur ist zugleich das System unseres Geistes. [...] wir wollen, nicht daß die Natur mit den Gesetzen unsers Geistes zufällig (etwa durch Vermittlung eines Dritten) zusammentreffe, sondern daß sie selbst nothwendig und ursprünglich die Gesetze unsers Geistes nicht nur ausdrücke, sondern selbst realisire, und daß sie nur insofern Natur sey und Natur heiße, als sie dieß thut. Die Natur soll der sichtbare Geist, der Geist die unsichtbare Natur seyn.« (Schelling, *Ideen zu einer Philosophie der Natur*, S. 363 und 379 f.)

88,27 *In jenen Statuen:* Im August 1798 hatte Hardenberg mit seinen Freunden die Dresdner Antikensammlung mit ihren griechischen Statuen besucht. Er notierte sich im *Allgemeinen Brouillon*: »Wunderbare *Religion*, die sie umschwebt – [...] die Antiken sind zugleich *Produkte der Zukunft und der Vorzeit* – [...] Mystischer Sinn für Gestalten. Die Antiken berühren nicht Einen sondern alle Sinne, die ganze Menschheit.« (HKA III,248.)

90,1 *Wissens und Wachens:* Zur Begründung seiner Konjektur »Wissens und Machens« verweist Hans-Joachim Mähl auf Hardenbergs Plotin-Studien im Herbst 1798 (H.-J. M., »Novalis und Plotin. Untersuchungen zu einer neuen Edition und Interpretation des ›Allgemeinen Brouillon‹«, in: *Jahrbuch des Freien Deutschen Hochstifts 1963*, Tübingen 1963, S. 139–250, hier S. 206 und Anm. 134). »Hier kehrt auch der Begriff der ›schaffenden Betrachtung‹ wieder, in dem sich die früheren Gedankengänge zur ›schöpferischen Weltbetrachtung‹ sammeln und abklären konnten; hier wird daher auch fast gleichlautend der Denker ›als Künstler‹ bezeichnet, der mit Recht ›den *tätigen* Weg betritt‹, um ›die Welt auf seine Art nachbilden zu können‹.« (Ebd., S. 206.) Vgl. 90,18–32 und 91,3–9.

93,8 f. *diese Weltseele:* Im Herbst 1798 studierte und exzerpierte Hardenberg Schellings *Von der Weltseele, eine Hypothese der höhern Physik zur Erklärung des allgemeinen Organismus* (1798).

Trotz aller Kritik stimmte er mit Schelling im entscheidenden Punkt überein: »[...] ächte Universaltendenz in ihm – wahre Strahlenkraft – von Einem Punct in die Unendlichkeit hinaus. Er scheint viel poetischen Sinn zu haben.« (An Friedrich Schlegel am 26. Dezember 1797; HKA IV,242.)

93,31 *Scheidekünstler:* im 18. Jh. gebräuchliche Bezeichnung für den (praktischen) Chemiker (vgl. Grimms *Deutsches Wörterbuch*, Bd. 8, Leipzig 1893, Sp. 2400).

95,15 *Karfunkel:* Von diesem leuchtenden roten Stein glaubte man seit dem Altertum, er leuchte von sich aus und könne »im finstern alles erleuchten und helle machen so, daß man keines Lichts vonnöthen hätte« (Johann Heinrich Zedler, *Großes Vollständiges Universal-Lexicon Aller Wissenschafften und Künste*, Bd. 5, Halle/Leipzig 1733, Sp. 780). So wurde dem Stein immer eine magisch-apotropäische Wirkung zugeschrieben, bei Novalis dient er »als zentrales Symbol der Verwandlung und der unio mystica« (Theodore Ziolkowski, »Der Karfunkelstein«, in: *Euphorion* 55, 1961, S. 297–326, hier S. 321).

95,24 *Urvolks:* gegen Ende des 18. Jh.s aufkommende Neubildung; »ein ursprüngliches Volk, welches schon in den frühesten Zeiten als für sich bestehendes Volk da ist« (Joachim Heinrich Campe, *Wörterbuch der Deutschen Sprache*, Tl. 5, Braunschweig 1811, S. 253). Grimms *Deutsches Wörterbuch* zitiert Friedrich Schmitthenner, *Ursprachlehre* (1826), mit der Bestimmung »ursprünglichstes volk, von dem die stammvölker, dann die einzelnen völker der geschichte entsprossen sind« (Bd. 11,3, Leipzig 1936, Sp. 2602). Samuel vermutet, daß Hardenberg hier an »die Bewohner von Atlantis« denkt, von dem Platon im *Timaios* (22b ff.) und *Kritias* (108e ff.) erzählt. »In diesen Dialogen spricht Platon auch von Sais, wohin Solon gegangen war, um von den Priestern in das Geheimnis von Atlantis eingeweiht zu werden.« (HKA I,597.)

95,28 *jene heilige Sprache:* Gemeint ist wohl »die echte Sanskrit«, vgl. Anm. zu 61,29.

96,1 f. *Jeder ihrer Namen schien das Losungswort für die Seele jedes Naturkörpers:* Die Alchimisten glaubten an die Möglichkeit, den Alkahest zu finden, mit dem alle Stoffe aufzulösen und zu transmutieren wären (vgl. Anm. zu 61,19). Hardenbergs Intellektualisierung dieser Vorstellung greift gleichzeitig sprachphilosophische Spekulationen auf, nach denen das Nomen keine willkürliche Setzung ist, sondern das eigentliche Wesen der Dinge enthält.

98,29 *Naturalist:* Im Herbst 1799 erschien Friedrich Schleiermachers Schrift *Über die Religion. Reden an die Gebildeten unter ihren Verächtern.* Mitte September, noch bevor das Buch ausgeliefert war, ließ sich Hardenberg ein Exemplar besorgen und beschäftigte sich sogleich intensiv mit dem Werk. In der Fünften Rede heißt es zum Begriff des »Naturalismus«: »ich verstehe darunter die Anschauung des Universums in seiner elementarischen Vielheit ohne die Vorstellung von persönlichem Bewußtseyn und Willen der einzelnen Elemente« (F. Sch., *Über die Religion. Reden an die Gebildeten unter ihren Verächtern*, Berlin 1799, S. 259).

99 *Entwürfe*

99,4 *Der geognostische Streit der Volkanisten und Neptunisten:* Lehre der Vulkanisten (ältere Schreibung: Volkanisten, von lat. *volcanus*, dem römischen Gott des Feuers) ist, daß die Gesteine aus Eruption entstanden seien, während die Neptunisten – zu denen auch Hardenbergs Lehrer Abraham Gottlob Werner gehörte – die Gesteine als Sedimente aus einem Urmeer ansahen; diese wissenschaftliche Frage wird hier verschränkt mit einer anderen aus dem medizinischen Bereich: der schottische Arzt John Brown (1735–88), den Hardenberg ausführlich studiert und exzerpiert hat, nennt sthenisch einen zu starken, asthenisch einen zu schwachen Erregungszustand.

100,5 *Messias der Natur:* Die Vorstellung scheint »auf das Selbstverständnis des Alchimisten zurückzugehen. So findet sich bei Geber in der ›Summa perfectionis‹, dem Grundbuch der Alchimisten, das auch Novalis im Juni 1798 auslieh, folgender Gedankengang: Die Substanz der vollkommenen und der unvollkommenen Körper, z. B. Metalle, ist ursprünglich die gleiche; die Unvollkommenheit mancher Körper ist eine sekundäre, zufällige Eigenschaft auf Grund einer Verderbnis, ›die ihrer Materie eine neue und verdorbene Form gegeben hat‹. ›Das, was den unvollkommenen Metallen fehlt, wird durch die Medizin ergänzt; das Überflüssige wird entfernt.‹ Der die Medizin herstellende und anwendende Alchimist erlöst also die Metalle aus ihrer Verderbnis und Unvollkommenheit. [...] So ist der echte Alchimist in seinem Handeln auf die Vervollkommnung der Welt bezogen.« (Gaier, 1970, S. 127.) Nach alter alchimistischer Tradition ist die Passion Jesu allegorisch zu deuten; sie steht für den alchimistischen Prozeß, in dem die natürlichen Elemente aufgelöst und zum Stein der Weisen neu zusammengesetzt werden: »lapis est clausus in eo, ut Christus in sepulcro« (Emil E. Ploss [u. a.], *Alchimia. Ideologie und Technologie*, München 1970, S. 140–143, hier S. 142).

100,23 *Göthe:* »Auch dürfte man im gewissen Sinn mit Recht behaupten, daß Göthe der erste Physiker seiner Zeit sey – und in der That Epoke in der Geschichte der Physik mache. Vom Umfang der Kenntnisse kann Hier nicht die Rede seyn, so wenig auch Entdeckungen den Rang des Naturforschers bestimmen dürften. Hier kommt es darauf an, ob man die Natur, wie ein Künstler die Antike, betrachtet [...].« (Hardenberg in einer Aufzeichnung über Goethe vom Herbst 1798; HKA II,640.)

100,24 *Schelling:* vgl. Anm. zu 93,8 f.

Ritter: Johann Wilhelm Ritter (1776–1810), der wichtigste Vertreter romantischer Physik, war Hardenbergs Gewährsmann für den Versuch, von der naturwissenschaftlichen Praxis her wissenschaftliche Einzelbeobachtung und mystisch-ganzheitliche Naturbeobachtung zu verbinden.

pneumatische Chemie: typische Formulierung Hardenbergs, der wie viele seiner Zeitgenossen an die wechselseitige Durchdringung der Wissenschaften glaubte.

100,25 *Werner:* vgl. Anm. zu 62,6.

101,3 *Anachoret:* Einsiedler.

101,13 *Archaeus:* »Wir finden dieses Wort zum ersten in des Paracelsi Schrifften, darnach ist es von Joanne Baptista, von Helmont und andern gebraucht worden, und bey denen neuern Physicis ist es nunmehro, jedoch in unterschiedenen Verstande, zur Gnüge bekannt. Diejenigen, welche unter denen Grund-Ursachen derer natürlichen Würckungen ein geistiges Wesen zulassen, verstehen hierunter die *animam mundi*, oder denjenigen Geist, welcher sich in der gantzen Natur ausbreiten soll [...]; andre aber, die sich bemühen, die Würckungen derer Dinge aus der Materie und Wesen des Cörpers herzuleiten, verstehen unter diesem Worte die nach ihren Gedancken cörperliche Seele derer Menschen, und das andern Geschöpffen angebohrne warme Wesen, von welchem die Bewegungen derer Cörper ihren Ursprung haben sollen.« (Johann Heinrich Zedler, *Großes Vollständiges Universal-Lexicon Aller Wissenschafften und Künste*, Bd. 2, Halle/Leipzig 1732, Sp. 1211.)

101,16 *Bilds[äule] des Memnons:* Eine der beiden sitzenden Steinfiguren des Pharaos Amenophis III. bei Theben bezeichneten die

Griechen als Bild des Memnon, nach dem Sohn der Eos, der Göttin der Morgenröte; die Statue soll bei Sonnenaufgang singende Töne hervorgebracht haben. Aus dem *Alexis* von Hemsterhuis (vgl. Anm. zu 67,28–30) exzerpierte sich Hardenberg den Satz: »Der Geist der Poesie ist das Morgenlicht, was die Statue des Memnons tönen macht.« (HKA II,373.)

101,18 *Das Kind und sein Johannes:* Die Notiz verbindet das »Kind«, von dem der Lehrer am Beginn der *Lehrlinge zu Sais* sagte: »Einst wird es wiederkommen und unter uns wohnen, dann hören die Lehrstunden auf« (63,23–25), mit dem das Kommen des Messias ankündigenden Johannes der Evangelien, vgl. etwa Lk. 3,3 ff. Die Verknüpfung kann übrigens zeigen, wie sehr in allen Texten Hardenbergs die Sprache der Bibel ihre Spuren hinterlassen hat. Als das »Kind« wieder verschwunden ist, sagt der Lehrling von ihm: »Die Stimme drang uns allen durch das Herz, wir hätten gern ihm unsere Blumen, Steine, Federn und alles gern geschenkt« (63,20–22). Als in Lk. 24,32 der auferstandene Jesus in Emmaus die Jünger, denen er erschienen ist, wieder verlassen hat, sagen diese: »Brannte nicht unser Herz in uns, wie er auf dem Wege mit uns redete, wie er uns die Schriften erschloß?«

101,19 f. *neues Jerusalem:* Die jüdische Eschatologie erwartet die Erneuerung des im Jahre 70 n. Chr. zerstörten Jerusalem am Ende der Zeit. Diese Vorstellung wird auch vom frühen Christentum aufgenommen, vgl. Gal. 4,26, Hebr. 12,22, Offb. 3,12 und vor allem 21,2: »Und ich sah die heilige Stadt, das neue Jerusalem, von Gott her aus dem Himmel herabkommen [...].« Hardenberg benützt dieses Bild zur Bezeichnung einer aus religiösem Geist erneuerten Welt besonders in *Die Christenheit oder Europa* (1799): »sie muß kommen die heilige Zeit des ewigen Friedens, wo das neue Jerusalem die Hauptstadt der Welt seyn wird« (HKA III,524).

101,21 *Kosmogonieen:* Lehren von der Weltentstehung.

Geistliche Lieder (1799–1800)

Bei einer chronologischen Ordnung der Texte ist es nötig, die in den Novalis-Ausgaben übliche Reihenfolge zu ändern. Die *Geistlichen Lieder* gehören vor die *Hymnen an die Nacht*, denn so unklar vieles in der Entstehungsgeschichte des poetischen Werks sein mag, sicher ist, daß die ersten *Geistlichen Lieder* vor den *Hymnen an die Nacht* fertig waren. Tieck berichtet in seiner Biographie des Dichters (1805) – und dafür spricht auch der handschriftliche Befund –, Hardenberg habe ihm schon Ende Juli 1799 »einige von seinen geistlichen Liedern« gezeigt (HKA IV,548). Auch der Amtmann Just nannte die *Geistlichen Lieder* die »ersten Versuche« (HKA IV,548), die Novalis bei seiner neuen Annäherung an die Poesie gemacht habe. Im November 1799 las er jedenfalls mehrere Lieder beim Romantikertreffen in Jena vor und überließ die Manuskripte Friedrich Schlegel. Diesem schrieb er am 31. Januar: »Meinen Liedern gebt die Aufschrift: Probe eines neuen, geistlichen Gesangbuchs. Außerdem schick ich euch noch ein langes Gedicht – vielleicht paßt es euch zu eurem Plan« (HKA IV,317). Das »lange Gedicht« waren die neu entstandenen *Hymnen an die Nacht*, ihre Absendung wurde in einem Postskriptum auf den »nächsten Posttag« verschoben.

Während der gesamten Freiberger Studienzeit von Dezember 1797 bis Frühjahr 1799 hatte Hardenberg, anders als während der ersten Studienphase von 1790 bis 1794, intensiv gearbeitet. Die ausgedehnte Lektüre führte, wie immer bei ihm, zu umfangreichen Niederschriften, die er aber mehr als Entwürfe denn als druckbare Ergebnisse ansah; er meinte, sie jeweils erst »fegen« zu müssen, bevor sie an die Öffentlichkeit gelangen könnten. Nur zwei kleinere Sammlungen hatte er im Frühjahr und Sommer 1798 zum Druck zusammengestellt (vgl. S. 217), aber auch da überließ er die endgültige Redaktion Friedrich Schlegel. Es dauerte dann mehr als ein Jahr, und es waren schließlich etwa acht Jahre vergangen seit der Publikation jenes Gedichts, welches das Jugendwerk abschloß (»Klagen eines Jünglings«), ehe Hardenberg wieder mit der Abfassung von Texten begann, die für den Druck bestimmt waren.

Inzwischen hatte er sein Studium beendet, seit Weihnachten 1798 war er verlobt, im Mai 1799 trat er den Dienst in der Salinenverwaltung an. Erst jetzt also, da für ihn im privaten wie im wissenschaftlichen Bereich Ruhe eintrat, entstanden in rascher Folge die großen

poetischen Werke, die *Geistlichen Lieder*, die *Hymnen an die Nacht*, *Heinrich von Ofterdingen*, die späten Gedichte.
Kommt man vom ersten poetischen Neuansatz nach dem Jugendwerk, den *Lehrlingen zu Sais*, zu den *Geistlichen Liedern*, so ist der Eindruck überraschend. Auf den Roman über die Selbstfindung des Ich in der Hingabe an die Natur folgen Lieder, die für den Gebrauch im Gottesdienst bestimmt waren und die auch tatsächlich von ergriffenen Betern nachgesprochen und gesungen wurden. Der Vorgang läßt sich verschieden deuten: Hardenberg hat sein Selbst- und Lebensverständnis geändert und zum Glauben der Kindheit oder gar zur katholischen Kirche zurückgefunden (schon Hardenbergs Freund, der Amtmann Just, monierte, in den Gedichten kämen Stellen vor, die man von dem aufgeklärten Denker nicht erwartet hätte); oder die Lieder sind weit vielschichtiger, als die Texte zunächst verraten.
Der Tod Sophie von Kühns am 19. März 1797 hatte Hardenberg gezwungen, sich die Fragen nach dem Sinn von Leben, Liebe und Tod neu zu stellen. Das eigene Schicksal also, nicht eher ästhetische Bedürfnisse wie bei Tieck, zwangen den durch die Aufklärung geprägten jungen Mann zu neuer Auseinandersetzung mit der Religion. Es ging dabei nicht um die Rückkehr zu Positionen der Kindheit, eher um den Versuch, sich selbst klarzumachen, was es mit der Liebe zur verstorbenen Braut auf sich habe. Der Raum der Transzendenz wurde ihm eröffnet durch das tote Mädchen, dem er sich intensiv verbunden fühlte. Er beschloß, ihr nachzusterben. Zunächst war das offenbar wörtlich gemeint; im Laufe der Monate aber erwuchs aus diesem Entschluß seine zentrale Lebensaufgabe: er wollte sich mit Bewußtsein geistig in jenen Raum begeben, in dem er die Geliebte wußte. Glaube – das war vor allem das Gefühl der Verbundenheit mit Sophie. Liebe und Religion wurden austauschbar. »Ich habe zu Söfchen Religion – nicht Liebe«, notierte er sich, und: »Liebe kann durch absoluten Willen in Religion übergehn« (HKA II,395).
Diese Sätze entstanden wahrscheinlich im Herbst 1797, fast zwei Jahre vor den ersten *Geistlichen Liedern*. Schon jetzt trat die persönlich-biographische Seite in Hardenbergs religiösem Selbstverständnis immer stärker zurück. Wenn Ritter (1967) S. 141 einen – nirgends belegten – Besuch am Grab Sophies in Grüningen im Frühjahr 1799 als Anlaß für die *Geistlichen Lieder* annimmt, so entspricht das nicht der Logik von Hardenbergs Entwicklung. In Auseinandersetzung mit den Schlegels (wobei auch die Frauen einzuschließen sind,

Dorothea äußerte sich sehr skeptisch über Hardenbergs Frömmeleien) klärten sich die Positionen. Am 2. August 1796 schrieb Friedrich an Caroline Schlegel: »Gleich den ersten Tag hat mich Hardenberg mit der Herrnhuterey so weit gebracht, daß ich nur auf der Stelle hätte fortreisen mögen. Doch habe ich ihn wieder so lieb gewinnen müssen, daß es sich der Mühe verlohnt, einige Tage länger von Ihnen abwesend zu seyn; ohngeachtet aller Verkehrtheit, in die er nun rettungslos versunken ist« (zit. nach: *Caroline. Briefe aus der Frühromantik*, nach Georg Waitz verm. hrsg. von Erich Schmidt, Bd. 1, Leipzig 1913, S. 393). Später, am 2. Dezember 1798, schrieb er dagegen an Hardenberg: »Ich denke eine neue Religion zu stiften oder vielmehr sie verkündigen zu helfen: denn kommen und siegen wird sie auch ohne mich. [. . .] Doch vielleicht hast Du mehr Talent zu einem neuen Christus, der in mir seinen wackern Paulus findet« (HKA IV,507 f.). Eine romantische Religiosität bildete sich heraus, die folgerichtig die Positionen der Aufklärungstheologie weiterführte, den Versuch, den Zwiespalt zwischen Vernunft und Offenbarung zu überwinden und die Autonomie des Menschen zu begründen. Für wenige Jahre, ehe jeder auf seine Weise die Rückkehr in den Frieden der vertrauten kirchlichen Formeln suchte, entstand ein freier Glaube, der sich nicht auf Lehren und Gesetze, sondern auf unmittelbare, je eigene Erfahrung stützte, weshalb auch eine je eigene Religion entstehen sollte – bemerkenswert genug am Beginn eines Zeitalters, das die Rechte und Entfaltungsmöglichkeiten des Individuums auf bisher ungekannte Weise vernichtete. Die neue Religion stützte sich auf eine ganz optimistische Sicht menschlichen Selbstbewußtseins, das alles Irdisch-Bedingte transzendierte und ausgerichtet war auf die Erfahrung der Unendlichkeit und Beseeltheit der Natur. Der Gott, den man suchte, das war der »Gott in uns« und der Gott in der Natur. Religion zu haben, das bedeutete, das jedem Leben innewohnende Göttliche zu begreifen.
Es war klar und wurde deutlich ausgesprochen, daß man sich damit von tradierten christlichen Vorstellungen, die als eine überwundene Stufe der Entwicklung galten, entfernte. Hardenberg erklärte ausdrücklich in *Blütenstaub*, daß man Christus nicht unbedingt brauche, daß »alles Organ der Gottheit – Mittler seyn könne, indem ich es dazu erhebe« (HKA II,442 f.). Scharf verurteilte er die Religionsübungen der »Philister«: »Ihre sogenannte Religion wirckt blos, wie ein Opiat [. . .]. Ihre Früh und Abendgebete sind ihnen, wie Frühstück und Abendbrot, nothwendig. Sie könnens nicht mehr lassen« (HKA II,446). Die neue Religion mußte jeder für sich aus sich selbst

entwickeln: »Jedes Individuum ist der Mittelpunct eines Emanationssystems« (HKA II,462).
Hardenbergs alter Freund Just hatte offenbar mit solchen Sätzen Schwierigkeiten und protestierte (vgl. HKA IV,506 und 515), doch Hardenberg antwortete, daß gerade seine Äußerungen über die Religion seiner »innigsten Ueberzeugung« entsprächen. Er wolle Just das Glück, die Bibel als »Unterpfand Gottes und der Unsterblichkeit« in die Hand zu nehmen, nicht rauben, sein Weg sei aber ein anderer: »Wenn ich weniger auf urkundliche Gewißheit, weniger auf den Buchstaben, weniger auf die Wahrheit und Umständlichkeit der Geschichte fuße; wenn ich geneigter bin, in mir selbst höhern Einflüssen nachzuspüren, und mir einen eignen Weg in die Urwelt zu bahnen; wenn ich in der Geschichte und den Lehren der christlichen Religion die symbolische Vorzeichnung einer allgemeinen, jeder Gestalt fähigen, Weltreligion – das reinste Muster der Religion, als historischen Erscheinung überhaupt – und wahrhaftig also auch die vollkommenste Offenbarung zu sehen glaube; wenn mir aber eben aus diesem Standpunkt alle Theologien auf mehr und minder glücklich begriffenen Offenbarungen zu ruhen, alle zusammen jedoch in dem sonderbarsten Parallelism mit der Bildungsgeschichte der Menschheit zu stehn und in einer aufsteigenden Reihe sich friedlich zu ordnen dünken, so werden Sie das vorzüglichste Element meiner Existenz, die Phantasie, in der Bildung dieser Religionsansicht, nicht verkennen.« (Am 26. Dezember 1798; HKA IV,271 f.)
Die Abfassung eines »neuen geistlichen Gesangbuchs« bedeutete keine Abkehr von solchen Ansichten. Hardenberg hält sich nur an eine Devise, die er selbst 1798 so formuliert hatte: »In der Welt muß man mit der Welt leben. Man lebt nur, wenn man im Sinne der Menschen lebt, mit denen man lebt. Alles Gute in der Welt kommt von innen her und also ihr von außen, aber es blizt nur hindurch« (HKA II,395). Die *Geistlichen Lieder* wollen alte und von Hardenberg durchaus geachtete Religionsübungen mit einem neuen geistlichen Sinn füllen.
Die protestantische Kirchenlieddichtung erlebte im ausgehenden 18. Jh. eine bemerkenswerte Nachblüte. Man wollte das alte Liedgut im Sinn der Aufklärungstheologie verändern. In dieser Absicht hatte Klopstock 1758 und 1769 zwei Bände *Geistliche Lieder* veröffentlicht – der junge Hardenberg zitiert einmal ein Lied Klopstocks (vgl. HKA I,572), er muß diese Ausgabe also gekannt haben. Ebenso kannte er Christian Fürchtegott Gellerts *Geistliche Oden und Lieder*

(1757), er fand in ihnen »zu wenig Phantasie, welche ihm den Weg zum Herzen bahnen sollte« (HKA IV,548), Nach dem Vorbild Klopstocks traten neben die im Gottesdienst gebrauchten Liederbücher, von denen Hardenberg mehrere besaß (vgl. HKA I,124), in den folgenden Jahren eine ganze Reihe von Neudichtungen. 1766 etwa veröffentlichte Johann Andreas Cramer *Neue geistliche Oden und Lieder*, 1773 Klamer Eberhard Karl Schmidt *Gesänge für Christen* – die Liste wäre zu verlängern. Ausdrücklich bezogen hat sich Hardenberg auf Johann Kaspar Lavaters *Christliche Lieder* (»Erstes Hundert«, 1776; »Zweites Hundert«, 1780), in denen er »noch zu viel Irrdisches – und zu viel Moral und *Ascetik*« fand; seine Forderung: »Die Lieder müssen weit lebendiger, inniger, allgemeiner und mystischer seyn« (HKA III,588).

Es gibt demnach bei den *Geistlichen Liedern* einen ähnlichen Vorgang, wie er im Jugendwerk an den anakreontischen Gedichten zu beobachten ist. Hardenberg knüpft an eine literarische Form an, die etwa dreißig Jahre früher ihre Blüte hat. Er braucht die Vorlage, um seine Phantasie produktiv werden zu lassen, verändert dann aber entschieden, was er vorfindet. Nachdem er im November 1799 seinen Freunden einige Lieder vorgelesen hatte – Friedrich Schlegel fand, sie seien »das göttlichste, was er je gemacht« (in einem Brief an Schleiermacher vom 16. November 1799; zit. nach: *Aus Schleiermacher's Leben. In Briefen*, hrsg. von Ludwig Jonas und Wilhelm Dilthey, Bd. 3, Berlin 1861, S. 134) –, blieb die »Originalabschrift« bei Schlegel. Die Gedichte sollten im *Athenaeum* erscheinen, wurden aber kurzfristig durch die *Hymnen an die Nacht* ersetzt. Nach längerem Hin und Her zwischen Tieck, August Wilhelm Schlegel und Schleiermacher erschienen die Lieder I–VII nach Hardenbergs Tod im *Musen-Almanach für das Jahr 1802*, offenbar enthielt die »Originalabschrift« nur diese Lieder. In der Gesamtausgabe von 1802 kamen weitere acht Lieder dazu, die Carl von Hardenberg aus dem Nachlaß beisteuerte. Die Reihenfolge besagt keineswegs, daß die Lieder in dieser Reihenfolge entstanden. Nr. VII und VIII stehen auf dem gleichen Blatt wie Nr. IV und V und stammen auch der Schrift nach von 1799. Nr. IX und X sind möglicherweise erst 1800 entstanden, hier gibt es die größten Fragezeichen. Nr. XI und XII finden sich auf der gleichen Handschrift wie zwei *Ofterdingen*-Gedichte aus dem ersten Teil des Romans, sind also wohl nicht vor Frühjahr 1800 geschrieben worden. Schon Sidonie von Hardenberg vermutete, daß die Marienlieder XIV und XV für den zweiten Teil des *Ofterdingen* gedacht waren. Nr. XIV ist mit Sicherheit das späteste Lied, denn es steht auf einem Briefentwurf vom August 1800.

Die *Geistlichen Lieder*, wie sie uns vorliegen, sind nicht im Zusammenhang entstanden und bilden gedanklich keine Einheit. Dennoch sollte der Zyklus in der überlieferten Anordnung bleiben. Bei seinen Schriften brauchte Hardenberg nicht nur die Anregung durch fremde Texte, er suchte auch bei der Publikation die Hilfestellung der Freunde, denen er das Recht einräumte – das gilt selbst noch für den *Ofterdingen* –, in seinen Niederschriften zu korrigieren und zu verändern. Schleiermacher entschuldigte sich im Juli 1800, daß er wegen überfälliger eigener Arbeiten »Hardenberg diese Gefälligkeit nicht erzeigen« und den Roman einer »Correctur« unterziehen könne (*Aus Schleiermacher's Leben. In Briefen*, Bd. 3, S. 206). Wenn die Freunde die Sammlung der *Geistlichen Lieder* selbständig zusammenstellten, folgten sie nur Hardenbergs eigenen Intentionen.

Der Text der *Geistlichen Lieder* und deren Anordnung folgen dem ersten vollständigen Druck in der Werkausgabe von Schlegel und Tieck (1802), Bd. 2, S. 123–158. Die historisch-kritische Ausgabe folgt für die Lieder VIII–XV ebenfalls dieser Ausgabe, legt jedoch für die Lieder I–VII den Erstdruck im *Musen-Almanach* zugrunde. Offensichtliche Druckfehler und Abweichungen des Erstdrucks der Lieder I–VII gegenüber der Fassung der Druckvorlage sowie Korrekturen nach dem Erstdruck im *Musen-Almanach* und nach der Handschrift sind in den Anmerkungen zu den einzelnen Liedern verzeichnet.

103 I.

Das Lied gehört zu den meistgedruckten der *Geistlichen Lieder*. Bis ins 20. Jh. hinein hat es »seinen festen Platz im protestantischen Gesangbuch« (Seidel, 1973, S. 256). Bekannt ist eine von Bülow zuerst überlieferte Anekdote: Hardenbergs Vater sei in einem Herrnhuter Gottesdienst gewesen, in dem das Lied gesungen wurde; als er sich anschließend erkundigte, von wem es stamme, habe man ihm erklärt, es sei von seinem Sohn. Schon bald nach Hardenbergs Tod wurde demnach das Lied im Gottesdienst benützt. – Als Einleitung gibt es das Thema der ganzen Liedserie an. In der Handschrift hat es den Titel »Ohne ihn und mit ihm«. Wie oft bei Hardenberg gibt es einen schematisch klaren Aufbau:

Str. 1/2: Das persönliche Leben ohne Christus.
Str. 3/4: Die Erlösung durch Christus.
Str. 5: Aufruf, für Christus zu werben.
Str. 6/7: Die Menschheit ohne Christus.
Str. 8/9: Die Erlösung durch Christus.
Str. 10: Gemeinsames Bekenntnis und Aufruf.

15 Himmel] Himmel, *Erstdr.*
25 wird] ward *Druckvorlage; verbessert nach Erstdr.*
26 sprüht] spricht *Druckvorlage; verbessert nach Hs.*
58 Macht,] Macht; *Erstdr.* Macht *HKA*
61 offen,] offen *Erstdr.*
65 Sünde] Sünde, *Erstdr.*
72 kaum.] kaum
79 aufgenommen,] aufgenommen *Erstdr.*

15 f. *Wer hielte ohne Freund im Himmel / Wer hielte da auf Erden aus:* vgl. Ps. 73,25.
19 f. *Wie schnell verzehrt ein lichtes Leben / Die bodenlose Finsternis:* vgl. Joh. 1,4 f.
23 *Indien:* Indien galt für die Romantik allgemein als Land mit besonders ausgeprägter Religiosität, aber auch als Heimat der Dichtung. Schulz (Novalis, *Werke*, S. 646) verweist auf eine Bemerkung von A. Leslie Willson: »In the poem Novalis hints at a synthesis of Christianity and the religion of India – or, more fundamentally, at the essential unity of all religions. He also conceives of India here in the sense of Indicpoetic, making India a synonym for poetry and alluding, then, to the poetic transfiguration of the figure of Christ.« (A. L. W., *A Mythical Image. The Ideal of India in German Romanticism*, Durham 1964, S. 54.) Eine solche Deutung wird zwar durch das Lied nicht gedeckt, trifft aber die Tendenz von Hardenbergs Werk.
31 f. *Gewiß ihn unter uns zu haben, / Wenn zwei auch nur versammelt sind:* vgl. Mt. 18,20.
33 *O! geht hinaus auf allen Wegen:* vgl. Mt. 22,9.
43 *Wir irrten in der Nacht wie Blinde:* vgl. Jes. 59,10.
59 f. *Und hat ein allbelebend Feuer / In unserm Innern angefacht:* vgl. Lk. 24,32.
61 *Nun sahn wir erst den Himmel offen:* vgl. Joh. 1,51.
64 *Und fühlten uns mit Gott verwandt:* vgl. 1. Joh. 3,1.
65 *Seitdem verschwand bei uns die Sünde:* Im christlichen Kontext ist eine solche Formel eigentlich nicht möglich, und es bedarf

einiger Anstrengung, sie zurechtzuinterpretieren, wenn das Gedicht als geistliches Lied unverdächtig bleiben soll. Hardenberg hat auch sonst im Umgang mit Positionen der Dogmatik sich alle Freiheiten erlaubt.

80 *Zur Frucht des Paradieses reift:* vgl. dazu Joh. 15; 16.

105 II.

Üblicherweise als Weihnachtslied gedeutet, obwohl nur die Verse 7 und 8 auf das Fest anspielen. Ein Blick in die Weihnachtsgedichte des 18. Jh.s zeigt, was neu ist: Der Heiland kommt hier nicht in einem bestimmten Moment, seine Geburt ist kein punktuelles Ereignis, sondern ein fortdauerndes Eintauchen »in die Lebensflut« (V. 16). Die vage Angabe, »fern im Osten« (V. 1) geschehe das (das steht im Präsens, nicht im Präteritum), ist allgemeiner als der in Kirchenliedern übliche Hinweis auf Bethlehem und das Heilige Land. Hölderlins Begriff »Asia« als Mutterland der Religion taucht dahinter auf und der Preis des Gottes, der an »des Ganges Ufern« erscheint u. a. Auch dieses zweite der *Geistlichen Lieder* soll zeigen, daß die Offenbarungen Gottes, von denen die Religionsgeschichte weiß, einer nur auf den eigenen beschränkten Bereich fixierten Gläubigkeit eine neue, weite Dimension öffnen. – In der Handschrift wurde das Lied nachträglich aus dem Plural in den Singular umgeschrieben, z. B. wird aus »Laßt nur seine milden Blicke / Tief in unsre Seelen gehn« (V. 19 f.) »Lasse seine milden Blicke / Tief in deine Seele gehn«.

3 Farbenquelle] Farbenquelle, *Erstdr.* Farbenquelle *HKA*
6 Verklärung!] Verklärung. *Erstdr.*
14 Blut;] Blut, *Erstdr.*
17 Mitte,] Mitte *Erstdr.*
35 laßt] laß *Druckvorlage; verbessert nach Erstdr.* Gottes-Garten,] Gottesgarten *Erstdr.*

3 *Farbenquelle:* wohl Neubildung für die spektrale Lichtbrechung in einem Prisma; in den Wörterbüchern von Adelung, Campe und Grimm nicht belegt.

5 *Gewährung:* in der zeitgenössischen Literatur gebräuchlich für die Erfüllung von Bitten, Wünschen, Forderungen; in *Philemon und Baucis* (1785) von Johann Heinrich Voß z. B. heißt es (V. 170): »Also beteten sie; und Jupiter winkte Gewährung«

(J. H. V., *Sämtliche Gedichte*, Tl. 2, Königsberg 1802, S. 327); ähnlich spricht Goethe im 2. Aufzug des *Clavigo* (1774) von »Hoffnungen [. . .], mit denen sich mein Herz oft ohne Aussicht einer glücklichen Gewährung beschäftigte«.

16 *er:* im Zusammenhang noch bezogen auf das »selge Kind« (V. 8); gemeint ist der Mittlergott, der von jetzt an als »er« angeredet wird (vgl. V. 30).

107 III.

Seidel erkennt in dem Lied den »Zustand der Trauer und Hoffnungslosigkeit nach dem Verlust eines geliebten Menschen« (1973, S. 243) – im Text gibt es keinen Beleg für diese Behauptung, die allein auf dem Vorurteil gründet, das Gedicht erzähle Hardenbergs eigene Geschichte. Die ersten vier Strophen sprechen allgemein von der Isolation des Menschen, vom Ungenügen an der Gegenwart, dann folgt eine bekennerhafte Mittelstrophe und wiederum vier Strophen, die berichten, wie die Liebe Jesu die Einsamkeit aufhebt. In die letzte Strophe geht dabei sicher auch Hardenbergs Sophien-Erlebnis ein, doch raubt die bloß biographische Interpretation dem Gedicht seine eigentliche Bedeutung. Es will in poetischen Bildern den an seiner isolierten Lage leidenden Menschen von der Möglichkeit des Heils und der Tröstung überzeugen.

7 Seiten,] Seiten *Erstdr.*
12 greift.] greift
14 ihm,] ihm – *Erstdr.*
21 mich,] mich *Erstdr.*
30 Gebein;] Gebein – *Erstdr.*

29 f. *Mit ihm kommt neues Blut und Leben / In dein erstorbenes Gebein:* vgl. Hes. 37,1 ff.

33 *Was du verlorst, hat er gefunden:* vgl. Mt. 16,25.

108 IV.

Das Lied spricht direkt von persönlichem Leid, man hat deshalb immer wieder biographisch argumentiert und es als Bekenntnis eines eigenen Erweckungsvorgangs verstanden. Der Tagebucheintrag vom

29. Juni 1797, der mit dem Ausruf »Xstus und *Sophie*« endet (HKA IV,48), schien dann das Bild der 4. Strophe zu erklären. Aber das Lied ist zwei Jahre nach dieser Eintragung entstanden. Daß die biographische Deutung problematisch ist, zeigt das Vorgehen Ritters, der einen Besuch am Grab Sophie von Kühns erfunden hat, um sie halten zu können (1967, S. 141). Ladislao Mittner vermutet: »Alte mystische Traditionen identifizieren die Göttliche Sophie mit dem Logos und auch mit der Gottesmutter; Novalis hat vielleicht die Göttliche Sophie auf den Spuren Zinzendorfs unter der Form der Taube, der ›Mutter Taube‹, der Mutter des ›Bruders‹ Lamm, verstanden.« (L. M., »Freundschaft und Liebe in der deutschen Dichtung des 18. Jahrhunderts«, in: *Stoffe, Formen, Strukturen. Hans Heinrich Borcherdt zum 75. Geburtstag*, hrsg. von Albert Fuchs und Helmut Motekat, München 1962, S. 125.) Selbstverständlich denkt Hardenberg dabei auch an seine eigene Sophie-Sophia, aber im Gedicht wird ihre Gestalt eingeformt in die Göttliche Weisheit – so wie jeder fromme Sänger derartiger Lieder seine eigenen Erfahrungen in das Gebet einbringt.

4 Eine] Eine, *Erstdr.*
16 plötzlich] plötzlich, *Erstdr.*
17 geschoben] gehoben *Erstdr.*
23 Wunden,] Wunden *Erstdr.*

8 *Wie von einem Wurm gestochen:* vgl. Jon. 4,7.
16 f. *Ward mir plötzlich wie von oben / Weg des Grabes Stein geschoben:* vgl. Mt. 28,2.

109 V.

Obwohl das Lied nur vertraute Formeln des Kirchenlieds benützt (»Wenn ich nur kann Jesum haben . . .«, »Mein Gott, ach wenn ich dich nur habe . . .«, »Herr, wenn ich dich nur werde haben . . .«, »Wenn wir dich haben, / Kann uns nicht schaden . . .«; zit. nach: Seidel, 1973, S. 300), erreicht es mit seiner einfachen Sprache, den einprägsamen Bildern, der geschlossenen sprachlichen Form ungewöhnliche poetische und religiöse Eindringlichkeit. Mit den geistlichen Liedern der siebziger Jahre, an die Hardenberg anknüpft, ist es in keiner Weise mehr zu vergleichen. Es wurde rund zwanzigmal vertont (vgl. Minor, 1911, S. 27), u. a. von Franz Schubert und Carl Loewe, die 3. Strophe fehlt allerdings meist in den Gesangbüchern.

7 habe,] habe *Erstdr.* habe, *HKA*
24 Irdischen] Irdischrn
27 Gabe,] Gabe *Erstdr.*
28 Hand:] Hand; *Erstdr.*

1 *Wenn ich ihn nur habe:* greift Ps. 73,25 f. auf, bleibt in allen Strophen gleich.
9 f. *Folg an meinem Wanderstabe / Treu gesinnt nur meinem Herrn:* vgl. Ps. 23,3 f.
21 f. *Himmelsknabe, / Der der Jungfrau Schleier hält:* Auf Raffaels Sixtinischer Madonna hält das Jesuskind mit seiner rechten Hand den Schleier Marias.
28 *Erbteil:* vgl. Gal. 4,7.

110 VI.

Das Lied gehört zu den bekanntesten der Sammlung. Obwohl es sich sprachlich ganz auf die tradierten Kirchenlieder stützt, war es mit seiner theologisch anstößigen 1. Strophe, die selbstsicher behauptet ». . . So bleib ich dir doch treu«, nur in veränderter Form für den Gottesdienst brauchbar. Friedrich Schleiermacher beendete am 2. Sonntag nach Trinitatis 1831 in der Dreifaltigkeitskirche in Berlin eine Predigt so: »Wenn Alle untreu werden, / Erhalte mich Dir treu, – / Daß Dankbarkeit auf Erden / Nicht ausgestorben sei. / Einst schauen Alle wieder / Voll Glaubens himmelwärts / Und sinken liebend nieder / Und fallen Dir an's Herz.« (F. Sch., *Sämmtliche Werke*, Abt. 2: *Predigten*, Bd. 3, Berlin 1835, S. 10.) Max von Schenkendorf deutete in einem Lied »Erneuter Schwur (An Friedrich Ludwig Jahn)« vom Juni 1814 den Anfang von Hardenbergs Lied ins Politische um: »Wenn alle untreu werden, / So bleib ich euch doch treu, / Daß immer noch auf Erden / Für euch ein Streiter sey. / Gefährten meiner Jugend, / Ihr Bilder beß're Zeit, / Die mich zu Männertugend / Und Liebestod geweiht.« (M. v. Sch., *Gedichte*, Stuttgart/Tübingen 1815, S. 141 f.)

18 bei;] bey, *Erstdr.*

1 f. *Wenn alle untreu werden, / So bleib ich dir doch treu:* vgl. dazu 1. Kor. 1,9.
19 f. *Und wenn dir keiner bliebe, / So bleibst du dennoch treu:* vgl. 2. Tim. 2,13.

111 VII.

Das Gedicht hat als einziges der Sammlung seit dem Erstdruck eine eigene Überschrift. In den geistlichen Liedern von Hardenbergs Vorgängern kommen zwar öfter »Hymnen« vor, doch das sind, z. B. bei Klamer Schmidt, Reimgedichte wie die anderen Lieder auch. Hier aber steht tatsächlich eine Hymne in freien Rhythmen, die weder in ihrer Form noch in ihrem Inhalt für den Gemeindegesang geeignet ist. Unklar bleibt, ob Hardenberg selbst das Gedicht den *Geistlichen Liedern* zugeordnet hat und ob der Titel von ihm stammt, unklar ist auch, wann das Gedicht entstand. In den Teplitzer Fragmenten vom Sommer 1798 steht der Satz: »Ist die Umarmung nicht etwas dem Abendmahl Ähnliches. Mehr über das Abendmahl« (HKA II,596). Die Hymne wurde deshalb früh angesetzt als »Höhepunkt der Freiberger Zeit, ihre Krönung und ihr Glaubensbekenntnis« (Ritter, 1967, S. 126). Seidel hat aber gezeigt (1973, S. 197 f.), daß sie auch mit Bemerkungen von 1799 in Verbindung zu bringen ist, etwa: »Xstliche Dythiramben und Lieder. [...] Wenn sich (Beschr[eibung] sinnlicher Glut und innigen Verlangens) dann steht der Himmel vor mir offen / Und Gottes Geist senkt sich auf mich« (HKA III,591). Wir müssen das hinnehmen: Es gibt keinen bestimmten Ort dieser Hymne in der Biographie und im Werk ihres Autors. – Bedeutsam in der Hymne ist die Interpretation des Abendmahls. Als Textgrundlage dient Joh. 6,53–56, fast wörtlich zitiert in der 1. Strophe. Die 2. Strophe deutet dieses »Geheimnis« und sieht Jesus und den, der ihn im Abendmahl in sich aufnimmt, als »seliges Paar«. Die 3. Strophe dehnt die Transsubstantiation, die in der liturgischen Feier geschehende Verwandlung von Brot und Wein in den Leib Christi, auf die gesamte Natur aus, die in die liebende Vereinigung des Paares einbezogen wird. Die erotische Metaphorik und die Ausdehnung der Liebesvereinigung auf den Kosmos gehören seit dem Hohenlied Salomos und seit dessen Deutungen in der jüdischen und christlichen Predigt zur Tradition mystischer Literatur. Auffallend in der Hymne ist jedoch zum einen die Betonung »Einst ist alles Leib« – die Mystik sucht eher eine Aufhebung des Leibes im Geist, so wie Hardenberg das selbst einmal formuliert hat: »Einst soll keine Natur mehr seyn – In eine Geisterwelt soll sie allmälich übergehn« (HKA III,601); zum andern die kaum verhüllte Erotik der Schlußstrophe. Um es überspitzt zu sagen: Hier wird nicht die erotische Metaphorik benützt, um den

Sinn des Abendmahls zu deuten, sondern das Abendmahl, um den kosmischen Sinn der Vereinigung der Geschlechter zu zeigen.

39 Seele,] Seele. *Erstdr.*

16–18 *Wird essen von seinem Leibe / Und trinken von seinem Blute / Ewiglich:* vgl. Joh. 6,53 f.

113 VIII.

Seidel (1973) S. 173–196 hat überzeugend dargelegt, daß das Lied eine Marienklage ist nach dem Vorbild des »Stabat mater dolorosa«. Maria (»ich«) weint um ihren toten Sohn. Auch im lateinischen Text des »Stabat mater« besteht die 3. Strophe nur aus Fragesätzen.

14 verhallen] verfallen *Erstdr.; verbessert nach Hs.*

4 *Heilge Wehmut:* Der Begriff steht an markanter Stelle in der Fünften Rede von Friedrich Schleiermachers *Über die Religion. Reden an die Gebildeten unter ihren Verächtern*, die Hardenberg Mitte September 1799 erhielt. »Was ergreift Euch, wo Ihr das heilige mit dem profanen, das erhabene mit dem geringen und nichtigen aufs innigste gemischt findet? und wie nennt Ihr die Stimmung, die Euch bisweilen nöthiget diese Mischung überall vorauszusezen und überall nach ihr zu forschen? Nicht bisweilen ergreift sie den Christen, sondern sie ist der herrschende Ton aller seiner religiösen Gefühle, diese heilige Wehmuth: denn das ist der einzige Name, den die Sprache mir darbietet« (F. Sch., *Über die Religion. Reden an die Gebildeten unter ihren Verächtern*, Berlin 1799, S. 299). Vgl. dazu Rudolf Unger, »›Heilige Wehmut‹. Zum geistes- und seelengeschichtlichen Verständnis einer romantischen Begriffsprägung«, in: *Jahrbuch des Freien Deutschen Hochstifts 1936–1940*, Halle a. d. S. 1940, S. 337–407. – Dennoch ergibt sich daraus kein zuverlässiger Hinweis auf die Entstehung des Gedichts, wie immer wieder behauptet wurde; der Begriff kommt nämlich schon in Klopstocks *Messias*, 10. Gesang, V. 151 und 809, vor (Seidel, 1973, S. 42), den Hardenberg seit seiner Jugend kannte.

114 IX.

Osterlied, das in immer neuen Variationen das Geheimnis der Auferstehung verkündigt.

3 f. *Daß er in unsrer Mitte schwebt / Und ewig bei uns ist:* vgl. Mt. 28,20.
19 f. *Und wer nur hört auf seinen Rat, / Kommt auch in Vaters Haus:* vgl. Joh. 14,23.

115 X.

Die öfter angestellte Vermutung, Hardenberg könne auch in diesem im Frühjahr 1800 entstandenen Lied – auf dem gleichen Blatt stehen Gedichtentwürfe für den ersten Teil des *Ofterdingen* – Sophie von Kühn betrauert haben, ergibt wenig Sinn. Zur Rettung der biographischen Deutung spricht Seidel (1973) S. 259 von »akuten Krankheitszuständen«, auf die Hardenberg anspiele, doch davon ist Anfang 1800 nichts bekannt. – Die Bedeutung des Gedichts liegt vor allem darin, daß es die gerade um die Jahrhundertwende auftauchenden grundsätzlichen Irritationen benennt, die wenig später in den *Nachtwachen des Bonaventura* (1804) ihre bedeutsamste Formulierung finden sollten. In eindringlichen Bildern verweist Hardenberg auf die Hoffnung vom »Wunderstamm« des Kreuzes.

13 naht] steht *Erstdr.; verbessert nach Hs.*

116 XI.

Verkündigungslied. Denen, die ihr Leben versäumen, weil sie »mit wild verzerrtem Angesicht« nur auf Eroberung und Gewinn bedacht sind, wird Christus als eigentliches Leben dargestellt.

36 zu euch] für euch *Erstdr., verbessert nach Hs.*
39 bewahren] bewahren, *HKA*

2 *jenes liebe Wesen:* Jesus.
30 *Sich ganz uns hingegeben hat:* vgl. Tit. 2,14.
32 *Zum Grundstein einer Gottesstadt:* vgl. Jes. 28,16; Mt. 21,42.

47 f. *Anbetend sinkt der Himmel nieder, / Und dennoch wohnest du mir bei:* »Der Himmel betet dich an als den Sohn Gottes, und dennoch bist du zugleich auch ein Mensch wie ich.« (Schulz; Novalis, *Werke*, S. 652.)

118 XII.

Vorbild ist das alte katholische Kirchenlied von Friedrich von Spee (1591–1635), »O Heiland reiß die Himmel auf«, das seinerseits Formulierungen des Propheten Jesaja verarbeitet. Hardenberg hat – im Unterschied zu den sonstigen *Geistlichen Liedern* – den archaisierenden Tonfall (»Geuß«, »allhier«, »herfür«, »empfahn«, »beut«, »Bronn«) beibehalten. Auffällig ist, daß er die erste Strophe Spees nicht übernimmt, wohl weil sie Jesus »eine zu aktive Stellung« gibt (Will Vesper, »Das Vorbild zu Hardenbergs ›Wo bleibst du Trost der ganzen Welt‹«, in: *Euphorion* 15, 1908, S. 568–570, hier S. 570); »diese Verlagerung der Blickrichtung von Christus auf Gottvater läßt sich [im 18. Jh.] auch im großen, in der Entwicklung der kirchlichen Lieddichtung beider Konfessionen feststellen« (Seidel, 1973, S. 94). Besonders Str. 4 und Str. 9 machen Hardenbergs Veränderung der Vorlage deutlich. Die von Jesaja übernommenen einfachen Bilder »O Gott, ein Tau vom Himmel gieß«, »O Erd, hervor dies Blümlein bring«, »O Sonn, geh auf . . .«, werden im Anschluß an Jacob Böhme verstärkt und pantheistisch verändert. Die gotterfüllte Natur läßt den Erlöser erscheinen in einer universalen kosmischen Christophanie. Damit ändert sich der Charakter des Textes. Es ist kein Adventslied mehr, bezogen auf den einen Moment der weihnachtlichen Geburt, sondern ein Lied, das die dauernde göttliche Durchdringung der Erde (V. 16) und damit einen Neubeginn des alten Paradieses erfleht. Da es sich trotzdem eng an pietistische Sprachformen hält (Seidel, 1973, S. 113), bleibt es für die Anhänger der alten, kirchlich gebundenen Frömmigkeit ebenso bewegend wie für die der neuen, freien romantischen Religiosität und zeigt damit in besonderer Weise die historische Bedeutung dieser *Geistlichen Lieder*.

27 Welt,] Welt. *HKA*

120 XIII.

Ein ganz persönliches Lied, dem der sonst übliche Verkündigungston fehlt. Der auf der Rückseite der Handschrift stehende Briefentwurf erlaubt eine Datierung für Juli/August 1800. Vielleicht ist das Gedicht doch eine Spur der Krankheit, von der Hardenbergs Bruder Carl in seiner Biographie (1802) berichtet: »Im April 1800 bemerkten seine Verwandten durch ein bleicheres und mageres Ansehen, eine bedeutende Veränderung seiner Gesundheit, wovon er aber gar nichts fühlte [. . .]. Im August, da er gerade zu seiner Hochzeit nach Freyberg reisen wollte, zeigte sich bey ihm einiges Blutspeyen« (HKA IV,534). Die im Lied ausgedrückte Stimmung ähnelt jener des Gedichts »An Julien«. Seidel (1973) S. 269 f. hat gezeigt, daß einzelne Formulierungen wörtlich aus Wackenroders Aufsatz über Raffaels Bildnis übernommen sind; vgl. *Phantasien über die Kunst, für Freunde der Kunst*, hrsg. von Ludwig Tieck, Hamburg 1799, Neudr. Stuttgart 1973 [u. ö.] (Reclams Universal-Bibliothek, Nr. 9494 [2]), S. 26–30.

11 hinüber] hinüber, *HKA*

1 *Wenn in bangen trüben Stunden:* In der Hs. beginnt das Lied »Wenn in langen trüben Stunden«; unklar ist, ob Tieck sich bei der Drucklegung verlas oder eine andere Fassung vorliegen hatte.

12 f. *Steht sein Engel vor uns da, / Bringt den Kelch des frischen Lebens:* vgl. Lk. 22,43.

120 XIV.

Wenn der Protestant Hardenberg Marienlieder schreibt, so ist das im ausgehenden 18. Jh. keineswegs ungewöhnlich und hat nichts mit einer persönlichen Wendung zum Katholizismus zu tun. Henrik Steffens (1773–1845) hat den Madonnenkult einmal eine »Modeerscheinung« seiner Zeit genannt (zit. nach: Gertrud Layer, *Madonnenkult und Madonnenideal in der Romantik*, Diss. Tübingen 1925 [Masch.], S. 125). Für Hardenberg kam ein weiteres Motiv hinzu: »Zunächst spielt die Mutter überhaupt in Novalis' Leben und Werk eine bedeutsame Rolle, wie das vor allem im ›Ofterdingen‹ deutlich wird. Dann aber vollzieht Novalis in sich die Identifikation von

Mutter und jungfräulicher Geliebter, wie auch von Geliebter und Geliebtem, Sophie und Christus, als Mittlergestalten. Er benutzt also christliche Symbolik in einem höchst freien, undogmatischen und überkonfessionellen Sinne« (Schulz; Novalis, *Werke*, S. 656). Die Veränderung, die er gegenüber den alten Marienliedern vornimmt, wird besonders in Str. 4 deutlich: Gott will sich erbarmen, aber Maria hindert ihn daran – das ist geradezu eine Umkehr der katholischen Lehre von Maria als Mittlerin der Gnade. Das ganze Gedicht klingt eher wie das Ringen um eine spröde Geliebte denn als ein Gebet. Vom Sündenbewußtsein, das in den frühen *Geistlichen Liedern* eine so wichtige Rolle spielte und Maria als Helferin suchen könnte, ist keine Rede.

8 Was mir] Was wir *HKA*
18 zurück;] zurück: *HKA*
45 Binde,] Binde *HKA*

123 XV.

Das Lied wurde von den ersten Herausgebern mit sicherem Griff an das Ende der *Geistlichen Lieder* gesetzt, mit denen es – als für den protestantischen Gottesdienst bestimmten Gesängen – nichts mehr zu tun hat; es wäre allenfalls für ein überkonfessionelles Gesangbuch geeignet. Es entstand ebenso wie das vorangehende Lied wohl Anfang September 1800 und gehört damit zu den letzten schriftlichen Dokumenten, die von Hardenberg überliefert sind. Die Vermutung, es sei für den zweiten Teil des *Ofterdingen* bestimmt gewesen, der ja im Zeitalter der Kreuzzüge spielen sollte, hat einige Wahrscheinlichkeit für sich. – In seiner einfachen, volkstümlichen Form ist es nicht nur eines der vollendetsten Gedichte Hardenbergs, sondern auch eines der ergreifendsten Gebete, die es in deutscher Sprache gibt. Bei den lieblichen »Bildern« Marias ist vor allem an jene in der Dresdner Gemäldegalerie zu denken, die Hardenberg mit den Schlegels und Schelling zusammen im August 1798 besuchte. Auch August Wilhelm Schlegel hatte 1799 im 1. Stück des 2. Bandes von *Athenaeum* »die Verwandlung von Gemälden in Gedichte« versucht und innerhalb eines Dialogs »Die Gemälde« Mariensonette veröffentlicht; ein weiteres Sonett, »Die himmlische Mutter«, erschien in einem Zyklus »Todten-Opfer für Auguste Böhmer« zusammen mit Hardenbergs Liedern I–VII im *Musen-Almanach auf das Jahr 1802*, S. 180; das unmittelbar anschließende Sonett ist überschrieben »An Novalis« (vgl. A. W. Sch., *Sämmtliche Werke*, hrsg. von Eduard Böcking, Tl. 1, Leipzig 1846, S. 305–315 und 135).

Hymnen an die Nacht (1799–1800)

Mit den *Hymnen an die Nacht* treten wir ins Zentrum von Hardenbergs Werk. Hier schreibt er erstmals unabhängig von Vorbildern, denn alle Einflüsse, die nachzuweisen sind, beziehen sich nur auf sprachliche und gedankliche Details.
Die *Hymnen* sind das einzige größere Werk, das er vollendet und zu seinen Lebzeiten veröffentlicht hat. Und sie sind die bedeutendste Dichtung der Frühromantik, deren fruchtbare Ansätze sonst eher im Bereich der Theorie liegen. Rasch sind angesichts dieser »hohen Dichtung« (Fauteck) Superlative zur Hand: sie unternehme es, »das Weltall von innen dichterisch zu begreifen« (Kommerell), sie sei »ein Lichtblick« in der abendländischen Geistesgeschichte (Biser) usw. Dabei gerät, wer sich auf die Mühe der Lektüre einläßt, bald in elementare Verständnisschwierigkeiten. Brüche im Text tauchen auf. Vielen erscheint Hymne 6 als Schluß eher unbefriedigend. In der Erklärung von Einzelheiten gehen die Meinungen oft weit auseinander. Ein Superlativ gilt ohne Zweifel: Die *Hymnen an die Nacht* sind einer der kompliziertesten Texte der deutschen Literatur. So bestimmt sie die Phantasie in Bann schlagen, so schwierig bleibt die diskursive Ausdeutung. Die Forschung der letzten Jahrzehnte zeigt, wie stark die persönlich-aktuellen Erfahrungen der Leser in die Lektüre eingehen – und wie stark diese *Hymnen* noch immer ihre Leser persönlich anzurühren vermögen.
Über die Entstehung seines »langen Gedichts«, wie Hardenberg es am 31. Januar 1800 nennt, läßt sich nur wenig ausmachen. Die älteste Spur ist eine Notiz, die er am 13. Mai 1797, also etwa acht Wochen nach dem Tod von Sophie von Kühn, in sein Tagebuch schrieb. Sie taucht nahezu wörtlich in der Hymne 3 wieder auf: »Abends gieng ich zu Sophieen. Dort war ich unbeschreiblich freudig – aufblitzende Enthusiasmus Momente – Das Grab blies ich wie Staub, vor mir hin – Jahrhunderte waren wie Momente – ihre

Nähe war fühlbar – ich glaubte sie solle immer vortreten« (HKA IV, 35 f.). Hardenberg lebte, als diese Notiz entstand, in einem entscheidenden Dilemma. Er hatte beschlossen, am Bund mit der Toten festzuhalten und ihr nachzusterben; aber »dem Entschluß«, wie er diesen Plan im Tagebuch immer abgekürzt nennt, sich allein auf ein Transzendent-Geistiges auszurichten, stand seine elementare Sinnlichkeit, seine »Lüsternheit« im Weg. Wiederholt glaubte er, er könne sich an seinen »Entschluß« nicht gewöhnen. »Heute früh lebhaft an S[ophie] gedacht – der Entschluß ward etwas düster angesehn«, heißt es am 4. Mai; und am 10. Mai: »Früh war der Entsch[luß] sehr fern – Abends desto näher« (HKA IV,32; 34). Wenige Tage später scheint in einer Art Ekstase der Durchbruch gelungen, die Aufhebung der Zeit in unmittelbarer geistiger Berührung mit der verstorbenen Braut.

Doch die zitierten Sätze sind keine spontane Niederschrift eines ekstatischen Erlebens. Sie gehen, wie Unger (1929) S. 246–249 herausgefunden hat, auf eine Stelle in Jean Pauls *Unsichtbarer Loge* zurück, auf die Hardenberg durch seinen Bruder Carl in einem Brief aufmerksam gemacht worden war. Dieser Brief ist am 11. Mai 1797 geschrieben, Hardenberg muß ihn am gleichen Tag, als er die Sätze in seinem Tagebuch niederschrieb, bekommen haben. Es heißt darin: »Ich kenne keine prächtigere Natur Scene als ein Gewitter [. . .]. – Mit wahrer Heiterkeit konnte ich an den plötzlichen Tod durch den Bliz denken, er schien mir so schneller, so ein sanfter Uebergang, daß ich den Wunsch nach ihm für erlaubt gehalten hätte; Ein Augenblick, und man wär – Dort, lieber guter Friz, in der ewigen Umarmung unserer Geliebten. [. . .] So hat mir in den Mumien beynahe keine Idee liebenswürdiger geschienen, als da Amandus gleich nach Mitternacht gestorben ist, und Gustav trostlos an dem Sterbebette seines Freundes steht, plözlich die Flöten Uhr 1 Uhr schlägt, und ein Morgenlied des ewigen Morgens spielt, so aufrichtend, so herüber tönend aus Auen über den Mond pp. O! es ist gewiß ein herrlicher Trost gewesen; es kömt gewiß einst ein ewiger Morgen wo wir alles was wir hier liebten wiedersehen, wiederumarmen werden. [. . .] Man hat Minuten, *aber selten*, wo man durch den Dunst der paar Jahre die sich zwischen uns und unsern Grabe drängen, leicht hindurch blikt, wo sie einem so kurz scheinen, als wenn man sie verlebt hätte; könnte man sich dieses helle, leichte Durch Schauen angewöhnen, wir würden wahrscheinlich glüklicher leben« (HKA IV,483 f.). Im Tagebuch wird nach der Lektüre dieses Briefes also nur mit Hilfe von Formulierungen Carl von Hardenbergs und Jean Pauls eine schon längst anvisierte Idee endlich in Worte gebracht. Dabei wirkt die gesamte Stelle seltsam beiläufig. Als Hardenberg sie niederschrieb, hat er ihr auf keinen Fall jene Bedeutung zugemessen, welche die Forschung immer angenommen hat; das war nur möglich, weil man die Sätze aus ihrem Kontext löste. Der lautet: »Früh um 5 Uhr stand ich auf. Es war sehr schön Wetter Der Morgen vergieng; ohne, daß ich viel that. Der Hauptmann Rockenthien und seine Schwägerin und Kinder kamen. Ich kriegte einen Brief von Schlegel mit dem 1sten Theil der neuen Shakespeareschen Übersetzungen. Nach Tisch gieng ich spatzieren – dann Kaffee – das Wetter trübte sich – erst Gewitter dann wolkig und stürmisch – sehr lüstern – ich fieng an in Shakesp[eare] zu lesen – ich las mich recht hinein« (HKA IV,35). Dann folgt die Grabszene. »Wie ich nach Hause kam – hatte ich einige Rührungen im Gespräch mit Machere. Sonst war ich den ganzen Tag sehr vergnügt. Niebekker war Nachmittags da. Abends hatte ich noch einige gute Ideen. Shakespeare gab mir viel zu dencken« (HKA IV, 36). Das klingt nicht so, als habe hier jemand eine für sein Leben entscheidende Vision gehabt. Selbst einige von Hardenbergs ergriffensten Sätzen sind vielmehr in ihrem Wortlaut angeregt durch Lektüre (Helmut Rehder glaubte auch eine Anregung durch *Romeo und Julia* zu erkennen, das Hardenberg an diesem Nachmittag gelesen hatte, vgl. H. R., »Novalis und Shakespeare«, in: *Publications of the Modern Language Association of America* 63, 1948, S. 604–624). Das wertet sie nicht ab und darf den Ernst der Niederschrift nicht in Frage stellen, sollte aber auch vor einer Überschätzung des Durchbruchserlebnisses warnen.

Carl von Hardenberg behauptet 1802 in der frühesten Biographie seines Bruders, schon »im Herbst 97« sei »die [!] Hymne an die Nacht« entstanden (HKA IV,533). Das würde bedeuten, daß eine ganz persönliche, unmittelbar aus dem Sophienerlebnis heraus geschriebene Hymne der Neubeginn von Hardenbergs Dichtung war, nicht erst die in Freiberg entstandenen *Lehrlinge zu Sais*. Für Carls Behauptung gibt es zwar keinen Beweis, doch er muß gewußt haben, wovon er sprach, denn er hat die Datumsangabe in der Handschrift seiner Biographie nachträglich eingeschoben (vgl. HKA IV,983).

Unklar bleibt dennoch, ob – wie immer wieder bildkräftig behauptet – die Tagebuchstelle vom 13. Mai 1797 die »Keimzelle« der Hymnen ist; das Bild erweckt den Eindruck langsamen Reifens, einer über Jahre in wechselnden Ansätzen sich vollziehenden Entfaltung. Dieser Eindruck ist aus den vorhandenen Texten nicht zu belegen. Die erste uns erhaltene Fassung der *Hymnen* ist ein vierseitiges Folioblatt, das bei der Nachlaßversteigerung von 1930 in die Sammlung Martin Bodmer nach Genf geriet (offenbar war es mit seinem Preis von geschätzten 8000 RM, die in der Auktion auf 12 500 RM gesteigert wurden, für deutsche Bibliotheken zu teuer – nur dadurch entging es der Vernichtung im Zweiten Weltkrieg). Durch die Forschungen von Ritter (1930/74; 1958) ist inzwischen klar, daß dieses Blatt erst um die Jahreswende 1799/80 entstand, also mehr als zweieinhalb Jahre nach der Notiz vom Mai 1797. Alle Versuche, aus diesem Text Vorstufen herauszuarbeiten, gar Fassungen aufzufinden und sie schließlich auch noch zu datieren, hatten bisher keinen Erfolg. Gerade die lebenslangen Studien von Ritter mit ihren akribischen Ansätzen und nicht immer überzeugenden Ergebnissen führen eher zu dem negativen Ergebnis, daß Rekonstruktionsversuche mit Hilfe des uns vorliegenden Materials nicht möglich sind.

Es scheint nötig, daraus Folgerungen zu ziehen. Vielleicht entstanden tatsächlich im Herbst 1797 Vorstufen zu den *Hymnen*, aber es war Hardenberg eben nicht möglich, aus der unmittelbaren und anhaltenden Betroffenheit heraus zu schreiben. Außerdem war sein Konflikt nicht gelöst: die Anhänglichkeit an Welt, Licht und Sinnlichkeit – und die selbst verordnete, alleinige Ausrichtung auf ein Transzendent-Jenseitiges. Erst viel später, als er neue Hochzeitspläne machte und beruflich stark unter Druck stand, war der Abstand groß genug, um das mit Hilfe Jean Pauls formulierte Erlebnis in einer Dichtung zu objektivieren. Die Entstehung der *Hymnen an die Nacht* wäre also nicht zu sehen als poetische Entfaltung eines zentralen biographischen Ereignisses, sondern als der bewußte Rückgriff auf eine frühere Idee, die erst jetzt, im Spätherbst 1799, nach den inzwischen gewonnenen Gedanken über die Verbindung von Gottheit und Welt, von Geist und Natur, nach der Niederschrift der ersten *Geistlichen Lieder* und nach dem Treffen des romantischen Kreises in Jena (siehe S. 311), bei dem man sehr viel über religiöse Fragen gestritten hatte, ausgedeutet werden kann.

In den ersten Februartagen 1800 ging ein Manuskript der *Hymnen* aus Weißenburg ab. Am 23. Februar schrieb Hardenberg an Tieck: »Fridrichen [gemeint ist Friedrich Schlegel] sage, daß es gut sey, wenn er das Wort Hymnen wegließe« (HKA IV,323). Hardenbergs einzige vollendete Dichtung trägt also einen Titel, den er ausdrücklich nicht wünschte. Sein »langes Gedicht« sollte überschrieben sein »Die Nacht«, die mit dem Wort »Hymnen« vielleicht verbundene Assoziation von Kirchenliedern sollte entfallen. Den Titel »Die Nacht« verwendet auch Friedrich Schlegel, als er Schleiermacher mahnt, »die Nacht von Hardenberg« möglichst rasch im 2. Stück des 3. Bandes von *Athenaeum* erscheinen zu lassen. Das Heft wurde im August 1800 ausgeliefert, vorher gab es noch Schwierigkeiten mit dem Namen des Verfassers, denn es war keineswegs klar, ob auch für poetische Schriften das im Vorjahr gebrauchte Pseudonym »Novalis« gelten sollte. Schleiermacher, der für den Druck des Heftes verantwortlich war, ließ im Heft selbst den Namen weg. Erst als er im Inhaltsverzeichnis Farbe bekennen mußte, schrieb er am 2. August 1800 an Friedrich Schlegel: »Ihr habt mir meine Frage wie ich Hardenberg's Hymnen signiren sollte, nicht beantwortet, und ich habe daher aus eigner Machtvollkommenheit Novalis gesezt« (*Aus Schleiermacher's Leben. In Briefen*, hrsg. von Ludwig Jonas und Wilhelm Dilthey, Bd. 3, Berlin 1861, S. 209).

Der Text nun, den man in *Athenaeum* findet, ist gegenüber der Handschrift wesentlich verändert. Die freien Verse sind in eine rhythmisierte Prosa gebracht. Die allzu privaten, subjektiven Momente in der Aussage sind zurückgedrängt, die Konzeption erscheint geschlossener. Die Eingriffe sind so zahlreich, daß sie – anders als bei zwei vorangegangenen Fragmentsammlungen, in denen die Freunde nach Belieben herumkorrigieren durften und sollten – nur von Hardenberg selbst stammen können. Im überlieferten Briefwechsel gibt es keinen Hinweis auf Änderungen während der Druckperiode. Wir müssen also davon ausgehen, daß Hardenberg das Manuskript der *Athenaeum*-Fassung als Druckmanuskript geschrieben hat.

Über die Frage, welche Fassung vorzuziehen sei, gab es unterschiedliche Ansichten, die hier nicht zu diskutieren sind. Die jüngsten Ausgaben begnügen sich entweder mit einer Fassung, oder sie geben beide im Paralleldruck wieder. Das drängt die Versfassung auf engstem Raum zusammen und läßt in der Prosafassung Lücken entstehen. Die vorliegende Ausgabe druckt beide Fassungen hintereinander. Das hat den Vorteil, daß die handschriftliche Fassung endlich ohne Zeilenbrüche in der von Hardenberg gemeinten Form erscheint, in der – was im Paralleldruck kaum zu bemerken ist – ebenfalls schon Prosa und Vers wechselte; und die *Athenaeum*-Fassung bleibt in der Gestalt des Druckes von 1800.

Die Handschrift wird – abweichend von den sonstigen Prinzipien unserer Ausgabe – in der originalen Orthographie und Interpunktion Hardenbergs wiedergegeben, um von dieser einen Eindruck zu verschaffen. Kleinere Versehen in der historisch-kritischen Ausgabe (HKA I,130–156) wurden nach der Handschrift verbessert; die Änderungen sind nachfolgend verzeichnet. Wiedergegeben ist die trotz der vielen Korrekturen klar abhebbare letzte Fassung, d. h. daß *alle* von Hardenberg gestrichenen Stellen wegbleiben, auch die meist doch in den Text aufgenommene sogenannte »Zwischenhymne«, die in der Handschrift deutlich von oben nach unten durchgestrichen ist. Ebenso wurden Hardenbergs Anweisungen zur Umstellung von Versen und Strophen befolgt. Die Numerierung der Hymnen wurde nach dem *Athenaeum*-Druck in eckigen Klammern ergänzt, was den Vergleich der beiden Fassungen erleichtern mag. – Der Text der Prosafassung folgt, bei behutsam modernisierter Orthographie, dem Erstdruck in: *Athenaeum. Eine Zeitschrift von August Wilhelm Schlegel und Friedrich Schlegel*, 3. Band, 2. Stück, Berlin: Heinrich Frölich, [August] 1800, Nr. III, S. 188–204, der auch der historisch-kritischen Ausgabe zugrunde liegt. Lediglich zwei Stellen wurden korrigiert. Abweichungen der historisch-kritischen Ausgabe gegenüber der Druckvorlage sind ebenfalls verzeichnet.

125,11 u[nd]] und *HKA*
131,4 lezte] letzte *HKA*
131,14 warlich] Warlich *HKA*
131,19 in den] In den *HKA*
131,21 der Liebe] Der Liebe *HKA*
132,36 deinem] Deinem *HKA*
136,1 *neue Welt*, die] *neue Welt*. Die *HKA*
141,6 von hinnen] vonhinnen *HKA*
142,5 ihm] ihn *HKA*
152,19 dunkelm] dunkeln *Erstdr.*
159,16 weicht,] weicht *HKA*
159,20 Stelle] Stelle – *HKA*
160,2 verzehrt,] verzehrt *HKA*
160,10 glaubt.] glaubt, *HKA*
161,8 an.] an *Erstdr.*
162,1 sprach] sprach, *HKA*

125/149 1.

Die erste Hymne hat gedanklich drei Teile, die in der *Athenaeum*-Fassung durch die Gliederung in drei Abschnitte hervorgehoben sind. Der erste Abschnitt beginnt mit einem Preis des Lichts, anscheinend dem Licht des Tages, das die »Lebendigen« erleuchtet, doch wird davon zunehmend abstrahiert: gemeint ist das Licht »vor« allen (einzelnen) Erscheinungen im Raum; dann das Licht als ein allgemeines Prinzip des Lebens; schließlich das Licht als das, was gleich bleibt, während alles sich wandelt. Der zweite Abschnitt wendet sich – kein Wort sagt, das geschehe aus Trauer oder im Zwang – der Nacht zu, die negativ gesehen wird: als wüst, einsam, leer. Bestimmend für diese Sicht ist die Erkenntnis, daß Wünsche, Träume, Hoffnungen des Lebens sich nicht einlösen. Der dritte Abschnitt macht die überraschende Erfahrung, daß gerade in dieser Dunkelheit etwas »quillt«, das als »unsichtbar kräftig« erfahren wird. Die Wertung der Nacht ändert sich dadurch; sie erscheint – das ist in der *Athenaeum*-Fassung neu eingefügt – als »Mutter« in ihrer Jugend, d. h. als das zeugende Prinzip in seinem unverbrauchten Anfang; die erste Nacht-Erfahrung endet mit einem Brautfest mit der von der Nacht gesandten Geliebten, mit dem Eintritt in den geheimnisvollen Schoß des »Lebens« (wobei die *Athenaeum*-Fassung die erotische Szene selbst stärker zurücknimmt und betont, daß es sich um einen geistigen Vorgang handle).

129/150 2.

Die zweite Hymne zeigt, daß nicht von einer Auflösung des Bewußtseins, von Regression in mythisch-chaotische Urtiefen die Rede sein soll, sondern von einer bestimmten Erfahrung, die der täglichen »Geschäftigkeit«, dem »irdischen Tagwerk« ausgesetzt bleibt und ihm vermittelt werden muß. Der metaphorische Charakter der Begriffe ist ausdrücklich festgelegt, indem die Hymne unterscheidet zwischen der dem täglichen Schlaf gewidmeten »Nacht« und der zeitlosen und raumlosen »Nacht«, um die es hier gehen soll. Der ekstatische Augenblick, in welchem Hymne 1 diese Nacht erfahren hat, lehrt, deren Spuren auch im irdischen Tag in einer Fülle von Erfahrungen wiederzufinden: in den Rauschmitteln Wein, Mandelöl, Opium; in der Begegnung der Geschlechter; in den

Berichten der »alten Geschichten« – es gibt also keine Trennung zwischen einem dem Tag verbundenen Bewußtsein und einer weltabgewandten Nacht-Erfahrung.

130/151 3.

In der dritten Hymne ändert sich der Ton. Das Präsens weicht dem Präteritum einer Ich-Erzählung. Die in Hymne 2 genannten Möglichkeiten der Nacht-Erfahrung werden weitergeführt und bestätigt durch eine bestimmte individuelle Erfahrung. Man sollte diese Erfahrung zunächst nicht mit biographischen Tatsachen des Friedrich von Hardenberg vermischen, von denen der ursprüngliche Leser nichts weiß und die nicht als bekannt vorausgesetzt sind. Das Wort »Geliebte« erscheint erst im letzten Drittel der Hymne. Zuvor ist die Rede von einem »dürren Hügel«, der »die Gestalt meines Lebens« verbirgt – in Weiterführung von Hymne 1 sind das die vielfältigen Hoffnungen, die das Leben nicht erfüllt hat; sie werden zusammengefaßt und verkörpert in dem für die Zeit durchaus nicht ungewöhnlichen Bild vom Tod der Geliebten. In der mystischen Begegnung, welche die bestimmte Zeit und den bestimmten Ort aufhebt, »kommt« die Geliebte. Damit wiederholt sich die Brautnacht, die am Ende von Hymne 1 stand. Es ist eine ganz persönliche Erfahrung gemeint, von welcher der Dichter in völliger Gewißheit erzählt, um die grundsätzliche Möglichkeit solcher Erfahrung deutlich zu machen.

131/152 4.

Die vierte Hymne bleibt Ich-Erzählung, aber sie stellt die private Erfahrung in einen größeren Zusammenhang. Sie wird deshalb länger, schon in der Handschrift verbinden sich Prosa (wie in Hymne 3) und Vers (wie in Hymne 1 und 2). Die Stichworte von Hymne 3 sind direkt weitergeführt. Der »Erste Traum« des Einzelnen lenkt den Blick auf den »letzten Morgen« (der Welt). Den Gegensatz zum »Licht« bezeichnet nicht nur die nochmals aufgegriffene Nachtmetaphorik (»Nacht«, »Schlummer«, »Traum«), sondern der Begriff »Liebe«. Das Grab von Hymne 3 erscheint jetzt als »heiliges Grab«; in Verbindung mit dem Wort »Kreuz« kann nur auf jenes Grab angespielt sein, das Jesus geöffnet hat, so wie die »Geliebte« das ihre. Indem sich die verschiedenen Ebenen überlagern, wird das private Erleben durchsichtig für weltgeschichtliche Vorgänge. Biblische Vorstellungen (sich Hütten bauen, wie die Apostel es bei der Verklärung Jesu wollen usw.) und private Mythologie mischen sich. Neben die subjektive Vergewisserung in Hymne 3 tritt jetzt die Vergewisserung durch Jesus. Die Sicherheit, die so entsteht, erlaubt, sich in völliger Ruhe der Arbeitswelt zuzuwenden. Damit lösen sich die Klagen von Hymne 2. Stand dort der Wunsch: »beglücke zu selten nicht der Nacht Geweihte«, so wird hier versichert: »getreu der Nacht bleibt mein geheimes Herz«. Gab es dort nur Spuren des Unendlichen in bestimmten sichtbaren Zeichen, so heißt es jetzt grundsätzlich: »Trägt nicht alles, was uns begeistert, die Farbe der Nacht?«

135/155 5.

Die fünfte Hymne ist die längste, nur wenig kürzer als die ersten vier Hymnen zusammen. Bisher wurde aus der Sicht des Individuums nach der inneren Dimension des eigenen Lebens gefragt, jetzt geht es um eine mystische Schau der Geschichte der Menschheit, die in einem für Hardenberg charakteristischen Dreischritt abläuft. Am Beginn steht ein kindlich-fröhliches Griechentum in einem paradiesischen Zeitalter, in dem die Kräfte des Chaos gebändigt sind und alle Natur sich göttlich belebt. Unter die »fröhlichen Menschen« aber tritt – der freie Rhythmus des Gedichts geht in streng gebaute Stanzen über – der Tod; »die allverwandelnde [...] Phantasie« verschwindet, das zweite noch andauernde Zeitalter des rechnenden Verstandes bricht an; nur individuell, im »höhern Raum« des Gemüts, bleibt die »Seele der Welt« vernehmbar. Es gibt also keinen grundsätzlichen Untergang der paradiesischen griechischen Frühzeit, wie die Hymnen auch keinen grundsätzlichen Unterschied zwischen Griechenland und Christentum sehen; die Epochen überschneiden sich und durchdringen einander. Am Ende der Geschichte wird ein »neuer Tag« kommen, der bereits angefangen hat und vorweggenommen ist in der Geburt Jesu. Dessen Bote, der Sänger, der von Griechenland über Palästina nach Indien durch die verschiedenen religiösen Sphären zieht und sie in seiner Verkündigung zusammenfaßt, ist der Dichter. Auf sein Wort hin wächst von neuem »das köstliche Leben« empor, doch erst die Auferstehung

Jesu läßt den neuen Tag wirklich beginnen. In eschatologischer Erwartung geht die Hymne in Lobpreis über. Der sich offenbarende Gott hebt alle Trennung auf und überwindet den Tod.

145/161 6.

Mit der sechsten Hymne hatten die Leser seit jeher Schwierigkeiten. Nach dem eschatologischen Preislied über die Verklärung des Irdischen gibt es zuletzt im Ton eines geistlichen Liedes die Abkehr von der Welt, die Flucht zum »Himmelsufer«. Vom Text her ist diese weltflüchtige Deutung nicht zu widerlegen. In der gedanklichen Abfolge der Hymnen aber ist zu beachten, daß hier wieder die Sprechebene wechselt, daß wieder der persönliche Aspekt, mit dem Hymne 1 begann, in den Vordergrund tritt. Das ergibt insofern einen Sinn, als für den Einzelnen, der ausgeliefert bleibt an »des Irdischen Gewalt« (Hymne 2), die persönliche Gewißheit und Geborgenheit nie ein für alle Mal zu erreichen ist. Was er gefunden hat, bleibt dauernd zu erarbeiten. Sicherheit und Ungewißheit bedingen sich gegenseitig. Den Leser in eine bestimmte Richtung bringen, das will Hymne 6, und Hardenberg tut es auf seine Weise: der einfache Beter findet in diesem geistlichen Lied die ihm vertrauten Redeformen; der »Gebildete«, um den Titel von Schleiermachers berühmter Verteidigung des Christentums aufzugreifen, sieht sich durch die gesamten Hymnen gleichzeitig hineingezogen in eine umfassende Geschichtsmeditation, die begrifflich nur im Umriß festgelegt ist und Raum schafft für die persönliche Erfahrung.

149,14 *Fremdling:* in Hs. »Fremdlinge«, Menschen in ihrer Gesamtheit; hier bezogen auf die Geschöpfe, zu denen die Menschen gehören und von denen sie sich gleichzeitig unterscheiden; die Stelle darf offenbar nicht ohne genaue Differenzierung mit jenen anderen Stellen in Hardenbergs Werk zusammengebracht werden, in denen ein »Fremdling« mit einer Botschaft unter die Menschen tritt (vgl. Anm. zu »Der Fremdling«).

149,21 *Abwärts wend ich mich:* Kamla (1945) S. 19 f. hat gezeigt, daß im Text der Weg zur Nacht in ganz unterschiedlichen Richtungen angegeben wird. Die Nacht ist gleichzeitig oben, unten und innen und demnach kein bestimmter Bereich des Irdischen, sondern eine geistige Dimension in einem »höhern Raum« (150,23).

149,22 *Nacht:* Die Nacht ist seit den ältesten mythologischen Vorstellungen eine Zeit des Chaos, ein Bereich, in dem »niemand wirken« kann (Joh. 9,4). Vor allem das Christentum bringt eine Umwertung der Vorstellungen von der Nacht. Seit Jesus auferstanden ist in der Osternacht, wird die Nacht erfahren als Quelle des Lebens; als Dunkelheit, in die man sich begeben muß, wenn die als »Licht« erfahrene Gottheit erscheinen soll. Eben diesen Vorgang der Umwertung alter menschheitlicher Ängste greift die Hymne auf. Vgl. zu diesem Thema Ernst Th. Reimbold, *Die Nacht im Mythos, Kultus, Volksglauben und in der transpersonalen Erfahrung*, Köln 1970. – Hardenbergs positive Wertung der Nacht hat neben dem geistesgeschichtlichen auch einen eher prosaischen Hintergrund: Der Bergbauingenieur hatte gelernt, die Dunkelheit, in die er öfter einfahren mußte, nicht nur als Schrekken zu erfahren, der Angst und Beklemmung machte, sondern als einen Bereich, aus dem Schätze kommen, die ein glückliches Leben ermöglichen (vgl. dazu Kap. 5, das Bergmannkapitel, im *Heinrich von Ofterdingen*, HKA I,239 ff.).

150,5 *Nacht:* in Hs. »Macht«.

150,7 *Köstlicher Balsam:* Opium.

150,8 *Bündel Mohn:* Mohn, aus dem Opium gewonnen wird, ist ein altes Sinnbild des Schlafs. Auf einer antiken Gemme wird dargestellt, wie der Traumgott Morpheus ein Bündel Mohnstengel aus der Hand der Nacht empfängt (vgl. Karl Philipp Moritz, *Götterlehre oder mythologische Dichtungen der Alten*, Berlin 1791; 2., unveränd. Ausg. 1795, S. 36).

150,24 *Weltkönigin:* Hier ist zunächst von der Nacht die Rede. Zu beachten ist aber, daß Maria in der Hymnendichtung von jeher als »Königin« angeredet wird, so in den Hymnen »Salve Regina . . .«, »Regina coeli . . .« u. a.

150,26 f. *liebliche Sonne der Nacht:* vgl. Offb. 22,5.

151,3 *zeitlos und raumlos:* vgl. Anm. zu 149,21.

151,10 f. *des Mandelbaums Wunderöl:* Gemeint ist das Bittermandelwasser, das Hardenberg selbst gegen Schmerzzustände benützte. Er notierte in seinem *Allgemeinen Brouillon* von 1798/99: »Gehts ohne Hoffnung oder sonst zu übel, so bleibt mir B[itter] M[andel]W[asser] und Op[ium]« (HKA III,437).

151,11 *dem braunen Safte des Mohns:* Opium.

152,18 f. [*quillt*] *in des Hügels dunkelm Schoß:* Es gibt Darstellungen, auf denen eine Quelle – als Erneuerung der Paradiesesströme 1. Mose 2,10–14 – aus einem Hügel (Golgatha) strömt, über dem

Lamm, Kreuz und Christus abgebildet sind; vgl. *Lexikon der christlichen Ikonographie*, hrsg. von Engelbert Kirschbaum [u. a.], Bd. 1, Freiburg 1968, S. 331. Das ist gleichzeitig eine Erneuerung von Moses' Quellwunder, 2. Mose 17,1–6.

152,25 *Oben baut er sich Hütten:* Nach der Verklärung auf dem Berge sagt Petrus zu Jesus: »Herr, es ist gut, daß wir hier sind. Wenn du willst, werde ich hier drei Hütten machen« (Mt. 17,4). Im Pietismus galt die Hütte auf dem Berg als besonderer Ort der Gemeinschaft mit Christus.

154,2 f. *das Kreuz – eine Siegesfahne:* Übernahme einer alten hymnischen Formulierung des Venantius Fortunatus (um 536–610): »Vexilla regis prodeunt«.

154,10 f. *liege trunken / Der Lieb im Schoß:* In der Formulierung verbirgt sich die Vorstellung von der Pieta, der Schmerzensmutter Maria, die ihren vom Kreuz genommenen Sohn im Schoß hält und beweint.

154,16 *An jenem Hügel:* Bisher war nur von *einem* (Grab-)Hügel die Rede, dem Grab des Geliebten; durch die Anspielung auf das Kreuz und den Tod Jesu (vgl. Anm. zu 152,16 f.) kommt eine zweite Dimension hinzu; das Bild der toten Geliebten und das Bild des toten Jesus überlagern sich.

154,19 *Den kühlenden Kranz:* »In seiner Abhandlung ›Wie die Alten den Tod gebildet‹ (1769) deutet Lessing die Gestalt eines geflügelten Genius, der eine umgekehrte erloschene Fackel und einen Kranz trägt, als den Tod. Zum Symbol des Kranzes schreibt er: ›Es ist der Todtenkranz. Alle Leichen wurden bey Griechen und Römern bekränzt; mit Kränzen ward die Leiche von den hinterlassenen Freunden beworfen; bekränzt wurden Scheiterhaufe und Urne und Grabmal.‹ (Gotthold Ephraim Lessings sämtliche Schriften. Herausgegeben von Karl Lachmann. 3. Aufl. Bd. 11, Stuttgart 1895, S. 12.)« (Schulz; Novalis, *Werke*, S. 632.)

154,20 *Geliebter:* Keineswegs »überraschend« (Schulz; Novalis, *Werke*, S. 632), sondern durch die Hymne sorgfältig vorbereitet, tritt neben die »Geliebte« von Hymne 1 und Hymne 3 nun ein »Geliebter«, nämlich Christus. Daß er gemeint ist, wird bestätigt durch die in der Handschrift folgenden Verse, die man oft als »Zwischenhymne« bezeichnet hat, die jedoch gestrichen sind, so daß der verbleibende Text nicht mehr so eindeutig auf Christus festzulegen ist:

Von ihm will ich reden
Und liebend verkünden
So lang ich
Unter Menschen noch bin.
Denn ohne ihn
Was wär unser Geschlecht,
Und was sprächen die Menschen,
Wenn sie nicht sprächen von ihm
Ihrem Stifter,
Ihrem Geiste.

155,3 *ein eisernes Schicksal:* Gemeint sein kann eine chaotische Weltzeit, deren titanische Kräfte gebändigt werden müssen, bevor das mythische Goldene Zeitalter beginnen konnte (so die Deutung Kommerells, 1942, S. 224 f.); gemeint sein kann aber auch die Gleichzeitigkeit des Todes: »Unendlich war die Erde«, dennoch herrschte schon damals ein »eisernes Schicksal«, nämlich der Tod.

155,7 f. *in des Meeres heiligem Schoß wohnte die Sonne:* Nach griechischem Mythos steigt Helios, der Sonnengott, mit seinem vierspännigen Wagen täglich aus dem Meer in den Himmel und kehrt bei Nacht von Westen nach Osten wieder ins Meer zurück.

155,9 *Ein alter Riese trug die selige Welt:* der Titan Atlas, der auch im Märchen des *Ofterdingen*-Romans erwähnt wird (HKA I,310).

155,10 *die Ursöhne der Mutter Erde:* Die Titanen, die Söhne der Gaia, Göttin der Erde, wurden aus Furcht um die Herrschaft von ihrem Vater Uranos, dem Gott des Himmels, gefangen gehalten. Der jüngste, Kronos, befreite sich, entmannte den Vater und zeugte mit seiner Schwester Rhea selbst das »neue herrliche Göttergeschlecht« (11 f.), die Götter Hestia, Demeter (vgl. Anm. zu 155,18), Hera, Hades, Poseidon und Zeus.

155,13 f. *Des Meers ... Tiefe war einer Göttin Schoß:* Aphrodite (vgl. Anm. zu »Geschichte der Poesie«, V. 27).

155,16 *menschlichen Sinn:* Bei Dieterich Tiedemann, *Geist der spekulativen Philosophie*, Bd. 1, Marburg 1791, S. 6, jenem Buch, in dem Hardenberg die griechische Philosophie studierte, steht: »Da nun, wie gleich erhellen wird, fast alle Wesen auf Erden, göttlich und lebend gedacht wurden: so ist mehr denn wahrscheinlich, die Griechen seyn zu *Homers* Zeit, von der alles belebenden, alles in Menschennatur umwandelnden Einfalt, noch nicht gar lange zurückgekommen. Es gab nemlich eine Zeit, und giebt sie für manche Völkerschaften noch, wo die Menschen überall Leben, überall Menschenähnlichkeit fanden; weil sie aus Abgang vieler und genauer Beobachtungen, ihre eignen Kräfte und Handlungsweisen, in die äusre Natur hinübertrugen.« Hardenberg hatte diese Sicht auch in Schillers »Die Götter Griechenlands« (1788) kennengelernt, das er schon in seiner Jugend gegen den Vorwurf des Atheismus verteidigte.

155,17 *von sichtbarer Jugendfülle geschenkt:* Hebe, die Göttin der Jugend, Tochter des Zeus und der Hera, war im Olymp Mundschenk der Götter.

155,17 f. *Wein ... ein Gott in den Trauben:* Der junge Dionysos entdeckte auf dem Berg Nysa den Wein und lehrte bei seinen Wanderungen durch die Welt überall den Weinbau.

155,18 *eine liebende, mütterliche Göttin:* Demeter, die alles ernährende ›Mutter‹ der Vegetation, Göttin der Fruchtbarkeit, des Ackerlandes und der Kornfelder.

155,19 f. *der Liebe heilger Rausch ein süßer Dienst der schönsten Götterfrau:* Zu Ehren der Aphrodite gab es eine ›göttliche‹ Prostitution, am bekanntesten in der antiken Welt war jene im Aphroditetempel von Korinth. Der griechische Geograph Strabo(n) (um 63 v. – nach 26 n. Chr.) berichtet, daß es dort »mehr als 1000 dem Tempeldienst geweihte Buhldirnen« gab (*Strabos Erdbeschreibung*, übers. von Albert Forbiger, Bd. 3, Stuttgart 1857, S. 228).

156,11 *Ein sanfter Jüngling löscht das Licht:* In Schillers »Die Götter Griechenlands« (1788) heißt es: »Damals trat kein gräßliches Gerippe / Vor das Bett des Sterbenden. Ein Kuß / Nahm das letzte Leben von der Lippe, / Still und traurig senkt' ein Genius / Seine Fackel [...].« In einer der *Götterlehre* von Karl Philipp Moritz beigegebenen Abbildung wird ein solcher Jüngling dargestellt. Moritz kommentiert: »Man sieht, wie die Alten das Dunkle und Furchtbare in reizende Bilder einkleiden; und wie sie demohngeachtet für das *höchste Tragische* empfänglich waren« (K. Ph. M., *Götterlehre oder mythologische Dichtungen der Alten*, Berlin 1791; 2., unveränd. Ausg. 1795, S. 33).

156,30 *in des Gemüts höhern Raum:* Das erste paradiesische Zeitalter ist für den Menschen also nicht ganz verschwunden, sondern im »höhern Raum« des Gemüts erreichbar. Bei Hardenberg fehlt jene Dunkelheit des götterfernen gegenwärtigen Zeitalters, das die Grunderfahrung von Hölderlins Dichtung ist.

157,4 *Volk, das vor allen verachtet:* Die Formulierung verbindet zwei Stellen des Jesaja. Der Prophet verkündet 9,1: »Das Volk, das in der Finsternis wandelt, sieht ein großes Licht«; und in 53,3 heißt es im Lied über den leidenden Gottesknecht: »Verachtet war er und verlassen von Menschen [...].«

157,7 *In der Armut dichterischer [Hs.: wunderbarer] Hütte:* Die folgende Stelle schreibt den Bericht der Evangelien aus: die Verkündigung, die Geburt im Stall, die Anbetung der Könige.

157,13 *Glanz und Duft:* Mit Gold, Weihrauch und Myrrhe huldigen die vom Stern nach Bethlehem geleiteten Könige dem Kind.

157,14 f. *Einsam entfaltete das himmlische Herz sich:* Das bezieht sich auf die Jahre, die Jesus in der Obhut von Maria verbringt, aber auch auf die Vorbereitung seiner Verkündigung, als er für vierzig Tage in die Wüste geht (vgl. Lk. 4,1 f.).

157,21–23 *Bald sammelten die kindlichsten Gemüter ... sich:* die ersten Jünger.

157,28 *ein Sänger:* Wer dieser »Sänger« sei, darüber gab es viele Spekulationen. Ihn mit bestimmten historischen Figuren zu identifizieren, ergab kein befriedigendes Ergebnis, sei es, daß man an den Apostel Thomas dachte, an Diodor von Smyrna oder eine andere Gestalt der Legende. Vermutlich wird in der Figur dieses »Sängers«, der von Griechenland kommt, in Palästina das Christentum übernimmt und damit nach Indien wandert, symbolisch dargestellt, welche Aufgabe angesichts der verschiedenen Religionen »der Sänger« schlechthin hat: die Vereinigung der Religionen, die lebendige Erneuerung dessen, was dogmatisch erstarrt ist.

157,30–158,2 *Der Jüngling bist du ... Du bist der Tod und machst uns erst gesund:* Die Verse setzen das Stanzengedicht S. 155 f. fort.

158,3 *Der Sänger zog ... nach Indostan:* Indostan: eine vermutlich von Hardenberg gebildete Form für: Hindustan, das Land der Hindus in Nordindien. »Die Idee der Vereinigung der großen Weltreligionen, die ganz deutlich schon in der zweiten Konzeption der *Lehrlinge* lebendig war und im *Ofterdingen* als vollendet dargestellt werden sollte (›Aussöhnung der heidnischen Religion mit der christlichen‹), wird mit dem Erscheinen des hellenischen Sängers an der Krippe und seiner Weiterverkündigung des Evangeliums im Orient, dessen ahnende, blütenreiche Weisheit zuerst den neuen Zeitbeginn erkannt hatte, symbolisiert. Hellas und Orient vereinigen sich in der Anerkennung des Christentums.« (Samuel, 1925, S. 182 f.)

158,6 f. *die fröhliche Botschaft tausendzweigig emporwuchs:* Es gibt eine erstaunliche Parallele in Hölderlins Hymne »Brot und Wein«, die wenig später (1800/01) entstand: »[...] wo brichts, allgegenwärtigen Glücks voll, / Donnernd aus heiterer Luft über die Augen herein? / Vater Äther! so riefs und flog von Zunge zu Zunge / Tausendfach, es ertrug keiner das Leben allein.«

158,9 *Er starb:* bezieht sich ebenso auf den Sänger wie auf Jesus, der nach Mt. 26,39 in Gethsemane den »Kelch« (12) des Leidens trinkt.

158,13 f. *nahte die Stunde der Geburt:* Zur Ambivalenz des Begriffs »Geburt« vgl. Anm. zu »Der Fremdling« (V. 52).

158,16 *Noch einmal sah er freundlich nach der Mutter:* vgl. Joh. 19,26 f.

158,19/21 *das bebende Land / himmlische Geister hoben den uralten Stein:* »Und siehe, es geschah ein großes Erdbeben; denn ein Engel des Herrn kam aus dem Himmel herab, trat hinzu, wälzte den Stein weg und setzte sich darauf.« (Mt. 28,2.) Daß der Stein »uralt« genannt wird, zeigt, daß an den Stein vor den Gräbern aller bisherigen Toten gedacht wird.

158,23 f. *Erwacht in neuer Götterherrlichkeit:* Die Formulierung setzt Jesus in den Kreis der alten, herrlichen Götter. Ein ähnlicher Vorgang ist in den gleichen Jahren, als die Hymnen entstanden, auch bei Hölderlin zu beobachten.

159,19 *Die Lampen brennen helle:* Die Stelle beruht auf dem biblischen Gleichnis von den klugen und den törichten Jungfrauen (vgl. Mt. 25,1–13).

161,7 *engen Kahn:* Der Fährmann des Hades, Charon, schaffte jene Toten, die ihn bezahlen konnten, mit seinem Kahn über den Styx, den Fluß, der den Tartaros auf der westlichen Seite gegenüber der Welt begrenzte.

162,27 f. *Hinunter zu der süßen Braut, / Zu Jesus, dem Geliebten:* Die Verse zeigen nochmals den Sinn der Hymnen. Wenn christliche und griechische Elemente eine kaum mehr trennbare Einheit bilden, hat der Dichter das Recht, die Erlösungsmythen selbständig weiterzudenken. Für ihn ist Christus nicht mehr und nicht weniger eine ›Mittlergestalt‹ als die eigene Braut, die ihm den Weg zu einer neuen, umfassenden Sicht des Lebens und der Welt ermöglicht.

Späte Gedichte und Entwürfe (1799–1800)

Hardenberg war 27 Jahre alt, als er im Mai 1799 nach Abschluß der Freiberger Studien zum drittenmal und endgültig nach Weißenfels zurückkehrte. Er hatte alle Pläne auf eine Karriere im Ausland, also vor allem in Preußen, aufgegeben und beschlossen, in Sachsen zu bleiben; alle Befürchtungen, daß er neben dem herrischen Vater nicht leben könne, wurden hintangestellt; er wünschte nur möglichst rasch eine sichere Position, um zu heiraten, auch wenn er wußte, daß er nur sehr wenig verdienen und seiner Frau ein »eingeschränktes« Leben würde zumuten müssen (HKA IV,284). Dies schrieb er dem künftigen Schwager, dem Hofprediger Franz Volkmar Reinhard, am 20. Mai 1799. Im gleichen Brief versicherte Hardenberg, daß die Zeit, in der »einige höchst schmerzhafte Begebenheiten«, nämlich der Tod Sophie von Kühns, ihn bewogen, sich ganz »auf Dinge einer andern Welt« zu beziehen, vorbei sei; »ich fühlte mich auf das kräftigste bestimmt, für dieses neue Verhältnis alles andre aufzuopfern und seine Erhaltung und Ausbildung zu dem ausschließlichen Zweck meines Lebens zu machen« (HKA IV,282 f.).

Er war kaum in Weißenfels angekommen, als er sich sofort, offenbar noch ohne Gehalt, in die Arbeit stürzte. Bis zum Sommer gab es »das unstete Herumirren und die unablässigen aufgehäuften Geschäfte«, wie Hardenbergs Schwester Sidonie Ende Juni 1799 berichtet (HKA IV,628). Die Gelegenheit war günstig. Der sächsische Geheime Finanzrat Julius Wilhelm von Oppel, im Dresdner Finanzkollegium für das Hüttenwesen zuständig, weilte zu einer Inspektion in Weißenfels. Hardenberg diente ihm als Protokollant und konnte den wichtigen Mann so von seinen Fähigkeiten überzeugen, daß dieser den späteren Antrag auf eine »feste Anstellung« als Salinenassessor (HKA IV,630) uneingeschränkt befürwortete: es »möchte auch nicht leicht ein geschickteres und so vorbereitetes Subject zu finden sein, als der schon ad Acta und zum Protokollieren verpflichtete von Hardenberg« (HKA IV,634).

Schon in Freiberg war er sich darüber klargeworden, daß er die »Schriftstellerei« – die Fragmentsammlungen *Blütenstaub* und *Glaube und Liebe* waren inzwischen publiziert, er arbeitete an den *Lehrlingen zu Sais* – der beruflichen Arbeit unterordnen mußte. Am 5. Dezember 1798 schrieb er an Rahel Just: »Ich behandle meine Schriftstellerei als ein Bildungsmittel – ich lerne etwas mit Sorgfalt durchdenken und bearbeiten – das ist alles, was ich verlange« (HKA IV,266). Als weitere solche Stufen zur vollendeten Bildung stellt er sich vor: »Hofmeister, Professor, Handwerker sollte man eine Zeitlang werden wie Schriftsteller. Sogar das Bedientenfach könnte nicht schaden« (ebd.). In Ideen dieser Art ist der Bildungsweg vorgezeichnet, den er später für seinen Heinrich von Ofterdingen ausdenkt. Zu keiner Zeit hatte er geplant, die Literatur ganz aufzugeben. Sogar als er sich bei dem Geh. Finanzrat v. Oppel bewarb, sprach er davon, daß er seine »Nebenstunden zu einträglichen litterairischen Arbeiten benutzen« wolle (HKA IV,314).

Aber es waren eindeutig nur die »Nebenstunden«, die er der Kunst widmete. Sein ganzes Leben war um den Eindruck bürgerlicher Solidität bemüht. Er war weder am Gehabe des freien Schriftstellers noch an adeliger Distanz seiner Umwelt gegenüber interessiert. »Sein Anzug [. . .] war höchst einfach, und ließ keine Vermuthung seiner adligen Herkunft aufkommen«, schrieb Henrik Steffens 1841 über Hardenberg (HKA IV,639). Wie in seiner Liebe jetzt »bürgerliche Baukunst« seine bisherige Liebe »im Kirchenstyl« ablösen sollte, so auch in seiner Kunst; mit Mißtrauen betrachtete er die phantastischen Träume eines Jean Paul, seine eigene produktive Phantasie sollte »so ziemlich der wircklichen Welt entsprechen« (am 27. Februar 1799 an Caroline Schlegel; HKA IV,281). Seine Freunde glaubten ihm nicht recht. Friedrich Schlegel erklärte, er habe »kein Zutrauen« zu dieser »bürgerlichen Baukunst« (HKA IV,637). Henrik Steffens meinte sogar, für stetige Arbeit fehle Hardenberg einfach die »wissenschaftliche strenge Consequenz« (HKA IV,637).

Doch der Eindruck war falsch. Hardenberg wurde nicht nur in seinem Beruf ein gewissenhafter solider Arbeiter. Gerade als die äußere Einschränkung am bedrängendsten ist, entfaltet sich seine produktive Kraft. Es kommt zu einem völlig neuen Einsatz seiner Dichtung, und die Ursache dafür ist keineswegs die Begegnung mit Ludwig Tieck, wie man immer wieder vermutet hat, als ob dessen flinke poetische Produktion auch dem Freund wieder Mut zur Poesie gemacht hätte – längst vor der ersten Begegnung hatte er mit den *Geistlichen Liedern* begonnen.

Trotz wiederholter Ansätze gelang es nicht, *Die Lehrlinge zu Sais*, den ersten Prosaentwurf von 1798, weiterzuführen und zu vollenden. Inzwischen lagen die ersten Romane seiner Freunde vor, schon 1798 war Ludwig Tiecks *Franz Sternbalds Wanderungen* erschienen, am 27. Februar 1799 – im genannten Brief an Caroline Schlegel – bedankte sich Hardenberg für die Übersendung von Friedrich Schle-

gels *Lucinde*, und er kündigte an, auch von ihm werde wahrscheinlich »diesen Sommer« noch ein Roman fertig werden. Der Brief enthält jene berühmt gewordenen Sätze, die zeigen, daß der Roman zur zentralen poetischen Kategorie geworden war, zur Vollendung dessen, was man als romantische Kunst empfand: »[...] ich habe Lust mein ganzes Leben an Einen Roman zu wenden – der allein eine ganze Bibliothek ausmachen – vielleicht Lehrjahre einer *Nation* enthalten soll. Das Wort *Lehrjahre* ist falsch – es drückt ein bestimmtes *Wohin* aus. Bey mir soll es aber nichts, als – *Übergangs-Jahre* vom Unendlichen zum Endlichen bedeuten. Ich hoffe damit zugleich meine historische und philosophische Sehnsucht zu befriedigen« (HKA IV,281). Hardenberg beginnt demnach, sich vom übermächtigen Vorbild des *Wilhelm Meister* (1795/96) zu lösen. Sein Buch soll die eigene Bildung ebenso voranbringen wie die Bildung der »Nation«.
Aber es war noch nicht so weit, daß er mit dem Roman beginnen konnte. Er näherte sich erst langsam seinem wichtigen Thema. Im Sommer 1799 wurden die *Geistlichen Lieder* weitergeführt. Im Oktober entstand *Die Christenheit oder Europa*, um die Jahreswende 1799/1800 die erste Fassung der *Hymnen an die Nacht*, die Ende Januar 1800 zur *Athenaeum*-Fassung umgearbeitet wurde. All das geschah in einer kaum glaublichen kurzen Zeitspanne, denn inzwischen war er auch seit Dezember 1799 an der Niederschrift des Romans. Bereits am 5. April 1800 meldeten Briefe an Tieck und Friedrich Schlegel, das Manuskript sei fertig. In den entscheidenden Wochen im Februar und März müssen an einem Tag etwa eineinhalb Seiten in Reinschrift entstanden sein (vgl. Ritter, 1967, S. 201). Geplant war, das Buch unter dem Titel *Heinrich von Afterdingen. Ein Roman von Novalis. Erster Theil. Die Erwartung* sofort erscheinen zu lassen, und zwar im gleichen Verlag (Johann Friedrich Unger) und in der gleichen Aufmachung wie Goethes *Wilhelm Meisters Lehrjahre*. Hardenberg war kühn genug, den direkten Vergleich mit dem vielbewunderten Buch zu wagen. Doch die Verhandlungen zerschlugen sich, erst nach seinem Tod erschien das Buch 1802 mit dem offenbar von den Freunden geänderten Titel *Heinrich von Ofterdingen*.
Das einzige, was wir über die Fortsetzung des Romans wirklich wissen, ist die Tatsache, daß sie geplant war und nur daran scheiterte, daß Hardenberg krank wurde. Wir sind über sein letztes Lebensjahr genau unterrichtet – für Poesie blieb da wenig Raum. Der Anfang April fertiggestellte Teil des *Ofterdingen* sollte noch vor

dem Abschluß der Fortsetzung erscheinen (auch Tiecks *Sternbald* ist auf diese Weise Fragment geblieben). Frühjahr und Sommer galten intensiver beruflicher Arbeit. Am 28. April schloß Hardenberg einen Bericht über die Braunkohlenlager im Bereich der sächsischen Salinen ab. Dann gab es eine ganze Reihe von Dienstreisen. Die längste war eine vom 1. bis zum 18. Juni unternommene Wanderung mit dem Studenten Haupt, die von Zeitz über Gera nach Leipzig führte und Teil einer größeren Untersuchung Sachsens nach »brennbaren Fossilien« war. Hardenberg konnte seinen Bericht ebensowenig selbst abschließen wie seine poetischen Arbeiten, er erschien nach seinem Tod. Denn schon im Juli 1800 schrieb er in seinem Tagebuch von »körperlicher Unruhe«, die auch zur seelischen Unruhe wurde (HKA IV,55). Anfang September ist von »Anwandlungen von Ängstlichkeit« die Rede (HKA IV,56); wenig später von Schwierigkeiten mit dem Magen und davon, daß er wohl noch lange »Blut auswerfen« werde (HKA IV,57). Im Oktober erlitt er dann in Dresden einen schweren Blutsturz und war von da an zu schwach zu regelmäßiger Arbeit. Im November 1800 »erklärten die Aerzte seine Krankheit für unheilbar«, schreibt 1802 der Bruder Carl von Hardenberg (HKA IV,534).

In dieser ganzen Zeit ging der berufliche Werdegang zielstrebig weiter, auch durch die Krankheit nicht unterbrochen. Der romantische Poet Novalis war alles andere als ein anämischer Jüngling. Kurz nach Beendigung des ersten Teils des *Heinrich von Ofterdingen* bewarb er sich am 10. April 1800 um die Stelle eines Amtshauptmanns im Thüringischen Kreis. Am 28. September schickte er die für diesen Posten nötige Probeschrift ab. Am 6. Dezember wurde die Ernennungsurkunde zum »Supernumerar-Amtshauptmann in besagtem Kreise« ausgestellt (vgl. HKA IV,667 f.).

Hardenberg hat bis in den Herbst 1800 hinein sowohl berufliche als auch philosophische und poetische Texte verfaßt. Die Tatsache, daß die beruflichen Schriften in allen Novalis-Ausgaben fehlen, verfälscht das Bild des Autors, gibt ihm eine Erdenferne, die er nie hatte. Die ›Späte Lyrik‹, die Hardenberg im Alter von 26, 27 Jahren verfaßte, ist nur vor dem Hintergrund dieser gesamten Entwicklung zu sehen.

Die ›Späte Lyrik‹ wurde nie im Zusammenhang gedruckt und steht innerhalb des Werkes an ganz verschiedenen Stellen, so daß es schwierig ist, ihre Eigenart im Zusammenhang des Werkes und vor dem Hintergrund der übrigen romantischen Lyrik zu sehen. Dazu gehören nämlich nicht nur die etwa zehn Gedichte, die immer unter dem Namen ›Späte Lyrik‹ zusammengefaßt wurden. Dazu gehören auch die letzten *Geistlichen Lieder*, die gegenüber den frühen einige neue Elemente zeigen. Dazu gehört die Spätfassung der *Hymnen an die Nacht*, in denen es ein deutliches Zurückdrängen der allzu persönlichen Momente gibt. Dazu gehören auch die *Ofterdingen*-Lieder, von denen manche eng in den Kontext des Romans eingebunden sind, andere dagegen unabhängig davon entstanden und als selbständige Texte anzusehen sind. Gerade der ›späte‹, also der 27jährige, zwar todkranke, aber ehrgeizige und zielstrebige Friedrich von Hardenberg wäre einer neuen Aufmerksamkeit wert.

163 *Novellenentwürfe*

Die Entwürfe wurden früher wegen ihres »frivolen Tons«, der dem »reifen Novalis« angeblich nicht mehr zukam, dem Jugendwerk zugeordnet, ehe Samuel aufgrund einer neu aufgetauchten Handschrift sie richtig auf 1799/1800 datierte (R. S., »Novellenentwürfe und Aufzeichnungen Friedrich von Hardenbergs«, in: *Jahrbuch der Deutschen Schillergesellschaft*, Bd. 5, Stuttgart 1961, S. 187–195) – immer wieder war in der Forschung zu beobachten, wie das Bild, das man von diesem Autor zu haben glaubte, zu Fehleinschätzungen führte.
Auffällig ist, daß Hardenberg dreimal die Überschrift »Novelle« benützt. »Vor Wielands Novelle ohne Titel im *Hexameron von Rosenhain* (1805) hat noch kein deutscher Schriftsteller, mit Ausnahme des obskuren A[ugust] G[ottlieb] Meissner mit seinen Novellen des Rittmeisters Schuster (1786), eine eigene Geschichte mit diesem Gattungsnamen bezeichnet. Das Wort Novelle war 1772 ebenfalls von Wieland, in der Vorrede der 2. Auflage von *Don Sylvio von Rosalva* [[1]1764], geprägt worden, wurde aber nur auf italienische, spanische und französische novellas, novelas und nouvelles bezogen« (Samuel, ebd., S. 194).
Der erste der Entwürfe ist im Herbst 1799 entstanden, als es Hardenberg vorläufig aufgegeben hatte, *Die Lehrlinge zu Sais*, an die einzelne Formulierungen erinnern, zu beenden, *Heinrich von Ofterdingen* aber noch nicht konzipiert war. Die beiden anderen, im Sommer 1800 niedergeschriebenen Entwürfe dürften keine Zusammenfassung fremder Erzählungen sein, sondern von Hardenberg selbst stammen. Sie verweisen auf seine häufige Beschäftigung mit

Boccaccio und Cervantes. Der ganze Komplex zeigt, wie eng Hardenberg Wieland und der in seiner Jugend aufgenommenen Anakreontik verbunden blieb.

163,16 poetischem] poetischen

165 *Zur Weinlese*

Das eher bescheidene Gelegenheitsgedicht dokumentiert, wie diese Lyrik immer wieder von ganz persönlichen, privaten Anlässen ausgeht, hier wird der Mutter zum 50. Geburtstag am 5. Oktober 1799 gratuliert (zum 49. Geburtstag vgl. »An die Fundgrube Auguste«). Das Gedicht wurde erstmals gedruckt in: *Phöbus. Ein Journal für die Kunst*, hrsg. von Heinrich v. Kleist und Adam H[einrich] Müller, Jg. 1, 9. und 10. Stück, Oktober 1808, S. 13–15; eine Vorbemerkung bezeichnet es als »ein ländliches Gelegenheitsgedicht«, in dem manche Anspielung »unverstanden« bleibe. Ein Brief von Hardenbergs Schwester Sidonie, der erzählt, wie man mit einer ganzen Reihe von Freunden, die z. T. in Andeutungen genannt werden, ein großes Familienfest beging (vgl. HKA IV,643 f.), macht die Situation überschaubar.

20 Traube] Taube

21 *Wenden:* die slawische Bevölkerung in Mittel- und Ostdeutschland, im engeren Sinn die Sorben in der Oberlausitz. Hardenberg benützt den Namen als Anspielung: seine ältere Schwester Caroline (das »Träubchen« in V. 36) war mit dem aus der Oberlausitz stammenden Fritz von Rechenberg verlobt (vgl. HKA IV,636), er und sein Bruder nahmen an der Geburtstagsfeier teil.

42 *Überfluß:* hier im alten Sinn gebraucht: das, was überfließend ist.

55 *Weibchen:* Bereits Ende April 1799 hatte Hardenbergs Mutter die Braut Julie von Charpentier bei einem ausführlichen Treffen schätzen gelernt (vgl. HKA IV,627 und 1011), doch die Verlobung wurde auf Verlangen des Vaters (vgl. HKA IV,313) immer noch geheim gehalten. Tieck erzählte zwar, wie er im Sommer 1799 Julie im Kreis der Familie getroffen habe (vgl. HKA IV,632), doch erst im Mai 1800 kommt es zu einem ersten

brieflichen Kontakt zwischen der Mutter und Julie (vgl. HKA IV,655 und Anm. zu »Es färbte sich die Wiese grün«).

18 *Taus:* »niederd. *duus*, engl. *deuse*, ein ausgezeichnetes und treffliches wesen, ein mensch den man mit wolgefallen ansieht. man sagt, wenn man einen loben will, *er ist wie ein daus* [...].« (Jacob und Wilhelm Grimm, *Deutsches Wörterbuch*, Bd. 2, Leipzig 1860, S. 855.)

61 *unsern alten Weinstock:* die Mutter.

62 *seinen lieben Winzer:* den Vater.

167 *Das Gedicht*

Die Handschrift enthält auf der Vorderseite zwei Auszüge aus einem Aufsatz von Ludwig Tieck, »Über die Kinderfiguren auf den Raffaelschen Bildern«, der in den von Tieck herausgegebenen *Phantasien über die Kunst, für Freunde der Kunst* (1799) abgedruckt war, und aus Friedrich Schlegels *Lucinde* (1799), die Hardenberg am 27. Februar 1799 erhielt und sofort las. Ritter (1967) S. 167 hat außerdem im ersten Teil Parallelen zu Tiecks *Leben und Tod der heiligen Genoveva* (ersch. 1800) gefunden, aus der Tieck im Herbst 1799 den Freunden vorlas. Das Gedicht ist also wohl im Herbst 1799 entstanden. Die Überschrift wurde erst später mit anderer Schrift darübergesetzt.

Das Gedicht ist zweiteilig. Die Verse 1–16 enthalten nach einem sehr rätselhaften Beginn den Eintritt in einen feierlich anmutenden Raum, in dem die Stichworte »hohe Bogen«, »Chor«, »Marmor« an die Grabstätte einer Kirche erinnern, an der etwas geoffenbart wird: »der alten Sage / Mächtige Augen [sind] aufgetan«. Die Verse 17–32 schildern an diesem Ort ein nächtliches Fest »kindlicher Zecher«, in dessen Verlauf die »Blumenfürstin« erscheint, die am Schluß ihre Verehrer weinend zurückläßt.

Frühe Deutungsversuche verfuhren vor allem biographisch und vermuteten in »Sie« (V. 4) Sophie von Kühn. Samuel (HKA I,681) hat an dieser Gleichsetzung auch dann festgehalten, als Schulz die »biographischen Deutungsversuche« als »gescheitert« erklärte und zum Verständnis der ersten Strophe vorschlug: »Die weibliche Gestalt erscheint als das Urbild der Poesie. *Himmlisch* und *blau* sind bei Novalis häufige Attribute des im Weiblichen verkörperten Geistes der Dichtung und der Liebe« (Schulz; Novalis, *Werke*,

S. 658 f.). Eine Gesamtdeutung des Gedichts gibt Janet Gardiner, in: *Jahrbuch des Freien Deutschen Hochstifts 1974*, Tübingen 1975, S. 209–234. Zu beachten ist, daß, wenn ein biographischer Anlaß ganz fehlt, das Gedicht im Korpus der späten Einzelgedichte völlig einzigartig dastehen würde.

2 blassem] blassen
32 entflogen.] entflogen [.]

168 *An Tieck*

Am 23. Februar 1800 dankte Hardenberg Ludwig Tieck dafür, daß dieser ihn mit Jakob Böhme bekannt gemacht hatte: »Man sieht durchaus in ihm den gewaltigen Frühling mit seinen quellenden, treibenden, bildenden und mischenden Kräften, die von innen heraus die Welt gebären – Ein ächtes Chaos voll dunkler Begier und wunderbaren Leben – einen wahren, auseinandergehenden Microcosmus. Es ist mir sehr lieb ihn durch Dich kennen gelernt zu haben« (HKA IV,322 f.). Am 23. November 1800 schrieb August Wilhelm Schlegel an Tieck: »Von Hardenberg habe ich noch das Lied an Dich über Jakob Böhme; sonst habe ich lange nichts von ihm vernommen« (HKA IV,666). Zwischen beiden Daten muß das Gedicht entstanden sein, wohl eher im Frühjahr, also während der Abfassung des *Ofterdingen*-Romans. – Es gibt zwei Fassungen, die Handschrift und den Erstdruck im *Musen-Almanach auf das Jahr 1802*, S. 35–38, der offenbar auf die bei August Wilhelm Schlegel liegende Handschrift zurückgeht. Die hier wiedergegebene Fassung des *Musen-Almanachs* weist viel deutlicher als die Handschrift auf den in den Schlußversen auch namentlich genannten Jakob Böhme (1575–1624) hin, den schlesischen Mystiker, der für das romantische Konzept eines freien Christentums von entscheidender Bedeutung war. – Zur Interpretation des Gedichts siehe Gardiner (1972) S. 88–157; Malsch (1957) S. 139–154; Gerhard Schulz, »›Potenzierte Poesie‹. Zu Friedrich von Hardenbergs Gedicht ›An Tieck‹«, in: *Gedichte und Interpretationen*, Bd. 3: *Klassik und Romantik*, hrsg. von Wulf Segebrecht, Stuttgart 1984 (Reclams Universal-Bibliothek, Nr. 7892 [5]), S. 245–255; Wolfgang Speyer, »Das entdeckte heilige Buch in Novalis' Gedicht ›An Tieck‹«, in: *Arcadia* 9 (1974) S. 39–47; Vordtriede (1963) S. 123–145.

19 heiterm] heitern

1 *Ein Kind:* Bei Mähl (1965) S. 362–371 wird ausführlich dargestellt, welche Rolle das »Kind« im Werk Hardenbergs spielt. Zu beachten ist auch, daß das Kind für die Aufklärung ganz allgemein zum Symbol für die Menschheit am Anfang ihrer Geschichte wird.

9 *Ein altes Buch:* Solche alten Schriften erscheinen im Werk Hardenbergs öfter, besonders im Märchen der *Lehrlinge zu Sais* und im *Ofterdingen.* Hier ist offenbar Böhmes später auch namentlich genanntes Buch *Aurora, oder Morgenröte im Aufgang* gemeint, vgl. Anm. zu 49.

11 *des Frühlings:* Hier wird direkt das im Brief an Tieck gebrauchte Bild übernommen.

18 f. *ein alter Mann, / Im schlichten Rock:* Böhme war Schuhmacher, erscheint also im einfachen Kleide. Zu vergleichen ist aber auch die Stelle im 2. Kapitel des *Ofterdingen*: »[. . .] so hat sich auch zwischen den rohen Zeiten der Barbarey, und dem kunstreichen, vielwissenden und begüterten Weltalter eine tiefsinnige und romantische Zeit niedergelassen, die unter schlichtem Kleide eine höhere Gestalt verbirgt« (HKA I,204) – sie macht den übertragenen Sinn der Formulierung unverkennbar.

33 *Auf jenem Berg:* Paschek (1967) S. 218 f. hat herausgefunden, daß Hardenberg auf ein Ereignis im Leben Böhmes anspielt: »Bey welchem seinem Hirten-Stande ihme dies begegnet, daß er einsmals um die Mittags-Stunde sich von den andern Knaben abgesondert und auf den davon nicht weit abgelegenen Berg, die Landes-Crone genant, allein für sich selbst gestiegen, aldar zu oberst [. . .] einen Eingang gefunden, in welchem er aus Einfalt gegangen, und darinnen eine große Bütte mit Gelde angetroffen, worüber ihm ein Grausen angekommen, darum er auch nichts davon genommen, sondern also ledig und eilfertig wiederheraus gegangen.« (Zit. nach: Jacob Böhme, *Sämtliche Schriften*, Faks.-Neudr. der Ausg. von 1730, hrsg. von Will-Erich Peuckert, Bd. 10, Stuttgart 1961, S. 7.)

49 *Morgenröte:* Der gesamte Titel von Jakob Böhmes berühmter Schrift lautet: *Aurora, oder Morgenröthe im Aufgang, / das ist: Die Wurtzel oder Mutter der Philosophiae, Astrologiae und Theologiae aus rechtem Grunde / oder Beschreibung der Natur / Wie alles gewesen und im Anfang geworden ist: wie die Natur und Elementa creatürlich worden sind, auch von beyden Quali-*

täten, Bösen und Guten; woher alle Ding seinen Ursprung hat, und wie es ietzt stehet und wircket, und wie es am Ende dieser Zeit werden wird; auch wie GOttes und der Höllen Reich beschaffen ist, und wie die Menschen in iedes creatürlich wircken, Görlitz 1612.

170 [*Es färbte sich die Wiese grün*]

Das Gedicht hat einen unschwer erkennbaren biographischen Hintergrund. Im Frühjahr 1800 plante Hardenberg, sich möglichst bald mit Julie von Charpentier zu verheiraten, aber seine Verbindung fand immer noch nicht die offizielle Billigung der Eltern. Am 25. Mai 1800 schrieb Julie einen ersten Brief an Frau von Hardenberg, nur an sie persönlich, in der formelhaften Ehrfurcht der Zeit: sie hoffe, »vielleicht einst so glücklich zu seyn, Sie mit einem Schritt auszusöhnen, den Ihr Sohn gethan, der Ihnen leider so vielen Kummer verursachte, und mir in der Hinsicht unzählige Thränen gekostet hat« (HKA IV,656). Sie und der Bräutigam waren aber entschlossen, sich durchzusetzen: »[. . .] meine theuerste Mutter, erlauben Sie mir, daß ich diesen Nahmen gebrauchen darf [. . .]. Dürfte ich wohl hoffen, daß Sie Beyde mich einst auch mit Ihrer gewohnten Güte unter Ihre geliebten Kinder aufnehmen werden?« (Ebd.) Das »freundliche Mädchen« des Gedichts, das jeden Sinn gefangengenommen hat, ist niemand anders als Julie von Charpentier, und Hardenberg denkt über seine eigene Zukunft nach. Bemerkenswert ist aber wieder, was er aus dem Anlaß macht. Er greift die Geschichtsdeutung des Böhme-Gedichts »An Tieck« auf. Die Vorstellungen vom persönlichen und vom geschichtlichen »Frühling« durchdringen einander. Die Liebeserfüllung und die Hoffnung auf eine Erfüllung der Zeit gehören zusammen. Nicht nur die Poesie soll ein neues Reich der Liebe und der Eintracht hervorbringen, das soll auch durch die eigene Hochzeit geschehen.

37 vorbei,] vorbey; *HKA; verbessert nach Hs.*
47 geschah,] geschah *HKA; verbessert nach Hs.*
48 wurde,] wurde *HKA; verbessert nach Hs.*

1 *Es färbte sich die Wiese grün:* Das Gedicht zitiert in seinem Beginn die »Frühlingsliebe« (1776) von Johann Heinrich Voß: »Die Lerche sang, die Sonne schien, / Es färbte sich die Wiese

grün« (J. H. V., *Sämtliche Gedichte*, Tl. 4, Königsberg 1802, S. 87).

5 f. *Ich wußte nicht, wie mir geschah, / Und wie das wurde, was ich sah:* Der Refrain des Gedichts wird aufgenommen von Ludwig Tiecks »Trennung« (1804): »Ich wußte nicht wie mir geschah / Als von dem Busch ein Blättchen thät ausscheinen« (L. T., *Sämmtliche Werke*, Bd. 28, Wien 1822, S. 127–131). Richard M. Meyer glaubt hier auch an ein Nachwirken von Gottfried August Bürgers Versen aus »Schön Suschen« (1776): »Ergrübelt mir, wo, wie, und wann, / Warum mir so geschah« (*Euphorion* 6, 1899, S. 150).

7 *Und immer dunkler ward der Wald:* Trotz der ganz anderen Szenerie sollte der wörtliche Anklang an den Beginn von Dantes *Divina Commedia* beachtet werden.

25–28 *Vielleicht beginnt ein neues Reich ...:* »Die Metamorphose der Naturreiche in der Stufenleiter von Anorganischem zu Organischem, von der Pflanze zum Tier und schließlich zum Menschen hat als sinnfällige Symbolik für die von Novalis beschworene poetische Synthesis der Welt verschiedene Parallelen in seinen anderen Schriften [...]. In den Plänen zum Klingsohr-Märchen (Kap. 9 des *Ofterdingen*) findet sich außerdem der Satz: ›Die lockre Stauberde wird wieder beseelt.‹ Die ›Dammerde‹, wie sie in der Geologie der Zeit genannt wird, ist die oberste mineralische Schicht, die dem Vegetabilischen am nächsten steht.« (Schulz; Novalis, *Werke*, S. 665.)

37–42 *Sie ging vorbei ...:* in der Hs. durchgestrichen, vielleicht von Tieck, dem die persönliche Anspielung zu weit ging. Die Verse bieten in einer ersten Fassung eine kräftige anakreontische Reminiszenz: »Der Wald war kühl, die Luft so warm, / Ich ließ sie nicht aus meinem Arm / Kurzum was brauch ich mich zu schämen, / Der Lenz ließ [?] sich an uns vernehmen« (HKA I,684).

172 [*Der Himmel war umzogen*]

Die Handschrift folgt auf dem gleichen Blatt unmittelbar dem Gedicht »Es färbte sich die Wiese grün« und entstand ebenfalls im Frühjahr 1800. Der biographische Hintergrund ist deutlich, doch geht es nicht mehr um Sophie von Kühn. Str. 6 zeigt den tatsächlichen Zusammenhang: Die »Myrte« (V. 21) ist der traditionelle

Brautschmuck; wo Reichtum herrscht, ist das Heiraten kein Problem – »Doch um des Elends Hütte / Schießt Unkraut nur empor«. Hardenbergs wirtschaftliche Verhältnisse sind noch immer ungeklärt. Sein Vater verweigert die »Einwilligung« zur Hochzeit. »Er sieht sich unvermögend mich beträchtlich zu unterstützen und traut mir nicht zu mich in die eingeschränkte Lage finden zu können, die in den ersten Jahren mir bevorsteht. Er fürchtet mich in Noth gerathen zu sehn und dies hält ihn zurück« (HKA IV,313). Dies schrieb Hardenberg Ende Januar 1800 an den Geh. Finanzrat v. Oppel. Am 10. April bewarb er sich um die »erledigte Amtshauptsmannsstelle« in Thüringen beim sächsischen Kurfürsten und hoffte dadurch endlich ausreichende Einnahmen zu bekommen.

Nach Str. 2 steht in der Handschrift die folgende Strophe, die mit drei kräftigen Parallelstrichen ausgeschieden wird (vgl. HKA I,415/685):

> Ach! könnte sie sich fassen,
> Mein Bild nur von sich thun,
> So gieng ich bald gelassen
> Im stillen Hof zu ruhn.

Nach Str. 7 sind in der Handschrift die folgenden Verse gestrichen, die für das Selbstverständnis und das Selbstvertrauen des jungen Beamten in jeder Hinsicht von Bedeutung sind (vgl. HKA I,685):

> Ein Knabe kam gegangen,
> Bleich anzusehn und blos
> Ein Kind in frohen Muthe,
> Doch unbeflect und blos

5 tiefem] tiefen
6 stillem] stillen
44 wunderbarem] wunderbaren
48 grünem] grünen

26 *Da sprang ein Kind heran:* In Hardenbergs Werk spielt das »Kind« eine bedeutsame Rolle (vgl. Anm. zu »An Tieck«, V. 1). Im Kontext des Gedichts hindert nichts daran, Julie von Charpentier als jenes »Kind« zu betrachten, das dem Dichter selbst die »Gerte« (V. 31), die Wünschelrute, bringt, mit deren Hilfe sich die verborgenen Schätze auftun.

41 *Königin der Schlangen:* Die Schlange ist ein »Symbol für Verwandlung, Verjüngung, ewiges Leben, aber auch für Reichtum [. . .]. In der spirituellen Erkenntnis von der Erneuerung der Welt im Geiste der Liebe, die auch aus den anderen Gedichten dieser Zeit spricht, liegt der wirkliche Reichtum, den der Dichter gewinnt.« (Schulz, *Werke*, S. 666.)

173 *An Dora*

Das Gedicht entstand wohl ebenfalls im Sommer 1800 (die Adressatin hat es 30 Jahre später ins Jahr 1798 zurückdatiert, das kann nicht richtig sein). Die Malerin Dorothea Stock war eine Schwester von Christian Gottfrieds Körners Frau Minna und wohnte mit ihnen im Haus in Dresden. Hardenberg kannte sie schon seit längerer Zeit, offenbar ohne sie zunächst sehr zu schätzen. Friedrich Schlegel schrieb am 17. Mai 1792 nach einem Besuch in Dresden u. a.: »Die Stock ist ein sehr kluges Mädchen übrigens ist sie mir zu räthselhaft, um so früh über sie zu urtheilen. Hardenberg wirft ihr ›erlerntes Wohlwollen‹ und ›künstliche Natürlichkeit‹ ich glaube nicht mit Unrecht vor. Mit Güte und Natur brüstet sie sich sehr, – aber ihr Gefühl hat so etwas verbrauchtes.« (*Friedrich Schlegels Briefe an seinen Bruder August Wilhelm*, hrsg. von Otto Walzel, Berlin 1890, S. 46.) Es gibt kein Zeugnis, ob Hardenberg seine Meinung inzwischen geändert hatte. Auch diese Briefstelle sollte jedenfalls davor warnen, Hardenbergs Schriften allzu biographisch-wörtlich zu nehmen. – Das Gedicht erschien nach dem Erstdruck im *Phöbus*, Jg. 1, 1. Stück, Januar 1808, S. 40 (vgl. S. 287), am 1. Mai 1827 im Berliner *Conversations-Blatt für Poesie, Literatur und Kritik* mit einer Vorbemerkung, in der es unter ausdrücklicher Berufung auf Dora Stock u. a. heißt: »Eine sonderbare Erscheinung, von der sich auch in dem Gedichte Spuren finden, war es, daß Novalis, während schon die Blüthe seines Lebens geknickt war, davon keine Ahnung hatte, vielmehr immer das frühe Hinscheiden seiner geliebten Julie fürchtete, obwohl diese frisch und gesund war. Sein höchster Wunsch war, die theuren Züge der Geliebten durch ein Bild festgehalten zu sehn.« (HKA I,686 f.) Strophenbau und Versmaß sind identisch mit dem Lied »Der Sänger geht auf rauhen Pfaden« im *Heinrich von Ofterdingen* (HKA I,225–227). Str. 7 zitiert das 8. Kapitel des *Ofterdingen* – Hardenberg wendet also Gedanken aus seinem

Roman über den Weg des Dichters in der Zeit auch auf ganz persönlich-private Ereignisse an. – Nach einer Einleitung von drei Strophen spricht zunächst Julie, »die Holde«, in Str. 4, dann in Str. 5 »der Dichter«, in Str. 6 und 7 schließlich die Malerin (»die Muse«), ehe Str. 8 mit einem Dank schließt (»Sie« in Z. 61 ist nochmals die Malerin).

17 f. *Der Dichter klagt und die Geliebte / Naht der Zypresse, wo er liegt:* Das ist offenbar nicht in dem Sinn gemeint, daß der Dichter tot gedacht wird, auch wenn man nicht so weit zu gehen braucht wie Ritter (1965) S. 255 f., der eine ganz bestimmte Liebesszene in einem Garten in Dresden rekonstruiert.

176 *An Julien*

Das vermutlich im Sommer 1800 entstandene Gedicht, dessen Handschrift nicht erhalten ist, gehört in seiner einfachen und eindringlichen Diktion in die Nähe der letzten *Geistlichen Lieder*, also zu »Es gibt so bange Zeiten«, »Ich sehe dich in tausend Bildern«, »Wenn in bangen trüben Stunden«, »Wer einmal, Mutter, dich erblickt«.

3 tiefgerührtem] tiefgerührten

9 *dem süßen Wesen:* Christus.
12 *einverleibt:* vgl. dazu die Deutung des Abendmahls in der »Hymne« der *Geistlichen Lieder* (Lied VII).

176 [*Alle Menschen seh ich leben*]

Das Gedicht überrascht nur dann, wenn man die aktiv-gestalterische Haltung, die der Dichter im *Heinrich von Ofterdingen* zugewiesen bekommt, unterschätzt. Die wohl schönste Deutung hat Samuel gegeben: »Wenn die Schriftzüge nach Heinz Ritter die späte Ansetzung (Herbst 1800) nicht zwingend machten, würde man es kaum unter die von der Gedankenwelt Böhmes durchdrungenen Gedichte einreihen. In spielerisch virtuoser Reimgebung, in kunstvoller, nach vielen Überarbeitungen erreichter Abwägung von Worten und Lautwerten (s. Lesarten), z. B. die Abstufung Alle – Viele – Wenige – der Eine, das Vorherrschen des E-Lauts in der ersten, des O-Lauts in der zweiten Strophe, wird hier eine aktive Lebensphilosophie angedeutet, die dem Dichter aus der Beobachtung des bunten Lebens um ihn herum zufiel, wohl während des letzten Dresdener Aufenthalts, als ihn die Krankheit überkam. Eine ähnliche Beobachtung von außen hatte schon das XI. geistliche Lied (Strophen 2–4) gegeben, wo die ›Thoren‹ und ihr ephemerer ›Genuß‹ schärfer charakterisiert wurden als hier. Der Sinn des menschlichen Lebens offenbart sich dem Dichter wieder als Handeln, im Gegensatz zum Genuß der Toren und der Ruhe der ›Götter‹. Den Toren gegenüber wird als höchstes Exemplar des Menschen nicht der *homo religiosus* angesehen, wie in den Böhme-Gedichten (im Frühlingslied sagte der Dichter sogar: *Die Menschen sollten Götter werden*!), sondern ›der Weise‹, der mühsam vorwärtsstrebt, unaufhörlich kämpft gegen die Widerstände des Lebens, gegen den Strom der Zeit, des Zufälligen (›Sturm und Wogen‹). Er vertritt damit die ›Wenigen‹ gegenüber den ›Vielen‹. Aber das Ideal ist er noch nicht. Das ist *der Eine*, der die Synthese herstellen kann zwischen dem Vorüberschweben der Vielen und dem mühsamen Vorwärtsstreben der Wenigen, dem also ›Leichtes Streben, schwebend leben‹ gegeben ist. Der ›Eine‹ ist nicht näher bezeichnet, er ist unerreichbar – das Absolute, Gott?« (HKA I,382 f.)

8 *Ephemeren:* vgl. Anm. zu Fabel Nr. 13, »Die Ephemeris«.

178 [*In stiller Treue sieht man gern ihn walten*]

Anfang November 1800 begann in Dresden das letzte Stadium von Hardenbergs Krankheit. Am 28. November schrieb die Mutter an ihre Tochter Sidonie: »In Dresden habe ich 8 schwere Tage verlebt. Fritz fährt wieder aus, täglich 2 mahl und will auch reiten, doch ist er schwach, sehr abgezehrt, und das Blutspeien hört nicht auf« (HKA IV,666). Bevor er am 20. Januar nach Weißenburg zurückkehrte, wurde er vor allem von seinem Bruder Carl gepflegt. Carl bestätigt in seiner Biographie (1802) dem Bruder: »auch arbeitete er noch im Anfang derselben [d. i. der Krankheit] theils in Civil theils an poetischen Arbeiten; so ist z. B. das 2te Sonett unter den vermischten Gedichten, aus seiner Krankheit« (HKA IV,535). Einer

Datierung auf Dezember 1800, die das Gedicht zur letzten poetischen Äußerung Hardenbergs macht, steht demnach nichts im Wege. – Weder in der erhaltenen Handschrift noch im Erstdruck in der Werkausgabe von 1802 ist das Sonett auf Carl von Hardenberg bezogen, und der Adressat ist auch ganz ohne Bedeutung. Hardenbergs lyrischer Neueinsatz nach dem Jugendwerk begann mit einem ganz persönlichen Gedicht an einen Freund, von dem wir nichts Näheres wissen. Das lyrische Werk schließt auch wieder mit einem ganz persönlichen Gedicht und zeigt damit noch einmal die Grundtendenz des Werkes: ganz alltägliche Momente in den Horizont des Unendlichen zu rücken. »Die Welt muß romantisirt werden. So findet man den urspr[ünglichen] Sinn wieder. [. . .] Indem ich dem Gemeinen einen hohen Sinn, dem Gewöhnlichen ein geheimnißvolles Ansehn, dem Bekannten die Würde des Unbekannten, dem Endlichen einen unendlichen Schein gebe so romantisire ich es – Umgekehrt ist die Operation für das Höhere, Unbekannte, Mystische, Unendliche – dies wird durch diese Verknüpfung logarythmisirt – Es bekommt einen geläufigen Ausdruck. [. . .] Wechselerhöhung und Erniedrigung.« (Hardenberg in einer Aufzeichnung von 1798; HKA II,545.)

13 *der Lilienstab:* »der oben in eine Lilie auslaufende Stab ist in der mittelalterlichen Kunst Attribut der Engel« (Schulz; Novalis, *Werke*, S. 673).

Literaturhinweise

Ausgaben

Novalis: Schriften. Hrsg. von Friedrich Schlegel und Ludwig Tieck. 2 Tle. Berlin: Realschulbuchhandlung, 1802. 2. Aufl. Ebd. 1805. 3. Aufl. Ebd. 1815. 4. Aufl. Berlin: Reimer, 1826. 5. Aufl. Ebd. 1837.

Novalis: Schriften. Hrsg. von Ludwig Tieck und Eduard von Bülow. Tl. 3. Berlin: Reimer, 1846.

Novalis: Schriften. Hrsg. von Jacob Minor. 4 Bde. Jena: Diederichs, 1907.

Novalis: Schriften. Im Verein mit Richard Samuel hrsg. von Paul Kluckhohn. Nach den Handschriften erg. und neu geordn. Ausg. 4 Bde. Leipzig: Bibliographisches Institut, 1929.

Novalis: Schriften. Die Werke Friedrich von Hardenbergs. Hrsg. von Paul Kluckhohn (†) und Richard Samuel. 2., nach den Handschriften erg., erw. und verb. Aufl. in 4 Bdn. und 1 Begl.-Bd. Stuttgart: Kohlhammer, 1960–88.

Bd. 1: Das dichterische Werk. Hrsg. von Paul Kluckhohn (†) und Richard Samuel unter Mitarb. von Heinz Ritter und Gerhard Schulz. 1960. 3. Aufl. Rev. von Richard Samuel. 1977.

Bd. 2: Das philosophische Werk I. Hrsg. von Richard Samuel in Zsarb. mit Hans-Joachim Mähl und Gerhard Schulz. 1965.

Bd. 3: Das philosophische Werk II. Hrsg. von Richard Samuel in Zsarb. mit Hans-Joachim Mähl und Gerhard Schulz. 1968. 3., von den Hrsg. durchges. und rev. Aufl. 1983.

Bd. 4: Tagebücher, Briefwechsel, Zeitgenössische Zeugnisse. Hrsg. von Richard Samuel in Zsarb. mit Hans-Joachim Mähl und Gerhard Schulz. 1975.

Bd. 5: Materialien und Register. Hrsg. von Hans-Joachim Mähl und Richard Samuel (†). 1988.

Novalis: Werke. Hrsg. und komm. von Gerhard Schulz. München: C. H. Beck, 1969. 2., neu bearb. Aufl. Ebd. 1981.

Novalis: Werke, Tagebücher und Briefe Friedrich von Hardenbergs. Hrsg. von Hans-Joachim Mähl und Richard Samuel. 3 Bde. München: Hanser, 1978.

Bd. 1: Das dichterische Werk, Tagebücher und Briefe. Hrsg. von Richard Samuel, 1978.

Bd. 2: Das philosophisch-theoretische Werk. Hrsg. von Hans-Joachim Mähl. 1978.
Bd. 3: Kommentar. Von Hans Jürgen Balmes. 1987.

Novalis: Gedichte. Die Lehrlinge zu Sais. Dialogen und Monolog. Mit einem Nachw. von Jochen Hörisch. Frankfurt a. M. 1987.

Novalis: Hymnen an die Nacht. Kommentierte Studienausgabe von Bjørn Ekmann. Kopenhagen 1983.

Novalis: Hymnen an die Nacht. Mit Bildern von August Ohm. Text: Gabriele Rommel. Forschungsstätte für Frühromantik und Novalis-Museum Schloß Oberwiederstedt. Halle a. d. Saale 1993.

Allgemeines zu Person und Werk

Albertsen, Leif Ludwig: Novalismus. In: Germanisch-Romanische Monatsschrift N.F. 17 (1967) S. 272–285.

Balthasar, Hans Urs von: Novalis. In: H. U. v. B.: Prometheus. Studien zur Geschichte des deutschen Idealismus. Heidelberg 1947. S. 255–292.

Barth, Karl: Novalis. In: K. B.: Die protestantische Theologie im 19. Jahrhundert. Zürich 1947. [3]1960. S. 303–342.

Bing, Just: Novalis (Friedrich v. Hardenberg). Eine biographische Charakteristik. Hamburg/Leipzig 1893.

Bohrer, Karl Heinz: Der Mythos vom Norden. Studien zur romantischen Geschichtsprophetie. Diss. Heidelberg 1961.

Dilthey, Wilhelm: Novalis. In: Preußische Jahrbücher 15 (1865) S. 596–650. Wiederabgedr. in: W. D.: Das Erlebnis und die Dichtung. Göttingen [14]1965. S. 187–241.

Echtermeyer, Theodor / Ruge, Arnold: Novalis. In: Hallische Jahrbücher für deutsche Wissenschaft und Kunst. Halle 1839. Sp. 2136–52.

Garnier, Pierre: Un tableau synoptique de la vie et des œuvres de Novalis et des événements artistiques, littéraires et historiques de son éopque. Une suite iconographique accompagnée d'un commentaire sur Novalis et son temps. Une étude sur l'écrivain. Paris 1962.

Hamburger, Michael: Novalis. In: M. H.: Reason and Energy. Studies in German Literature. London 1957. S. 71–104.

[Hardenberg, Sophie von:] Friedrich von Hardenberg (genannt Novalis). Eine Nachlese aus den Quellen des Familienarchivs. Hrsg. von einem Mitglied der Familie. Gotha 1873. [2]1883.

Hecker, Jutta: Das Symbol der Blauen Blume im Zusammenhang mit der Blumensymbolik der Romantik. Jena 1931. (Germanistische Forschungen. H. 17.)

Hederer, Edgar: Novalis. Wien 1949.

Heftrich, Eckard: Novalis. Vom Logos der Poesie. Frankfurt a. M. 1969.

Heilborn, Ernst: Novalis, der Romantiker. Berlin 1901.

Heukenkamp, Ursula: Die Wiederentdeckung des ›Wegs nach innen‹. Über die Ursachen der Novalis-Renaissance in der gegenwärtigen bürgerlichen Literaturwissenschaft. In: Weimarer Beiträge 19 (1973) H. 12. S. 105–128.

Hiebel, Friedrich: Novalis. Deutscher Dichter, europäischer Denker, christlicher Seher. 2., überarb. und stark verm. Aufl. Bern/München 1972. [1. Aufl. u. d. T.: Novalis. Der Dichter der blauen Blume. Ebd. 1951.]

Jallet, Gilles: Novalis. Paris 1990.

Kluckhohn, Paul: Friedrich von Hardenbergs Entwicklung und Dichtung. In: Novalis: Schriften. Bd. 1. Leipzig 1929. Einl. S. 9*–80*.

Kreft, Jürgen: Die Entstehung der dialektischen Geschichtsmetaphysik aus den Gestalten des utopischen Bewußtseins bei Novalis. In: Deutsche Vierteljahrsschrift für Literaturwissenschaft und Geistesgeschichte 39 (1965) S. 213–245.

Kuhn, Hans Wolfgang: Der Apokalyptiker und die Politik. Studien zur Staatsphilosophie des Novalis. Freiburg i. Br. 1961.

Kurzke, Hermann: Romantik und Konservatismus. Das ›politische‹ Werk Friedrich von Hardenbergs (Novalis) im Horizont seiner Wirkungsgeschichte. München 1983.

– Novalis. München 1988. (Beck'sche Reihe. Autorenbücher.)

Link, Hannelore: Abstraktion und Poesie im Werk des Novalis. Stuttgart 1971. (Studien zur Poetik und Geschichte der Literatur. Bd. 15.)

Mähl, Hans-Joachim: Novalis' *Wilhelm Meister*-Studien des Jahres 1797. In: Neophilologus 47 (1963) S. 286–305.

– Die Idee des goldenen Zeitalters im Werk des Novalis. Studien zur Wesensbestimmung der frühromantischen Utopie und zu ihren ideengeschichtlichen Voraussetzungen. Heidelberg 1965. [Im Anhang: Unveröffentlichte Jugendlyrik von Novalis. S. 427–472.]

– Friedrich von Hardenberg (Novalis). In: Deutsche Dichter der Romantik. Hrsg. von Benno von Wiese. Berlin 1971. S. 190–224.

Malsch, Wilfried: Zur Deutung der dichterischen Wirklichkeit in den Werken des Novalis. Diss. Freiburg i. Br. 1957. [Masch.]

Matt, Peter von: Gespaltene Liebe. Die Polarisierung von erotischer und geistlicher Lyrik als Strukturprinzip des romantischen Gedichts. In: Romantik in Deutschland. Hrsg. von Richard Brinkmann. Stuttgart 1978. (Deutsche Vierteljahrsschrift für Literaturwissenschaft und Geistesgeschichte. Sonderbd.) S. 584–599.

Miltitz, Monica von: Novalis. Romantisches Denken zur Deutung unserer Zeit. Berlin 1948.

Müller-Seidel, Walter: Probleme neuerer Novalisforschung. In: Germanisch-Romanische Monatsschrift N.F. 34 (1953) S. 274–292.

Neunzig, Hans A.: Novalis: In: H. A. N.: Lebensläufe der deutschen Romantik. München 1986. S. 95–123.

Obenauer, Karl Justus: Hölderlin – Novalis. Gesammelte Studien. Jena 1925.

Paschek, Carl: Der Einfluß Jacob Böhmes auf das Werk Friedrich von Hardenbergs (Novalis). Diss. Bonn 1967.

Reinfrank-Clark, Karin: Novalisbild im Wandel: Neuansätze in der Romantik- und Aufklärungsforschung der DDR. In: The Enlightenment and its Legacy. Studies in German Literatur in honor of Helga Slessarev. Hrsg. von Sara Friedrichsmeyer [u. a.]. Bonn 1991. S. 155–160.

Ritter, Heinz: Der unbekannte Novalis. Friedrich von Hardenberg im Spiegel seiner Dichtung. Göttingen 1967.

Roder, Florian: Novalis: Die Verwandlung des Menschen. Leben und Werk Friedrich von Hardenbergs. Stuttgart 1992.

Samuel, Richard: Die poetische Staats- und Geschichtsauffassung Friedrich von Hardenbergs (Novalis). Studien zur romantischen Geschichtsphilosophie. Frankfurt a. M. 1925. Nachdr. Hildesheim 1975.

– Der berufliche Werdegang Friedrich von Hardenbergs. In: Romantik-Forschungen. Halle 1929. S. 83–112.

– Novalis (Friedrich Freiherr von Hardenberg). Der handschriftliche Nachlaß des Dichters. Berlin 1930. Nachdr. Hildesheim 1973.

– Zur Geschichte des Nachlasses Friedrich von Hardenbergs (Novalis). In: Jahrbuch der Deutschen Schillergesellschaft. Bd. 2. Stuttgart 1958. S. 301–347.

Schanze, Helmut: Romantik und Aufklärung. Untersuchungen zu Friedrich Schlegel und Novalis. Nürnberg 1966. (Erlanger Beiträge zur Sprach- und Kunstwissenschaft. Bd. 27.)

Schanze, Helmut: ›Dualismus unsrer Symphilosophie‹. Zum Verhältnis Novalis – Friedrich Schlegel. In: Jahrbuch des Freien Deutschen Hochstifts 1966. S. 309–335.

Schlaf, Johannes: Novalis und Sophie von Kühn. Eine psychophysiologische Studie. München 1906.

Schmid, Martin Erich: Novalis. Dichter an der Grenze zum Absoluten. Heidelberg 1976. (Beiträge zur Neueren Literaturgeschichte. F. 3. Bd. 26.)

Schubart, A.: Novalis' Leben, Dichten und Denken. Auf Grund neuerer Publikationen im Zusammenhang dargestellt. Gütersloh 1887.

Schulz, Gerhard: Novalis und der Bergbau. In: Freiberger Forschungshefte (Berlin). Reihe D. Nr. 11 (1955) S. 242–263.

– Die Berufslaufbahn Friedrich von Hardenbergs (Novalis). In: Jahrbuch der Deutschen Schillergesellschaft. Bd. 7. Stuttgart 1963. S. 253–312.

– Novalis in Selbstzeugnissen und Bilddokumenten. Reinbek bei Hamburg 1969. (Rowohlts Monographien. Bd. 154.)

– Novalis (Friedrich von Hardenberg). In: Deutsche Dichter. Hrsg. von Gunter E. Grimm und Frank Rainer Max. Bd. 5: Romantik, Biedermeier und Vormärz. Stuttgart 1989. S. 37–54.

Seidel, Margot: Novalis. Eine Biographie. München 1988.

Sommer, Wolfgang: Schleiermacher und Novalis. Die Christologie des jungen Schleiermacher und ihre Beziehung zum Christusbild des Novalis. Bern 1973.

Spenlé, Jean-Edouard: Novalis. Essai sur l'Idealisme Romantique en Allemagne. Paris 1904.

Stadler, Ulrich: ›Die theuren Dinge‹. Studien zu Bunyan, Jung-Stilling und Novalis. Bern/München 1980.

– Friedrich von Hardenberg / Novalis. Ein Autor, der mehr sein möchte als bloß Poet. In: Metamorphosen des Dichters. Das Selbstverständnis deutscher Schriftsteller von der Aufklärung bis zur Gegenwart. Hrsg. von Gunter E. Grimm. Frankfurt a. M. 1992. S. 135–150.

Strack, Friedrich: Im Schatten der Neugier. Christliche Tradition und kritische Philosophie im Werk Friedrichs von Hardenberg. Tübingen 1982. (Studien zur deutschen Literatur. Bd. 70.)

Strohschneider-Kohrs, Ingrid: Die romantische Ironie in Theorie und Gestaltung. Tübingen 1960.

Tieck, Ludwig: Vorrede zur dritten Auflage [von Novalis' *Schriften*]. Berlin 1815. Bd. 1. S. XI–XXXVIII.

Timm, Hermann: Die heilige Revolution. Das religiöse Totalitätskonzept der Frühromantik. Schleiermacher – Novalis – Schlegel. Frankfurt a. M. 1978.

Träger, Claus: Novalis und die ideologische Restauration. Über den romantischen Ursprung einer methodischen Apologetik. In: Sinn und Form 13 (1961) S. 618–660.

Uerlings, Herbert: Friedrich von Hardenberg, genannt Novalis. Werk und Forschung. Stuttgart 1991.

Unger, Rudolf: Jean Paul und Novalis. In: Jean-Paul-Jahrbuch. Bd. 1. Berlin 1925. S. 134–152.

– Das Visionserlebnis der *3. Hymne an die Nacht* und Jean Paul. In: Euphorion 30 (1929) S. 246–249.

Vordtriede, Werner: Novalis und die französischen Symbolisten. Zur Entstehungsgeschichte des dichterischen Symbols. Stuttgart 1963.

Wanning, Berbeli: Novalis zur Einführung. Hamburg 1996.

Lyrik

Busse, Carl: Novalis' Lyrik. Oppeln 1898.

Gardiner, Janet: Untersuchungen zur späten Lyrik von Novalis. M. A. Thesis University of Melbourne 1972.

Kowalski, Jörg: Die Chiffre der Lösung. In: Neue Deutsche Literatur 35 (1987) H. 3. S. 118–123. [Zu *Alchemie*.]

Maier, Hans: Poetischer Exorzismus. In: Frankfurter Anthologie. Gedichte und Interpretationen. Hrsg. von Marcel Reich-Ranicki. Bd. 12. Frankfurt a. M. 1989. S. 95–98. [Zu *Wenn nicht mehr Zahlen und Figuren*.]

Minor, Jacob: Studien zu Novalis I. Zur Textkritik der Gedichte. Wien 1911. (Sitzungsberichte der Kaiserlichen Akademie der Wissenschaften in Wien. Philologisch-Historische Klasse. Bd. 169. Abh. 1.)

Schulz, Gerhard: »Potenzierte Poesie«. Zu Friedrich von Hardenbergs Gedicht *An Tieck*. In: Gedichte und Interpretationen. Bd. 3. Klassik und Romantik. Hrsg. von Wulf Segebrecht. Stuttgart 1984. S. 243–255.

Seidel, Margot: Friedrich von Hardenberg (Novalis). Die unveröffentlichte religiöse Jugendlyrik. In: Jahrbuch des Freien Deutschen Hochstifts 1981. Tübingen 1981. S. 261–337.

Vos, Jaak de: »Du knüpfest zwischen Nationen / Aus noch getrennten, fernen Zonen / Ein heiliges geweihtes Band.« Novalis und Hölderlin in der Lyrik der ehemaligen DDR. In: Romantik, eine lebenskräftige Krankheit. Ihre literarischen Nachwirkungen in der Moderne. Hrsg. von Erika Tunner. Amsterdam 1991. S. 87–120.

Wolf, Alfred: Zur Entwicklungsgeschichte der Lyrik von Novalis. Ein stilkritischer Versuch. I. Die Jugendgedichte. (Diss. Uppsala 1928.) Uppsala 1928.

Die Lehrlinge zu Sais

Bollinger, Heinz: Novalis: *Die Lehrlinge zu Sais.* Versuch einer Erläuterung. (Diss. Zürich 1954.) Winterthur 1954.

Diez, Max: Metapher und Märchengestalt. III. Novalis und das allegorische Märchen. In: Publications of the Modern Language Association of America 48 (1933) S. 488–507.

Gaier, Ulrich: Krumme Regel. Novalis' »Konstruktionslehre des schaffenden Geistes« und ihre Tradition. Tübingen 1970. (Untersuchungen zur deutschen Literaturgeschichte. Bd. 4.)

Haywood, Bruce: Novalis. The Veil of Imagery. A study of the poetic works of Friedrich von Hardenberg (1772–1801). Cambridge (Mass.) 1959. (Harvard Germanic Studies. Bd. 1.) S. 29–51.

Heinisch, Kurt Jürgen: *Die Lehrlinge zu Sais.* In: K. J. H.: Deutsche Romantik. Interpretationen. Paderborn 1966. S. 85–98.

Kniep, Claudia: Gans, Bach, Stein. Zu einem Satz in Novalis' *Die Lehrlinge zu Sais.* In: Wirkendes Wort 34 (1984) S. 409–410.

Kreuzer, Ingrid: Novalis. *Die Lehrlinge zu Sais.* Fragen zur Struktur, Gattung und immanenten Ästhetik. In: I. K.: Literatur als Konstruktion. Studien zur deutschen Literaturgeschichte zwischen Lessing und Martin Walser. Frankfurt a. M. / Bern 1989. S. 133–167.

Küpper, Peter: Die Zeit als Erlebnis des Novalis. Köln 1959. (Literatur und Leben N.F. Bd. 5.) S. 40–61.

Leusing, Reinhard: Die Stimme als Erkenntnisform. Novalis' Roman *Die Lehrlinge zu Sais.* Stuttgart 1993.

Mähl, Hans-Joachim: Die Idee des goldenen Zeitalters im Werk des Novalis. Heidelberg 1965. S. 354–362.

Mahoney, Dennis F.: Die Poetisierung der Natur bei Novalis. Beweggründe, Gestaltung, Folgen. Bonn 1980. (Abhandlungen zur Kunst-, Musik- und Literaturwissenschaft. Bd. 286.) S. 38–52.

Molnar, Géza von: The Composition of Novalis' *Die Lehrlinge von Sais*. A Revaluation. In: Publications of the Modern Language Association of America 85 (1970) S. 1002–14.
Neubauer, John: Bifocal Vision. Novalis' Philosophy of Nature and Disease. Chapel Hill 1971. S. 113–127.
Pfaff, Peter: Natur-Poesie. Zu den *Lehrlingen zu Sais* des Novalis. In: Was aber (bleibet) stiften die Dichter? Zur Dichter-Theologie der Goethezeit. Hrsg. von Gerhard vom Hofe [u. a.]. München 1986. S. 89–103.
Pfefferkorn, Kristin: Novalis. A Romantic's Theorie of Language and Poetry. New Haven 1988. [U. a. zu *Die Lehrlinge zu Sais*.]
Reble, Albert: Märchen und Wirklichkeit bei Novalis. In: Deutsche Vierteljahrsschrift für Literaturwissenschaft und Geistesgeschichte 19 (1941) S. 70–110.
Schmid, Heinz Dieter: Friedrich von Hardenberg (Novalis) und Abraham Gottlob Werner. Diss. Tübingen 1951. [Masch.]
Stieghahn, Joachim: Magisches Denken in den Fragmenten Friedrichs von Hardenberg (Novalis). Diss. Berlin 1964.
Striedter, Jurij: Die Komposition der *Lehrlinge zu Sais*. In: Der Deutschunterricht 7 (1955) H. 2. S. 5–23. Wiederabgedr. in: Novalis. Hrsg. von Gerhard Schulz. Darmstadt 1970. (Wege der Forschung. Bd. 248.) S. 259–282.
Voerster, Erika: Märchen und Novellen im klassisch-romantischen Roman. Bonn 1964. S. 158–166.

Geistliche Lieder

Gilman, Sander L.: Friedrich von Hardenberg's Twelfth *Geistliches Lied*. In: Seminar 6 (1970) S. 225–236.
Minnigerode, Irmtrud von: Die Christusanschauung des Novalis. Berlin 1941. S. 70–113.
Ritter, Heinz: Die *Geistlichen Lieder* des Novalis. Ihre Datierung und Entstehung. In: Jahrbuch der Deutschen Schillergesellschaft. Bd. 4. Stuttgart 1960. S. 308–342.
Ruprecht, Erich: [Nachwort:] Novalis als Künder eines poetischen Christentums. In: Novalis: *Hymnen* und *Geistliche Lieder*. Freiburg 1948.
Samuel, Richard: Die Marienauffassung F. v. Hardenbergs. In: R. S.: Die poetische Staats- und Gerschichtsauffassung Friedrich von

Hardenbergs. Frankfurt a. M. 1925. Nachdr. Hildesheim 1975. S. 185–230.
Seidel, Margot: Novalis' *Geistliche Lieder.* Frankfurt a. M. / Bern 1983.
Wörner, Roman: Novalis' *Hymnen an die Nacht* und die *Geistlichen Lieder.* Diss. München 1885.

Hymnen an die Nacht

Berger, Walter: Novalis' Abendmahlhymne. In: The Germanic Review 35 (1960) S. 28–38.
Biser, Ernst: Abstieg und Auferstehung. Die geistige Welt in Novalis' *Hymnen an die Nacht*. Heidelberg 1954.
Davis, William S.: Menschwerdung der Menschen: Poetry and truth in Hardenbergs *Hymnen an die Nacht* and the *Journal of 1797*. In: Athenäum. Jahrbuch der Romantik 4 (1994) S. 239–259.
Ekman, Bjørn: *Was sollen wir auf dieser Welt.* Zur Erlebnissuche in den *Hymnen an die Nacht* von Novalis. München 1994.
Fauteck, Heinrich: Novalis. *Hymnen an die Nacht.* Athenäumstext und Züricher Handschrift. Hrsg. und eingel. von H. F. Göttingen 1949.
Floercke, Werner: Novalis und die Musik, mit besonderer Berücksichtigung des Musikalischen in Novalis' *Hymnen an die Nacht.* Marburg 1928.
Frye, Lawrence: Spatial Imagery in Novalis' *Hymnen an die Nacht.* In: Deutsche Vierteljahrsschrift für Literaturwissenschaft und Geistesgeschichte 41 (1967) S. 568–591.
– Prometheus under a Romantic Veil. Goethe and Novalis' *Hymnen an die Nacht*. In: Euphorion 61 (1967) S. 318–336.
Gäde, Ernst-Georg: Eros und Identität. Zur Grundstruktur der Dichtungen Friedrich von Hardenbergs (Novalis). Marburg 1974. (Marburger Beiträge zur Germanistik. Bd. 48.) S. 91–142.
Heukenkamp, Ursula: Das Programm einer Selbstbefreiung durch Poesie und Imagination in Novalis' *Hymnen an die Nacht*. Diss. Berlin 1970.
Kamla, Henry: Novalis' *Hymnen an die Nacht*. Zur Deutung und Datierung. Kopenhagen 1945.
Knopper, Françoise: La négation de la dualité ou la vision triangulaire chez Novalis. In: Recherches germaniques 17 (1987) S. 29–43.

Kommerell, Max: Novalis' *Hymnen an die Nacht*. In: Gedicht und Gedanke. Auslegungen deutscher Gedichte. Hrsg. von Heinz Otto Burger. Halle a. d. S. 1942. S. 202–236. Wiedrabgedr. in: Novalis. Hrsg. von Gerhard Schulz. Darmstadt 1970. (Wege der Forschung. Bd. 248.) S. 174–202.

Leroy, R.: Die Novalis'schen Bilder der »Nacht«. In: Revue des langues vivantes 31 (1965) S. 390–403.

Mähl, Hans-Joachim: Die Idee des goldenen Zeitalters im Werk des Novalis. Heidelberg 1965. S. 385–396.

– Von der Betrunkenheit eines Dichters. Ein frühes Rezeptionszeugnis zu Novalis' *Hymnen an die Nacht*. In: Jahrbuch des Freien Deutschen Hochstifts 1994. S. 108–117.

Pfaff, Peter: Geschichte und Dichtung in den *Hymnen an die Nacht* des Novalis. In: Text und Kontext 8,1 (1980) S. 88–106.

Rehm, Walther: Orpheus. Der Dichter und die Toten. Selbstdeutung und Totenkult bei Novalis – Hölderlin – Rilke. Düsseldorf 1950. S. 115–134.

Ritter, Heinz: Novalis' *Hymnen an die Nacht*. Ihre Deutung nach Inhalt und Aufbau auf textkritischer Grundlage. Ihre Entstehung. Heidelberg 1930. 2., wes. erw. Aufl. mit Faks. der Hs. Ebd. 1974.

– Die Datierung der *Hymnen an die Nacht*. In: Euphorion 52 (1958) S. 114–141.

Schneider, Jost: Zum Verhältnis von Weltliebe und Weltmüdigkeit in den *Hymnen an die Nacht* des Novalis. In: Colloquia Germanica 24 (1991) S. 296–309.

Schulz, Gerhard: »Mit den Menschen ändert die Welt sich«. Zu Friedrich von Hardenbergs *5. Hymne an die Nacht*. In: Gedichte und Interpretationen. Bd. 3: Klassik und Romantik. Hrsg. von Wulf Segebrecht. Stuttgart 1984. S. 196–215.

Sepasgosarian, Wilhelmine M.: Der Tod als romantisierendes Prinzip des Lebens: eine systematische Auseinandersetzung mit der Todesproblematik im Leben und Werk des Novalis (Friedrich von Hardenberg). Frankfurt a. M. / Bern 1991.

Timm, Hermann: Die heilige Revolution. Schleiermacher – Novalis – Friedrich Schlegel. Frankfurt a. M. 1978. S. 101–113.

Unger, Rudolf: Novalis' *Hymnen an die Nacht*, Herder und Goethe. In: R. U.: Herder, Novalis und Kleist. Studien über die Entwicklung des Todesproblems in Denken und Dichten vom Sturm und Drang zur Romantik. Frankfurt a. M. 1922. Neudr. Darmstadt 1968. S. 24–61.

Unger, Rudolf: Zur Datierung und Deutung der *Hymnen an die Nacht*. In: Ebd. S. 62–87.
Ziegler, Klaus: Die Religiosität des Novalis im Spiegel der *Hymnen an die Nacht*. In: Zeitschrift für deutsche Philologie 70 (1948/49) S. 396–418; 71 (1951/52) S. 256–277.

Zeittafel zu Leben und Werk Friedrich von Hardenbergs

1772 2. Mai: Geburt Georg Philipp Friedrich von Hardenbergs auf dem Familiengut Oberwiederstedt bei Mansfeld.
Eltern: Heinrich Ulrich Erasmus von Hardenberg (1738 bis 1814) und Auguste Bernhardine, geb. von Bölzig (1749 bis 1818).
Geschwister: Caroline (1771–1801), Erasmus (1774–97), Carl (1776–1813), Sidonie (1779–1801), Anton (1781–1825), Auguste (1783–1804), Bernhard (1787–1800), Peter Wilhelm (1791 bis 1811), Amalie (1793–1814), Hans Christoph (1794 bis 1816).

1780 Nach einer schweren Erkrankung rasche geistige Entwicklung.

1783 Wegen Erkrankung der Mutter für einige Monate auf Schloß Lucklum, wo der Bruder seines Vaters Landkomtur des Deutschritterordens ist.

1785 Als der Vater Direktor der kursächsischen Salinen Dürrenberg, Kösen und Artern wird, übersiedelt die Familie nach Weißenfels; erste Ausbildung bei Hofmeistern und in der Lateinschule.

1790 Besuch des Gymnasiums in Eisleben.

1788–90 Umfangreiches literarisches Jugendwerk.

1790 23. Oktober: Immatrikulation an der Universität Jena zum Jurastudium.

1791 Ausweitung des Studienprogramms, philosophische und historische Vorlesungen bei Karl Leonhard Reinhold und Friedrich Schiller. Enge persönliche Beziehung zu Schiller.
April: Das Gedicht *Klagen eines Jünglings* erscheint als erste Veröffentlichung in Wielands »Neuem Teutschen Merkur«.
24. Oktober: Immatrikulation an der Universität Leipzig.

1792 Januar: Erste Begegnung mit Friedrich Schlegel in Leipzig.

1793 27. Mai: Immatrikulation an der Universität Wittenberg.

1794 14. Juni: Ablegung des juristischen Staatsexamens in Wittenberg.
August bis Oktober: Ferien in Weißenfels.
25. Oktober: Umzug nach Tennstedt, in das Haus des Kreisamtmanns Just.

8. November: Dienstantritt als Aktuarius beim Kreisamt Tennstedt.
17. November: Erste Begegnung mit Sophie von Kühn (1782–97) in Grüningen bei Tennstedt; im März des nächsten Jahres wird die Verlobung abgesprochen.

1795 Sommer: Erste Begegnung mit Fichte und – wohl das einzige Mal – mit Hölderlin in Jena.
Beginn umfassender philosophischer Studien, besonders von Fichtes »Wissenschaftslehre«.
November: Sophie von Kühn erkrankt schwer.
30. Dezember: Ernennung zum Akzessisten bei der Salinendirektion in Weißenfels.

1796 Februar: Beginn der Tätigkeit in Weißenfels.
Seit Juli: Der Gesundheitszustand Sophies verschlechtert sich, mehrere Operationen bringen keine Erleichterung.

1797 1.–10. März: Letzter Besuch bei der todkranken Sophie in Grüningen.
19. März: Sophie stirbt.
12. April – 31. Mai: Aufenthalt in Tennstedt, um dem Grab nahe zu sein. Beständiges Erwägen des »Entschlusses«, der Geliebten nachzusterben.
Sommer: Beginn der kritischen Auseinandersetzung mit Goethes »Wilhelm Meisters Lehrjahre«. Erste Begegnung mit August Wilhelm und Caroline Schlegel in Jena. Lektüre von Schellings »Ideen zu einer Philosophie der Natur«.
September: Wiederaufnahme der Arbeit in der Salinenverwaltung. Entschluß, an der Bergakademie Freiberg das Studium aufzunehmen.
Oktober–November: Lektüre der Werke von Frans Hemsterhuis. Neukonzeption der privaten Aufzeichnungen: romantische »Fragmente«, »Sämereien« entstehen über Themen der Philosophie, Religion, Politik und Physik.
Dezember: Erste Begegnung mit Schelling in Leipzig auf der Reise nach Freiberg. Beginn des Studiums an der Bergakademie.
Dezember–Januar: Niederschrift der *Vermischten Bemerkungen.*

1798 22. Januar: Erscheint im Haus des Berghauptmanns v. Charpentier mit einem Gedicht, in dem er erklärt: »Der müde Fremdling ist verschwunden ...«
24. Februar: Absendung der Reinschrift der *Vermischten Bemerkungen* an August Wilhelm Schlegel zur Veröffentlichung

im »Athenaeum« mit der Bitte »um die Unterschrift Novalis«; Publikation der von Friedrich Schlegel redigierten Sammlung im April im ersten Heft des »Athenaeum« unter dem Titel *Blütenstaub*.
Frühjahr: Wiederaufnahme poetischer Arbeiten mit dem ersten Kapitel der *Lehrlinge zu Sais*.
29. März: Erste Begegnung mit Goethe in Weimar, in Begleitung August Wilhelm Schlegels.
Mai: Entstehung der Aufzeichnungen *Blumen* und *Glauben und Liebe*; Publikation im Juni/Juli in den »Jahrbüchern der Preußischen Monarchie«.
Juni–Juli: Beginn intensiver naturwissenschaftlicher Studien. Engere Beziehungen zu Abraham Gottlob Werner.
Juli–August: Kur in Teplitz. Vermutlich bricht schon jetzt die Tuberkulose aus. »Meditationen«: Die ›Teplitzer Fragmente‹.
25.–26. August: Treffen mit den Schlegels und mit Schelling in Dresden, Besuch der Gemäldegalerie und Antikensammlung.
September: Auseinandersetzung mit Schellings »Von der Weltseele« und anderen philosophischen Schriften, erneut auch mit Goethe. Beginn der Aufzeichnungen des *Allgemeinen Brouillons*.
Oktober: Erste Begegnung mit Jean Paul in Leipzig.
Dezember: Verlobung mit Julie von Charpentier (1776–1811).

1799 Mai: Nach Abschluß des Studiums in Freiberg Rückkehr nach Weißenfels, zunächst als Protokollant des Finanzrates v. Oppel, der eine feste Anstellung in der Salinenverwaltung vermitteln soll.
Juli: Erste Begegnung mit Tieck in Jena; in Begleitung Tiecks Besuche bei Herder und Goethe in Weimar. Die ersten *Geistlichen Lieder* entstehen.
September–Oktober: Lektüre von Schleiermachers Schrift »Über die Religion«.
Oktober–November: Niederschrift von *Die Christenheit oder Europa*.
11.–14. November: ›Romantikertreffen‹ in Jena mit Tieck und seiner Frau, August Wilhelm und Caroline Schlegel, Friedrich Schlegel und Dorothea Veit sowie Schelling und Johann Wilhelm Ritter.
November: Der Roman *Heinrich von Ofterdingen* wird konzipiert.
7. Dezember: Ernennung zum Salinenassessor in Weißenfels.

1800 Januar: Die handschriftliche Fassung der *Hymnen an die Nacht* liegt vor; Publikation der revidierten Fassung im Augustheft des »Athenaeum«.
Februar–März: Lektüre der Werke von Jakob Böhme.
5. April: Briefe an Tieck und Friedrich Schlegel melden den Abschluß der Arbeit am ersten Teil des *Heinrich von Ofterdingen*.
10. April: Bewerbung um die Stelle eines Amtshauptmanns im Thüringischen Kreis.
28. April: Abschluß eines Berichts über die Braunkohlenlager im Bereich der sächsischen Salinen.
1.–18. Juni: Wanderung von Zeitz nach Leipzig als Teil einer großen geologischen Untersuchung Sachsens; ein Abschlußbericht entsteht nicht mehr.
Juli: Tagebucheintragungen über »körperliche Unruhe«. In den folgenden Monaten entstehen die Skizzen für den zweiten Teil des *Ofterdingen*, darunter mehrere Gedichte, sowie naturwissenschaftliche, medizinische und religiöse Studien.
28. September: Absendung der Probeschrift als Teil der Bewerbung für die Stelle eines Amtshauptmanns.
Oktober: Letzte Aufzeichnungen. Der Gesundheitszustand verschlechtert sich. Reise u. a. nach Meißen und Dresden zur Konsultation weiterer Ärzte.
6. Dezember: Ernennung zum »Supernumerar-Amtshauptmann« im Thüringischen Kreis.

1801 1. Januar: Brief an Tieck, »eine langwierige Krankheit« habe ihn »völlig außer Tätigkeit gesetzt«; Julie von Charpentier und sein Bruder Carl pflegen ihn in Dresden.
24. Januar: Nach der Rückkehr nach Weißenfels zunehmender Verfall; trotzdem – wie Friedrich Schlegel berichtet – Neukonzeption des zweiten Teils des *Ofterdingen*.
25. März: Tod Friedrich von Hardenbergs in Anwesenheit Friedrich Schlegels.

Nachwort

> »Du bist der einzige mir bekannte Mensch, dem ich zutraue, daß er eine ganze Generation erheben [...] könnte [...].«
>
> Hans Georg von Carlowitz an Novalis in Freiberg am 10. Februar 1799 (HKA IV,520)

Die Behauptung, von Friedrich von Hardenberg – den man nach einem gelegentlich von ihm benützten Pseudonym meist Novalis nennt – gebe es noch immer kein wirkliches Gesamtbild, hat Tradition. Eine Dissertation von 1898 stellt einleitend fest, »trotz trefflicher Ansätze von Dilthey, Haym, Schubart und Bing« fehle noch immer eine brauchbare Biographie (Carl Busse, *Novalis' Lyrik*, Vorbem.). 1967 faßte Heinz Ritter sein lebenslanges Bemühen um das Werk Hardenbergs zusammen unter dem Titel *Der unbekannte Novalis*. Das klang provozierend und war auch so gemeint: einer rund hundert Jahre alten Forschung wurde ein schlechtes Zeugnis ausgestellt. Der 1772 geborene Friedrich von Hardenberg – die wichtigsten Lebensdaten wurden im Kommentar zu den einzelnen Werken genannt und in der Zeittafel zusammengefaßt – hatte nur etwa sechs Jahre, von 1794 bis 1800, Zeit für sein literarisches Werk, ein Werk, das den mit nicht einmal 29 Jahren verstorbenen Autor zu einer der wichtigsten Figuren in der deutschen Geistesgeschichte an der Wende des 18. zum 19. Jahrhundert machte. Nach einem halben Dutzend Ausgaben schien dieses Werk bekannt, es gab eine Reihe umfangreicher Monographien – dennoch stellte sich bei der Arbeit an der neuen Gesamtausgabe (1960 ff.) heraus, daß viele Texte ungenau datiert und eingeordnet waren, daß im philosophischen Werk Handschriften falsch gelesen und Blätter falsch gefaltet waren; man hatte die Zusammenhänge verloren, ganze Passagen nicht richtig verstanden. Auch die Schaffensperioden ließen sich nicht klar abgrenzen. Biographische Hintergründe und viele Ereignisse des Lebens blieben unklar. Ganz unterschiedliche Texte wurden entweder vom Autor selbst oder von späteren Herausgebern in Zyklen zusammengefaßt; Entstehungsprozesse konnten so nur noch schwer rekonstruiert werden. Auch Ritters Buch, das auf einige Mängel aufmerksam machte, ist inzwischen Teil der problematischen Forschungstradition geworden. Einige Erklärungen erwiesen sich selbst als neue Fiktionen. Das Thema also ist geblieben: ›bekannt‹ ist Novalis noch immer nicht. Ein neues Bild zeichnet sich erst in Umrissen ab. Die schon vor 80 Jahren erwartete ›Biographie‹ konnte bis heute nicht erscheinen.

Im Rahmen der vorliegenden Ausgabe ist vor allem ein Problem herauszuheben. Zu den wiederholt diskutierten Fragen der Forschung gehört das Verhältnis zwischen poetischem und philosophischem Werk. Noch heute wird manchmal behauptet, Hardenbergs poetisches Werk würde überschätzt, seine eigentliche Leistung liege in den »Sämereien«, die er in seinen Fragmenten auszustreuen gedachte. Implizit übernehmen viele Arbeiten über das poetische Werk diese Wertung, wenn in schöner Regelmäßigkeit am Beginn der Interpretation eine Auswahl von Fragmenten steht, die vorgreifend den gedanklichen Horizont Hardenbergs kennzeichnet; und dann bemerkt man, all dies finde sich nun auch in der Dichtung wieder. Die durch die Publikationspraxis der Universal-Bibliothek bedingte Aufteilung von Hardenbergs Werk in verschiedene Bände hat daher einen methodischen Vorteil: sie hindert die allzu rasche Verbindung von einzelnen Sätzen, wie Hardenberg sie in seinen Notizheften niedergeschrieben hat, mit aus dem Zusammenhang gerissenen Sätzen des poetischen Werks. Gedichte sollten zunächst als Gedichte, Prosa zunächst als fortlaufender Text gelesen werden, nicht als Bruchstücke eines großen, vom Leser zu erschließenden Systems.

Entscheidend bestimmt war die Novalis-Forschung durch den von Ludwig Tieck erfundenen und von Wilhelm Dilthey an die Wissenschaft weitergegebenen Sophienmythos. Demnach war Hardenberg nach dem Tod seiner ersten Braut Sophie von Kühn, die am 19. März 1797 im Alter von vierzehn Jahren starb, entschlossen, sich nur noch auf die Ewigkeit auszurichten: »mag die Flamme der Liebe und Sehnsucht auflodern und dem Geliebten Schatten, die liebende Seele nachsenden« (Tagebuch vom 13. April 1797; HKA IV,218); »ich soll mich in der Blüthe von allem trennen« (26. Mai 1797; HKA IV,41); »ich gehöre [...] nicht mehr hieher« (9. Juni 1797; HKA IV,45). Hardenberg selbst kam zwar auch unmittelbar nach Sophies Tod mit seinen Wünschen nicht ins reine, berichtete von »Widersprüchen«, die ihn quälten; gestand: »Es wird mir sehr schwer werden, mich ganz von dieser Welt zu trennen« (29. März 1797; HKA IV,214); und er formulierte zweideutig: »Eigentlich sollt ich auf nichts mehr einen Werth legen« (20. Mai 1797; HKA IV,38). Er konnte aber später schreiben, was er wollte, seine Leser waren sich einig: »Er ruft die Sophie« – er spricht von seiner verstorbenen, aber aus der Ewigkeit her anwesenden Braut und in ihr von der Sophia, der göttlichen Weisheit, der einzig wahren wesentlichen Wirklichkeit (Kurt May). Um eine Bemerkung von Arno Schmidt abzuwandeln: Für die meisten seiner Leser blieb Novalis »dermitderSophie«, so wie Darwin »dermitdemAffen« war. Es galt als sicher, daß Hardenberg in seinem ganzen Werk nichts anderes wollte, als seiner Sophie nachzutrauern; demnach durfte das Werk als ein einziger großer Beweis dieser These angesehen werden. Gerhard Schulz hat in seinem Werkkommentar (1969/81) an vielen einzelnen Stellen gezeigt, daß die traditionelle biographische Deutung zu kurz zielt. Doch ist vor Purismus zu warnen. Der Tod Sophies bedeutet für den vierundzwanzigjährigen Studenten einen wichtigen Einschnitt; er verstärkte entschieden die schon früher einsetzende Reflexion über das Verhältnis von Zeit und Ewigkeit, Leben und Tod. Die biographische Interpretation rekonstruiert tatsächlich den Ausgangspunkt

vieler poetischer Gedanken, sagt aber nichts über die Art und Form ihrer Entwicklung. Vom Biographischen her wäre ein anderes Moment beizuziehen, das meist unterschätzt wird, die Weltzuwendung, die Hardenberg der Liebe zu seiner zweiten Braut Julie von Charpentier verdankt, einer Liebe, die ihn versichern läßt: »Der müde Fremdling ist verschwunden«, und die ihn mit neuer Zuversicht erfüllt. Was die Person Hardenbergs betrifft, sind dies die Pole seiner Existenz: die erschreckte Weltflucht und die bedächtige, reflektierte, durch die neue Liebe vermittelte Wendung zur Welt – wie sich in diesem Spannungsfeld die Wirklichkeit des einzelnen poetischen Werkes darstellt, dies zu zeigen ist Aufgabe der Interpretation.
Um stärker von den Texten her den Autor und das Werk in den Blick zu rücken, wäre es angebracht, die seit einiger Zeit zu beobachtende Tendenz der Forschung konsequent weiterzuführen. Ohne der Tradition gegenüber beckmesserisch auftreten zu wollen, sollte nicht nur auf den Sophienmythos, sondern auch auf den Namen »Novalis« weitgehend verzichtet werden. Hardenberg hat sich das Pseudonym 1798 zugelegt, als er seine Fragmentsammlung *Blütenstaub* veröffentlichte (HKA IV,251). Es gibt eine hübsche Deutung des Namens, den Hardenberg als »ein alter Geschlechtsnamen von mir« (ebd.) bezeichnet: »de Novali« bedeutet »von Rode« und meint die Rodung von Brachland; Hardenberg spielt offenbar mit dieser Bedeutung, wenn er sich in seinen Fragmenten als einen sieht, der »litterarische Sämereyen« ausstreut: »wenn nur einiges aufgeht!« (HKA II,463.) Aber nicht diese Idee war Anlaß, den wahren Namen zu verstecken, sondern eine praktische Notwendigkeit. Vor dem Vater und vor den fürstlichen Behörden, die dem jungen Mann einen Posten in der staatlichen Verwaltung geben sollten, mußten dessen literarische Ambitionen verborgen werden. Schon als 1800 die *Hymnen an die Nacht* erschienen, wußte Schleiermacher nicht, ob das Versteckspiel noch nötig war; um nichts falsch zu machen, fügte er

erst kurz vor Drucklegung in das Inhaltsverzeichnis des *Athenaeum* »v. Novalis« ein. Daß dann auch die Werkausgabe von 1802 unter dem Namen Novalis erschien, hat mit Rücksichten auf die Familie zu tun, aber auch mit dem ›romantischen‹ Mythos, in dem Figur und Werk Hardenbergs aufzugehen begannen. Friedrich Schlegel schrieb dagegen schon am 8. April 1815 an den Verleger, der eine dritte Auflage der *Schriften* vorbereitete, es sei nun an der Zeit, »daß die Schriften künftig nicht mehr unter dem Pseudonym Novalis, sondern unter dem wahren Namen Friedrich von Hardenberg erscheinen sollten«; die Gründe, die seinerzeit für das Pseudonym gesprochen hätten, fielen nun weg, auch der Bruder und Nachlaßverwalter Carl von Hardenberg sei dieser Meinung (zit. nach: Jacob Minor, »Novalis' Nachlaß«, in: *Zeitschrift für Bücherfreunde* N. F. 1, 1911, S. 165). Die spätere Germanistik ist nicht nur aus praktischen Gründen, die für eine Werkausgabe auch heute stichhaltig sind, bei dem einmal etablierten Namen geblieben: er bezeichnet vielmehr das allgemeine Vorverständnis, in dem man angesichts der Schriften des wundersamen Jünglings mit den großen, staunenden Augen übereingekommen war.

Doch Friedrich von Hardenberg hat unter den deutschen Dichtern eine der gewöhnlichsten Biographien. Er ging nach der üblichen pietistischen Erziehung in die Schule, studierte ein paar Jahre, machte Karriere in der Bergwerksverwaltung, bevor er jung starb. In seiner Freizeit füllte er mit ungeheurem Fleiß Notizblätter, doch es gibt keinen Hinweis, daß er darin eine Flucht vor seinem Beruf sah. Die letzte Schrift, die er den verlöschenden Kräften abrang, diente der endgültigen Sicherung seiner beruflichen Karriere – nichts deutet darauf hin, daß er seinen frühen Tod ahnte.

Was Hardenberg poetisch und philosophisch hinterlassen hat, sind fast ausnahmslos Fragmente, Ansätze, immer wieder versicherte er, künftig ganz anders ansetzen, neu fortfahren zu wollen. Mitten in der Goethezeit, die einige der bedeutendsten, in sich geschlossenen Deutungen menschlicher Existenz gegeben hat, welche die deutsche Geistesgeschichte kennt, liegt bei Hardenberg ein Werk vor, das in jeder Beziehung ein »Anfang« ist. Das Unfertige, Unabgeschlossene, aber auch dynamisch Vorwärtsdrängende bestimmt seinen Charakter. Hardenbergs sämtliche Schriften legen Spuren aus zu einem verschleierten »Bild zu Sais«. Nicht alle gehen in die gleiche Richtung. Es gibt unterschiedliche Ansätze, die von Widersprüchen nicht frei sind. Allen gemeinsam ist die Energie des Suchens, die Gewißheit, bei den gefundenen Formeln nicht stehenbleiben zu dürfen. Die Begeisterung, in der ein jugendlicher Autor gleichzeitig seinen bürgerlichen Alltag ernst nehmen und dessen Begrenztheit gedanklich überschreiten wollte, erklärt die Faszination, die noch immer von ihm ausgeht.

Abbildungsnachweis

Die Zahlen verweisen auf die Seiten der vorliegenden Ausgabe.

41 Handschrift vom Beginn des Gedichts »Anfang«: »Es kann kein Rausch seyn ...« Mit Genehmigung des Freien Deutschen Hochstifts, Frankfurter Goethemuseum, Frankfurt am Main.

121 Handschrift des *Geistlichen Liedes* Nr. XIII (verkleinert). Mit Genehmigung des Freien Deutschen Hochstifts, Frankfurter Goethe-Museums, Frankfurt am Main.

124 Handschrift des Anfangs der *Hymnen an die Nacht* (Ausschnitt). Mit Genehmigung der Bibliotheca Bodmeriana, Fondation Martin Bodmer, Cologny bei Genf.

177 Handschrift des Gedichts »Alle Menschen seh ich leben« (verkleinert). Mit Genehmigung des Freien Deutschen Hochstifts, Frankfurter Goethe-Museums, Frankfurt am Main.

Gedichtüberschriften und -anfänge

Gedichtanfänge sind *kursiv* gesetzt. Gedichte, die im Roman *Heinrich von Ofterdingen* und in den Paralipomena für den geplanten zweiten Teil des Romans enthalten sind – Text und Paralipomena liegen in einer eigenen Ausgabe in Reclams Universal-Bibliothek vor (siehe S. 183) –, wurden ebenfalls mit ihrem Titel und Anfang verzeichnet und die Seitenzahl in runde Klammern gesetzt sowie mit einem Stern gekennzeichnet. Die Seitenzahl der linken Spalte verweist auf den Text, die der rechten Spalte auf die Anmerkungen.

Inhalt